Oscar

D1644720

Tracy Hogg
con Melinda Blau

Il linguaggio segreto
dei neonati

Traduzione di Louisette Palici Di Suni

PAG 130 RUTTINO

OSCAR MONDADORI

Copyright © 2001 by Tracy Hogg Enterprises, Inc.
This translation published by arrangement
with the Ballantine Publishing Group, a division of Random House, Inc.
Titolo originale dell'opera: *Secrets of the Baby Whisperer*
© 2002 Arnoldo Mondadori Editore S.p.A., Milano

I edizione Come*fare* gennaio 2002
I edizione Oscar saggi giugno 2004

ISBN 978-88-04-53322-1

Questo volume è stato stampato
presso Mondadori Printing S.p.A.
Stabilimento NSM - Cles (TN)
Stampato in Italia. Printed in Italy

Ristampe:

    8   9   10   11   12   13   14

2007   2008   2009   2010   2011

www.librimondadori.it

Indice

Il linguaggio segreto dei neonati

A Sara e Sophie

Avvertenza

Gli aneddoti raccolti in questo libro non sono necessariamente basati su esperienze di persone reali: alcune delle storie sono state completate o rimaneggiate, e in ogni caso i nomi e le caratteristiche personali sono stati cambiati per proteggere la privacy dei protagonisti.

Le informazioni e i consigli contenuti nel volume sono stati rivisti da medici, ma non dovrebbero comunque sostituire i suggerimenti del vostro medico personale e di altri professionisti. Vi consigliamo di consultare un pediatra in tutti i casi che potrebbero richiedere cure o una diagnosi, così come prima di somministrare o intraprendere qualsiasi tipo di trattamento.

Prefazione

Una delle domande che mi sono sentita rivolgere più spesso dai futuri genitori è: «Quali libri ci consiglia di leggere per avere dei suggerimenti utili?». In passato questa richiesta mi metteva in difficoltà: volevo segnalare non tanto un libro scientifico, ma piuttosto un volume concreto che fornisse consigli pratici, semplici ma mirati sul comportamento e sul primo sviluppo infantile. Ora il problema si è risolto.

Con *Il linguaggio segreto dei neonati* Tracy Hogg ha fatto una serie di doni ai neogenitori, anche se già esperti: la possibilità di sviluppare da subito un'empatia con il carattere del bambino, uno schema per interpretare i suoi primi tentativi di comunicazione e il suo comportamento, e quindi un insieme di soluzioni molto pratiche e adattabili per rimediare ai problemi tipici dell'età infantile, quali il pianto eccessivo, le poppate troppo frequenti e le notti insonni. Non si può fare a meno di apprezzare l'ironia sensibile, «inglese» di Tracy: il libro è di facile lettura, il tono spesso amichevole, ricco di humour ma con un taglio pratico e intelligente. È rivolto a tutti i genitori, perché pieno di contenuti utili – senza essere eccessivamente pesante – e applicabili anche ai bambini con un carattere difficile.

Ancor prima della nascita del bambino, molti neogenitori sono vittime della confusione e dell'ansia creata dall'eccesso di informazioni provenienti da parenti ben intenzionati, amici, libri e Internet. Le pubblicazioni in circolazione che affrontano i problemi tipici dei neonati sono spesso troppo dogmatiche o, peggio ancora, prive di principi guida. Presi tra questi due estremi, i neogenitori finiscono spesso per affidarsi a una sorta di «educazione involontaria», ricca di buone intenzioni ma, ancor più, di problemi futuri per il piccolo. In questo libro Tracy sottolinea più volte l'importanza di instaurare una routine organizzata per aiutare i genitori a stabilire un ritmo prevedibile.

Il suo consiglio è quello di adottare un ciclo «E.A.S.Y.» (*vedi oltre*), che prevede i momenti di cibo, gioco e sonno in modo da separare l'aspettativa della pappa dal momento della nanna, creando tempo per i genitori: per voi. Il risultato è che il bambino impara a calmarsi da solo e a addormentarsi senza l'aiuto del seno o del biberon. Così, anche il pianto o altri tipi di comportamento possono essere interpretati più realisticamente dai neogenitori.

Mentre molti di voi oggi sono divisi tra compiti diversi e hanno fretta di tornare «come prima», Tracy vi incoraggia a «rallentare il ritmo», fornendo molti utili consigli per sopravvivere al periodo post partum e ai cambiamenti che tutta la famiglia deve affrontare, per anticipare i problemi e semplificare questo momento così impegnativo, riuscendo a individuare il più sottile, ma più importante dei compiti: venire incontro al desiderio che vostro figlio ha di comunicare. Tracy insegna alle persone che si prendono cura del bambino a osservare il suo linguaggio corporeo e le risposte che dà al mondo reale, e a usare questa consapevolezza per interpretare i bisogni fondamentali di un neonato.

Per quei genitori che prenderanno in mano questo libro quando i propri figli sono più grandicelli, vi sono suggerimenti utili per correggere e risolvere i problemi più persistenti: fatevi coraggio, non è mai troppo tardi per cambiare una cattiva abitudine.

Tracy vi guida pazientemente attraverso i vari processi, rassicurandovi sul concetto che fare i genitori (e dormire e

adempiere a tutti i nuovi impegni) prima o poi diventa
una cosa normale. Per tutti i genitori, *Il linguaggio segreto
dei neonati* diventerà il punto di riferimento, il libro amato
– cui fare le orecchie alle pagine! – che tutti aspettavamo.
Buon divertimento!

Jeannette J. Levenstein, M.D., F.A.A.P.
Valley Pediatric Medical Group
di Encino, California
Assistente pediatra presso il
Cedars Sinai Medical Center
di Los Angeles, California, e presso il
Children's Hospital di Los Angeles

Introduzione
«La donna che sussurra ai bambini»: la mia storia

> «Il modo migliore per far sì che i bambini siano buoni è renderli felici.»
>
> *Oscar Wilde*

Imparare il linguaggio infantile

Fatemi chiarire subito una cosa: non ho coniato io il soprannome «la donna che sussurra ai bambini». È stata una delle mie clienti, e devo dire che è molto meglio di altri nomignoli che i genitori hanno inventato, come «la strega», che fa un po' paura, «la maga» – suona un po' troppo misterioso – o «the Hogg»: in quest'ultimo caso temo che avessero in mente il mio appetito oltre che il mio cognome.* Comunque, sono diventata «la donna che sussurra ai bambini», e devo dire che in un certo senso l'espressione mi piace, perché descrive ciò che faccio realmente.

Forse sapete già quello che fa un «uomo che sussurra ai cavalli», o magari avete letto il libro di Evans o visto il film che ne hanno tratto. Se è così, probabilmente ricorderete come il personaggio interpretato da Robert Redford sapesse trattare un cavallo ferito, avvicinandosi a lui lentamente e con pazienza, ascoltando e osservando, mante-

---

* Gioco di parole sull'assonanza del cognome dell'Autrice con il termine *hog*, che in inglese significa «maiale» [N.d.T.].

nendosi però rispettosamente distante mentre valutava il problema della povera bestia. Dopo essersi preso tutto il tempo necessario, si avvicinava finalmente al cavallo, guardandolo dritto negli occhi e parlandogli dolcemente. Per tutto il tempo rimaneva fermo come una roccia, emanando quel senso di serenità che incoraggiava il cavallo a calmarsi.

Non fraintendetemi, non voglio paragonare un neonato a un cavallo (benché entrambi siano esseri sensibili), ma tra me e i bambini succede un po' la stessa cosa. Anche se i genitori pensano che io abbia qualche dono particolare, non c'è nulla di misterioso in quello che faccio, né si tratta di un talento che pochi possiedono: essere in grado di «sussurrare ai bambini» è una questione di rispetto, di ascolto, di osservazione e di interpretazione. Non si impara dall'oggi al domani: i neonati che ho conosciuto sono più di cinquemila. Ma qualsiasi genitore può riuscirci, e tutti dovrebbero provarci. Quello che faccio è capire il linguaggio infantile, e quindi posso insegnare anche a voi come padroneggiarlo.

Come ho imparato a fare questo mestiere

Si può dire che tutta la mia vita non è stata altro che una preparazione per questo lavoro. Sono cresciuta nello Yorkshire (e, tra l'altro, faccio il miglior budino del mondo); la persona che ha esercitato l'influenza maggiore su di me è stata Nan, la mia nonna materna: oggi ha ottantasei anni ed è ancora la donna più paziente, gentile e amorevole che io conosca. Anche lei era una «donna che sussurra ai bambini», e sapeva coccolare e calmare anche il più difficile dei neonati. Non solo mi ha fatto da guida, rassicurandomi quando sono nate le mie figlie (le altre due persone che hanno avuto una grande influenza su di me), ma è stata anche una figura significativa della mia infanzia.

Crescendo sono diventata un esserino nervoso e sempre

in movimento, un maschiaccio che era tutto tranne che paziente, ma Nan sapeva sempre governare la mia grande energia con un gioco o una storia. Per esempio, se eravamo in coda davanti al cinema, io, come molti bambini, piagnucolavo tirandola per la manica: «Quand'è che ci faranno entrare, Nan? Non ne posso più di aspettare».

L'altra nonna, che io chiamavo Granny e che ora è morta, mi avrebbe dato un bello scapaccione per questa insolenza: era una vera vittoriana, e pensava che i bambini andassero guardati ma non sentiti. Ai suoi tempi aveva usato il pugno di ferro. Ma la nonna materna, Nan, non aveva bisogno di essere dura; in risposta alle mie lamentele, mi guardava con gli occhi che brillavano e cominciava: «Guarda cosa ti perdi continuando a brontolare e pensando solo a te stessa». Così dicendo, fissava lo sguardo in una certa direzione. «Vedi quella mamma col suo bambino laggiù?» riprendeva, facendo segno col mento. «Cosa pensi che faranno oggi?»

«Andranno in Francia» rispondevo immediatamente, stando al gioco.

«E come pensi che ci andranno?»

«Con un jumbo jet.» Dovevo aver sentito quest'espressione da qualche parte.

«E dove siederanno?» continuava Nan, e senza rendermene conto il nostro piccolo gioco mi aveva distratto nell'attesa e noi avevamo costruito un'intera storia su quella donna. Nan stimolava continuamente la mia immaginazione: se notava un vestito da sposa nella vetrina di un negozio chiedeva: «Quante persone pensi abbiano lavorato a quest'abito?». Se io rispondevo: «Due», lei continuava a chiedermi altri dettagli: come avevano fatto arrivare il vestito in negozio? Dove era stato confezionato? Chi vi aveva cucito sopra le perle? Alla fine io mi trovavo in India, immaginandomi il contadino che aveva piantato i semi che poi sarebbero diventati il cotone usato per il vestito.

In effetti quella di narrare storie è sempre stata una tradizione della mia famiglia, non solo per Nan ma anche per sua sorella, per la loro mamma (la mia bisnonna) e per la mia stessa madre. Ogni volta che una di loro voleva avere la nostra attenzione, c'era sempre una storia di mezzo. Loro mi hanno tramandato questo dono, e oggi lavorando con i genitori ricorro spesso a favole e metafore. «Riuscireste a dormire se mettessi il *vostro* letto sull'autostrada?» chiedo a volte ai genitori di un bambino con troppi stimoli che fa fatica a addormentarsi mentre lo stereo va a tutto volume. Immagini come questa aiutano i genitori a capire il perché di un certo suggerimento, piuttosto che limitarsi a dire: «Fate così».

Se le donne della mia famiglia mi hanno aiutato a sviluppare i miei talenti, è stato mio nonno, il marito di Nan, a capire come avrei potuto applicarli. Nonno era infermiere capo presso un ospedale psichiatrico. Mi ricordo che un Natale portò mia mamma e me a visitare il reparto infantile: era un posto squallido, con odori e suoni strani: bambini che mi apparvero tetraplegici sedevano su una sedia a rotelle o stavano sdraiati su cuscini sparsi sul pavimento. Non avevo più di sette anni, ma ricordo ancora perfettamente lo sguardo di mia madre e le lacrime di orrore e pietà che le rigavano le guance.

Io, dal canto mio, ero affascinata. Sapevo che la maggior parte della gente aveva paura di questi piccoli pazienti e se ne sarebbe andata a gambe levate il prima possibile, ma io no. Supplicai più volte il nonno di riportarmi in quel posto, e un giorno, dopo molte visite, lui mi prese da parte e disse: «Dovresti pensare di fare anche tu questo lavoro, Tracy. Hai un cuore grande e tanta pazienza, proprio come la tua Nan».

È stato probabilmente il miglior complimento che mi abbiano fatto e, come si vide in seguito, il nonno aveva ragione. Quando compii diciott'anni mi iscrissi a una scuola per infermiere, che in Inghilterra dura cinque anni e mezzo. Il mio training comprendeva un lavoro in India con la World Health Organization, per aiutare le donne che avevano problemi di allattamento e col post partum in genere. Non mi sono diplomata col massimo dei voti, lo ammetto – sono sempre stata una che sgobbava solo all'ultimo momento –, ma in compenso eccellevo davvero nell'intervento con i pazienti. Noi la chiamiamo «parte pratica», e nel mio paese è di importanza fondamentale in qualsiasi corso di studi. Ero così brava nell'ascoltare, osservare e sviluppare un atteggiamento empatico verso i pazienti che il comitato della scuola mi nominò «infermiera dell'anno»: si trattava di un premio conferito regolarmente agli studenti che dimostravano una particolare predisposizione per la cura dei pazienti.

E così sono diventata infermiera e ostetrica diplomata, svolgendo anche un training in ipnoterapia e educazione dei bambini con handicap fisici e mentali, quelli che spesso non sono in grado neppure di comunicare. Be', non è proprio così: come i neonati, anche loro hanno il loro linguaggio, una sorta di comunicazione non verbale espressa con pianti e movimenti del corpo. Per aiutarli ho dovuto imparare a comprenderlo, diventando la loro interprete con il mondo esterno.

Pianti e sussurri

Prendendomi cura dei neonati, molti dei quali ho aiutato a venire al mondo, ho compreso che ero anche in grado di capire il loro linguaggio non verbale. Così, una volta lasciata l'Inghilterra per l'America, mi sono specializzata nella cura dei neonati e nell'assistenza alle madri dopo il parto e nel periodo neonatale. Ho lavorato a New York e Los Angeles come puericultrice, e la maggior parte dei neogenitori mi descriveva come un incrocio tra Mary Poppins e il personaggio di Daphne in *Frasier*: in effetti il suo accento, a un orecchio americano, può suonare simile a quello «arrotato» dello Yorkshire. A queste coppie di genitori ho insegnato che anche loro potevano sussurrare ai bambini, imparando a fare un passo indietro e a osservare i piccoli per poi calmarli una volta capito il problema.

Insieme abbiamo cercato di fare ciò che credo tutti i genitori dovrebbero fare per i propri figli: dare loro un senso di ordine e di supporto e aiutarli a diventare piccoli esseri indipendenti. Ho anche iniziato a promuovere quello che chiamo un «approccio globale» da parte della famiglia: sono i bambini che hanno bisogno di entrare a far parte di una famiglia e non il contrario. Se il resto della famiglia è felice – genitori, fratelli, e perfino gli animali domestici –, anche il bambino lo sarà.

Mi sento molto fortunata quando vengo invitata in casa di qualcuno, perché so che questi momenti sono i più preziosi nella vita dei genitori. Sono i giorni in cui, insieme alle inevitabili insicurezze e alle notti insonni, papà e mamma sperimentano la gioia più grande della loro vita. Quando vedo che le cose stanno prendendo una brutta piega e vengo chiamata ad aiutarli, mi sembra di contribuire alla loro gioia perché cerco di guidarli fuori dal caos e di far sì che possano godere appieno di questa esperienza.

Oggi mi capita ancora di passare un po' di tempo con una famiglia, ma più spesso svolgo un'attività di consulente, presenziando magari per un'ora o due nei primi giorni o settimane dopo la nascita del bambino. Incontro molti neogenitori sui trenta, quarant'anni, abituati ad avere il controllo della propria vita. Quando hanno un bambino si trovano nella scomoda posizione di principianti e a volte si chiedono: «Cosa abbiamo fatto?». Vedete, non importa se i genitori abbiano milioni in banca o pochi euro nel portafoglio: un neonato, specialmente se è il primo, mette tutti sullo stesso piano. Ho lavorato con coppie di tutti i ceti sociali, da quelle di alto lignaggio a quelle del tutto anonime, e vi assicuro che avere un bambino suscita timori nella maggior parte di esse.

Di solito il mio cellulare suona tutto il giorno (e a volte anche in piena notte), e mi trasmette chiamate disperate come queste: «Tracy, perché Chrissie sembra sempre affamata?», «Tracy, perché Jason mi sorride e subito dopo scoppia a piangere?», «Tracy, non so cosa fare. Joey è stato sveglio tutta la notte piangendo come un disperato», «Tracy, penso che Rick tenga un po' troppo il bambino in braccio. Potresti dirgli di smetterla?».

Che ci crediate o no, dopo più di vent'anni di lavoro con le famiglie sono in grado di diagnosticare il problema subito per telefono, specialmente se ho già incontrato il bambino in questione. A volte chiedo alle mamme di avvicinare il telefono ai piccoli, in modo da ascoltarne il pianto. (Spesso anche le mamme piangono al telefono.) Oppure passo per una rapida visita e, se necessario, mi fermo la notte per capire se c'è qualcosa in casa che agita il bambino o gli disturba la routine. Fino a oggi non ne ho mai trovato uno che non potessi comprendere o che avesse un problema che non sapessi risolvere.

Rispetto: la chiave per entrare nel mondo del vostro bambino

I miei clienti spesso dicono: «Tracy, con te sembra tutto così facile». La verità è che per me *è* davvero facile, perché entro in contatto con i neonati. Li tratto come qualsiasi altro essere umano: con rispetto. È questa l'essenza del mio lavoro.

Ogni bambino è *una persona* con un linguaggio, dei sentimenti e una personalità unici, e per questo merita rispetto.

Il rispetto è il leitmotiv di questo libro. Se vi ricorderete di pensare al vostro bambino come a *una persona* vi sarà facile avere per lui il rispetto che si merita. Sul vocabolario la definizione del verbo «rispettare» è «evitare violazioni o interferenze». Come vi sentireste *voi* se qualcuno parlasse mentre voi parlate o vi toccasse senza il vostro permesso? Se le cose non vi vengono spiegate correttamente o se qualcuno vi tratta con mancanza di garbo, non vi sentite forse feriti e irritati?

Lo stesso succede ai bambini: la gente ha la tendenza a parlare di loro come se non esistessero. Spesso mi capita di sentire genitori o tate dire: «Il bambino ha fatto questo», «Il bambino ha fatto quello». Sono frasi che suonano molto impersonali e prive di rispetto: è come se parlassero di un oggetto inanimato. Oppure, peggio ancora, lo prendono e lo mollano come un bambolotto senza una parola, come se gli adulti avessero il diritto di violare il suo spazio. Per questo suggerisco di disegnare un cerchio immaginario intorno al vostro bambino, un *cerchio di rispetto* oltre il quale non potete andare senza chiedergli il permesso o dirgli che cosa state per fare (per ulteriori informazioni su questo tema vedi il capitolo 5, alle pp. 170-172).

Perfino in sala parto chiamo subito i bambini con il loro nome: non penso a quell'esserino nella culla come al «bambino». Perché non dovremmo chiamare un neonato *col suo vero nome*? Se lo farete, riuscirete a pensare a lui come alla piccola persona che è, invece che a qualcosa di informe e inerme.

Ogni volta che vedo un neonato per la prima volta, che sia all'ospedale, poco dopo il suo arrivo a casa o dopo settimane dalla nascita, mi presento sempre e gli spiego perché sono lì: «Ciao, Sammy» dico guardandolo negli occhioni blu. «Io sono Tracy. So che non riconosci la mia voce, perché ancora non ci conosciamo. Ma sono qui apposta per scoprire che cosa vuoi, e aiuterò mamma e papà a capire ciò che dici.»

A volte una mamma mi dice: «Perché gli parli in quel modo? Ha solo tre giorni. Non è in grado di capirti».

«Be'» ribatto, «non lo sappiamo con certezza, tesoro. Immagina come sarebbe terribile se lui *mi capisse* e io *non* gli parlassi.»

Specialmente negli ultimi dieci anni, gli studiosi hanno

scoperto che i neonati sanno e capiscono più di quanto noi immaginiamo. Alcune ricerche confermano che i bambini sono sensibili ai suoni e agli odori e percepiscono la differenza tra diversi input visivi; inoltre la memoria comincia a svilupparsi nelle prime settimane di vita. Perciò, anche se il piccolo Sammy forse non capisce il senso delle mie parole, può sicuramente *sentire* la differenza tra qualcuno che si muove lentamente e ha una voce rassicurante e qualcuno che irrompe come il vento e assume il controllo della situazione.

Sussurrare non è solo parlare

Il segreto di saper sussurrare ai bambini sta nel ricordarsi che il vostro neonato è sempre in ascolto e che, in un certo senso, vi capisce. Ora, quasi tutti i libri di puericultura vi diranno di «parlare al bambino». Be', questo non basta. Io dico ai genitori di «parlare *con* il bambino». Può darsi che non vi risponda *a parole*, ma di certo comunicherà con voi facendo versetti, piangendo o a gesti (altre informazioni su come decodificare il linguaggio del bambino sono nel capitolo 3): così facendo imposterete davvero un *dialogo*, una conversazione in due direzioni.

Parlare *con* il vostro bambino è un altro modo di mostrargli rispetto: non parlereste con un adulto di cui vi state prendendo cura? Al primo incontro vi presentereste e spieghereste cosa avete intenzione di fare. Probabilmente vi comportereste educatamente, infarcendo il vostro bel discorsetto con un sacco di «per favore» e «grazie» e «posso?». E continuereste a parlare e a spiegare. Perché non avere la stessa considerazione per il vostro bambino?

Anche scoprire ciò che gli piace e ciò che non gli piace è un segno di rispetto. Come vedrete nel capitolo 1, alcuni bambini sono più facili e altri più sensibili e ostinati. Per essere davvero rispettosi, dovete accettare vostro figlio *così com'è* invece di paragonarlo a uno standard. (Ecco perché in questo libro non troverete nessuna descrizione dello sviluppo mese per mese.) Ha diritto di *reagire alla sua maniera* al mondo che lo circonda, e prima comincerete a dialogare con questo prezioso essere, prima sarete in grado di capire chi è e che cosa vuole da voi.

Sono sicura che tutti i genitori desiderano incoraggiare i propri figli a diventare essere umani indipendenti ed equilibrati, da rispettare e ammirare. Ma tutto ciò ha le sue radici nell'infanzia, non è qualcosa che potete insegnare loro quando avranno quindici anni e neppure cinque. Ricordate anche che essere genitori è un processo che dura tutta la vita e che, in quanto tali, siete dei modelli di comportamento. Se ascolterete il vostro bambino e lo tratterete con rispetto diventerà una persona che ascolta e che tratterà gli altri con rispetto.

Se vi prenderete del tempo per osservare vostro figlio e per capire che cosa cerca di dirvi, lui sarà contento e la vostra famiglia non sarà in balìa di un bambino in difficoltà.

I bambini i cui genitori fanno del loro meglio per riconoscerne e rispettarne i bisogni crescono sicuri: non piangono quando vengono messi giù, perché si sentono tranquilli anche da soli; hanno fiducia nel fatto che l'ambiente circostante sia un posto sicuro, e che se avessero dei problemi qualcuno sarebbe certamente lì per loro. Paradossalmente, questo tipo di bambini alla fine necessita di *minor* attenzione e impara a giocare in autonomia più velocemente di quelli che vengono lasciati piangere o i cui genitori fraintendono costantemente i loro segnali. (A proposito, è normale fraintendere *qualche* segnale.)

Ciò di cui i genitori hanno bisogno:
la fiducia in se stessi

I genitori si sentono rassicurati quando sentono quello che fanno. Purtroppo, il ritmo della vita moderna non facilita certo le cose, ed essi si trovano spesso imprigionati nelle proprie frenetiche scadenze; non si rendono conto che devono calmare prima *se stessi* per riuscire a farlo con i bambini. Così, parte del mio lavoro consiste nel rassicurare mamma e papà, nel sintonizzarli con il loro bambino e – cosa altrettanto importante – nell'ascoltare la loro voce interiore.

È un peccato che oggi molti genitori siano vittima di un eccesso di informazioni: già durante la gravidanza leggono libri e riviste, fanno ricerche, navigano in Internet, ascoltano amici, famiglie ed esperti di ogni sorta. Tutto ciò ha sicuramente un suo valore, ma quando arriva il bambino finiscono spesso per essere più confusi di prima e soprattutto il loro buon senso è stato spazzato via da idee altrui.

Certo, essere informati ci rende più forti, e in questo libro intendo condividere con voi i miei segreti e i trucchi del mestiere; ma di tutti gli strumenti che posso darvi la fiducia in voi stessi in quanto genitori sarà quello più utile. Per svilupparla, però, dovete scoprire cosa è meglio per voi. Ogni bambino è un individuo, e così ogni mamma e ogni papà. Perciò ogni famiglia è diversa. A che servirebbe se vi dicessi come mi sono comportata con le mie figlie?

Più vi accorgerete che *siete in grado* di capire e soddisfare i bisogni del vostro bambino, più migliorerete in questo senso. E, vi assicuro, *sarà* sempre più facile. Ogni giorno che passo a insegnare ai genitori il modo per diventare consapevoli e per comunicare, vedo crescere la capacità di comprensione e l'abilità del bambino, ma vedo anche i genitori diventare più competenti e fiduciosi.

È *possibile* imparare tutto questo da un libro!

È possibile imparare a sussurrare al proprio bambino. Molti genitori sono sorpresi di quanto rapidamente imparino a comprendere i suoi bisogni una volta saputo cosa osservare e cosa ascoltare. La vera «magia» che faccio è quella di riuscire a rassicurare le neomamme e i neopapà: tutti hanno bisogno di conferme quando diventano genitori per la prima volta, ed è questo il momento in cui entro in gioco io. La maggior parte di essi, molto semplicemente, non è preparata ad affrontare il periodo di assestamento, in cui si è assillati da un mucchio di domande e non c'è nessuno a cui chiedere le risposte. Io cerco di individuare le loro preoccupazioni, dicendo: «Cominciamo con lo stendere un piano d'azione». Mostro loro come impostare un programma preciso per il nuovo arrivato e altre cose di cui potrebbero aver bisogno.

In questa fase, se guardiamo alle singole giornate, fare i genitori sembra un compito faticoso, a volte terrorizzante, sempre difficile e spesso senza ricompensa. Spero che questo libro possa aiutarvi a vedere le cose con un po' di *sense of humour* e, allo stesso tempo, vi fornisca un'idea realistica di quello a cui andate incontro. Ecco cosa potete fare con l'aiuto di questo libro.

* Capire che tipo di bambino avete e che cosa aspettarvi a seconda del suo carattere. Nel capitolo 1 troverete una tabella in cui sono riportate le difficoltà che potreste incontrare.

* Capire il vostro carattere e il vostro grado di flessibilità. Con l'arrivo di un bambino la vita cambia completamente, ed è importante scoprire qual è la vostra posizione rispetto ai due estremi «distratto cronico/pianificatore continuo», ovvero se siete il tipo di persona che ha sempre la testa fra le nuvole o se invece vi piace pianificare ogni cosa nei minimi dettagli.

* Capire il metodo E.A.S.Y., che vi aiuterà a impostare la giornata in questo modo: cibo (*eat*), gioco (*activity*), sonno (*sleep*), tempo per voi (*your time*). Con E.A.S.Y. riuscirete a soddisfare i bisogni del vostro bambino *e* a rigenerarvi nel corpo e nello spirito, facendo un pisolino, un bagno caldo o un giretto intorno all'isolato.

Nel capitolo 2 troverete una visione d'insieme di E.A.S.Y., mentre nei capitoli dal 4 al 7 troverete quella relativa ai singoli momenti della giornata: il capitolo 4 riguarda la pappa, il 5 il gioco, il 6 la nanna e il 7 quello che potete fare per mantenervi fisicamente in forma ed emotivamente forti.

* Imparare a sussurrare al vostro bambino, osservandolo e cercando di capire quel che vuole dirvi, calmandolo quando è agitato (capitolo 3). Vi aiuterò anche a migliorare la vostra personale capacità di osservazione e di autoanalisi.

* Affrontare circostanze particolari che si verificano in caso di concepimento e parto difficile e i conseguenti problemi per i genitori: quando si adotta un bambino o si ricorre a una madre «in affitto»; quando il bambino nasce prematuro, ha problemi alla nascita e/o non può lasciare subito l'ospedale; le gioie e le sfide dei parti plurimi (capitolo 8).

* Imparare la «magia dei tre giorni» (capitolo 9), una tecnica risolutiva che vi aiuterà a trasformare i lati negativi in positivi. Spiegherò cosa intendo con l'espressione «educazione involontaria», che rischia di rafforzare nel bambino un comportamento negativo, e vi insegnerò una semplice strategia per analizzare che cosa non ha funzionato.

Come dev'essere un buon genitore?

In uno dei libri di puericultura che ho letto mi è capitata sott'occhio questa frase: «Per essere una buona madre è necessario allattare il bambino al seno». Sciocchezze! Un buon genitore non si giudica dal fatto che allatti o meno il bambino o da come lo mette a dormire, e soprattutto, non si diventa bravi genitori nelle prime settimane di vita del bambino. Si diventa buoni genitori con gli *anni*, man mano che lui cresce e che voi imparate a conoscerlo come individuo, cosa che in seguito lo incoraggerà a chiedervi consiglio o aiuto. Comunque, le basi di tutto questo si pongono quando:

* *Rispettate* il vostro bambino.

* Siete consapevoli che è un *individuo unico*.

* *Parlate con* lui, e non *a* lui.

* *Ascoltate* e, se è necessario, *soddisfate* i suoi bisogni.

* Gli fate sapere cosa succederà dopo, fornendogli la necessaria dose di *affidabilità, organizzazione* e *prevedibilità*.

Ho cercato di rendere questo libro piacevole e di facile lettura, perché so che i genitori in questi casi hanno bisogno più di un «manuale di consultazione» che di un libro da leggere dall'inizio alla fine. Se devono sapere qualcosa sull'allattamento, guarderanno l'indice analitico e si limiteranno a scorrere solo le pagine su quel tema; se invece hanno problemi a far dormire il bambino, sceglieranno il capitolo sul sonno. Considerate le esigenze quotidiane della maggior parte dei genitori, capisco benissimo questo approccio. Comunque, vi invito a leggere almeno i primi tre capitoli, in cui spiego la mia «filosofia» e il mio approccio di base. In questo modo, anche leggendo solo una parte alla volta, capirete le mie idee e i miei suggerimenti, inquadrandoli nella mia più ampia filosofia di trattare sempre il vostro bambino con il rispetto che merita e, nel contempo, non permettendogli di sovvertire la vita familiare.

Avere un figlio è di gran lunga l'evento che più cambierà le vostre vite, molto più che non il matrimonio o un nuovo lavoro o perfino la morte di una persona cara. Solo il pensiero di doversi adattare a un tipo di vita molto diverso ci spaventa, e ci fa sentire anche molto soli. I neogenitori spesso pensano di essere gli unici a sentirsi incompetenti o ad aver problemi con l'allattamento: le donne sono convinte che le altre mamme «si innamorino» immediatamente del proprio bambino, e si chiedono perché a loro non succeda; gli uomini sono sicuri che gli altri padri siano più presenti. Al contrario dell'Inghilterra, dove per le prime due settimane e addirittura per i primi due mesi dalla nascita è sempre prevista la visita a domicilio di una puericultrice, in America molti neogenitori non hanno nessuno vicino che faccia loro da punto di riferimento per i primi giorni.

Miei cari lettori, non sono in grado di entrare personalmente nelle vostre case, ma spero che possiate sentire comunque la mia voce nelle pagine di questo libro e di poter essere una guida rassicurante, proprio come mia nonna ha fatto con me quando ero una giovane mamma. Dovete sapere che la mancanza di sonno e la sensazione di essere travolti non dureranno a lungo, e siate certi che nel frattempo state facendo del vostro meglio. Avete bisogno di sentire che queste stesse cose capitano anche agli altri genitori, e che le supererete.

Spero che i segreti che condividerò con voi – il mio modo di vedere le cose e le conoscenze che ho accumulato – si faranno strada nella vostra mente e nel vostro cuore. Alla fine può darsi che non abbiate un bambino più intelligente (o forse sì, chi lo sa), ma di sicuro più felice e sicuro di sé: e tutto senza dover rinunciare alla vostra vita. Ma la cosa più importante è che vi sentirete più sicuri delle vostre capacità come genitori: infatti sono convinta, perché l'ho constatato di persona, che dentro ogni nuova mamma e ogni nuovo papà si nasconda un genitore amorevole, fiducioso e competente… una potenziale persona che «sussurra ai bambini»

1
Imparate ad amare il vostro bambino

> «È incredibile quanto piangano i bambini. Davvero non avevo idea di cosa mi aspettasse: a dire la verità, pensavo fosse un po' come avere un gatto.»
>
> Anne Lamott, *Operating Instructions*

Oh mio Dio, abbiamo un bambino!

Nessun evento nella vita di una persona adulta provoca tanta gioia e *allo stesso tempo* tanto terrore come diventare genitori per la prima volta. Per fortuna è la gioia che prevale, ma al principio l'insicurezza e il timore possono avere la meglio. Alan, un grafico di trentatré anni, ricorda perfettamente il giorno in cui andò a prendere sua moglie Susan all'ospedale. Casualmente era anche il giorno del loro quarto anniversario di matrimonio. Susan, una scrittrice di trentasette anni, aveva avuto un travaglio e un parto abbastanza facili, e Aaron, un bel bambino dagli occhi azzurri, si attaccava bene al seno e piangeva raramente. Il secondo giorno mamma e papà lasciarono l'ospedale per iniziare una nuova vita come famiglia.

«Camminavo fischiettando verso la sua stanza» ricorda Alan. «Tutto sembrava perfetto. Aaron aveva appena finito di mangiare e dormiva beatamente in braccio a Susan. Tutto era proprio come l'avevo immaginato. Scendemmo con l'ascensore, era una giornata di sole e l'infermiera mi lasciò spingere la sedia a rotelle di Susan. Mentre correvo ad aprire la portiera della macchina mi ricordai che avevo dimenticato di sistemare la carrozzina: giuro che ci misi più di mezz'ora per farlo nel modo giusto. Finalmente vi posai Aaron con delicatezza. Aiutai Susan a entrare in macchina, ringraziai l'infermiera per la sua pazienza e mi sedetti al volante.

«Improvvisamente Aaron cominciò a farsi sentire. Non è che piangesse, piuttosto emetteva dei suoni che non ricordavo di aver mai sentito all'ospedale o che forse non avevo notato. Susan mi guardò, e io guardai lei. "Oh Gesù!" esclamai. "E *ora* che cosa facciamo?".»

Tutti i genitori che conosco hanno vissuto il momento del «e ora che cosa facciamo», proprio come Alan. Per alcuni arriva già in ospedale, per altri durante il viaggio verso casa, o anche due o tre giorni dopo. Sono in corso cambiamenti di tale portata – il recupero dal punto di vista fisico, l'impatto emotivo, la realtà di doversi occupare di un neonato indifeso – che pochi sono davvero preparati ad affrontare lo shock. Alcune neomamme ammettono: «Avevo letto tutti i libri sull'argomento, ma nessuno di questi mi aveva preparato per quei momenti». Altre ricordano: «C'erano tante di quelle cose a cui pensare. Piangevo spesso».

I primi tre, cinque giorni sono spesso i più difficili, perché tutto appare nuovo e terrorizzante. Di solito è proprio questo il momento in cui i genitori, preoccupati, mi bombardano di domande: «Quanto deve durare una poppata?», «Perché contrae le gambine in questo modo?», «È questo il sistema giusto per cambiarlo?», «Perché la sua cacca è di quel colore?». E poi, ovviamente, la domanda più frequente di tutte: «Perché piange?». I genitori, e soprattutto le mamme, spesso si sentono in colpa perché pensano di *dover* sapere tutto. La madre di un neonato di un mese mi disse: «Ho tanta paura di sbagliare, ma allo stesso tempo non voglio che nessuno mi aiuti o mi dica che cosa fare».

Il primo consiglio che do – e che continuo a dare – ai neogenitori è di *caaaalmarsi*. Ci vuole tempo per conoscere il proprio bambino. Ci vogliono pazienza e un'atmosfera tranquilla. Ci vogliono forza e resistenza. Ci vogliono rispetto e gentilezza. Ci vogliono responsabilità e disciplina. Ci vogliono attenzione e capacità di osservazione. Ci vogliono tempo e pratica. Occorre sbagliare molto, prima di far bene. E bisogna ascoltare il proprio intuito.

Notate quante volte ho ripetuto l'espressione «ci vogliono». All'inizio, il vostro bambino «vorrà» molto e «darà» poco. Avrete gioie infinite dall'essere genitori, ve lo assicuro. Ma non succederà in un giorno, ragazzi; piuttosto, lo capirete nei mesi e negli anni. E soprattutto, ognuno avrà delle esperienze diverse. Come ha detto una mamma di uno dei miei gruppi ripensando ai primi giorni a casa: «Non sapevo se stavo facendo le cose giuste, e fra l'altro ognuno ha una sua idea di ciò che è "giusto"».

Inoltre, *ogni bambino è diverso* da tutti gli altri, motivo per cui dico alle mie mamme che il loro primo compito è capire il bambino reale, non quello che hanno sognato per nove mesi. In questo capitolo vi aiuterò a farvi un'idea di ciò che potete aspettarvi dal *vostro* bambino; ma prima vi darò qualche indicazione per affrontare al meglio i primi giorni a casa.

Finalmente a casa

Poiché mi vedo un po' come l'avvocato di *tutta la famiglia*, e non solo del nuovo arrivato, parte del mio lavoro consiste nell'aiutare i genitori a guardare le cose in prospettiva. Da subito dico alle mamme e ai papà: tutto ciò non durerà in eterno. *Vi tranquillizzerete. Diventerete più sicuri. Sarete* i migliori genitori possibili. E a un certo punto, che ci crediate o no, il vostro bambino *dormirà* tutta la notte. Per ora, però, dovete diminuire un po' le vostre aspettative. Avrete giorni buoni e giorni meno buoni: siate preparati in entrambi i casi e non mirate alla perfezione.

Un consiglio. *Quanto più vi sarete organizzati prima di tornare a casa, tanto meglio sarà per tutti dopo. E nell'aprire boccette e tubetti, nel sistemare le scatole e nel togliere i vestitini nuovi dalle confezioni cercate di non tenere il bambino in braccio! (Vedi il box successivo)*

Preparate il ritorno a casa

Una delle ragioni per cui con i miei bambini le cose vanno tanto lisce è che tutto l'occorrente è pronto per loro un mese *prima* del termine. Più voi siete preparate, più l'atmosfera è tranquilla e più tempo avrete dopo per osservare il vostro bambino e conoscerlo per quello che è.

* Mettete le lenzuola nella culla (o nel lettino).

* Preparate il fasciatoio. Cercate di avere a portata di mano tutto ciò che vi serve: salviettine, pannolini, cotone, alcool.

* Tenete pronti i primi vestitini del bambino. Toglieteli dalle confezioni, rimuovete le etichette e lavateli con un detersivo delicato e senza candeggina.

* Riempite frigo e freezer. Una settimana o due prima del termine, cucinate delle lasagne, dei tortini, delle zuppe e altri piatti che si possano surgelare. Assicuratevi di avere una buona scorta delle cose fondamentali: latte, burro, uova, cereali, cibo per cani (se ne possedete uno). Mangerete meglio spendendo meno ed eviterete corse frenetiche al supermercato.

* Non portate troppe cose in ospedale. Ricordate che avrete molte borse extra – *e* il bambino – da portare a casa.

Di solito è bene ricordare questo alle neomamme: «È il vostro primo giorno a casa, il primo in cui non avete più la sicurezza di essere accudite, di ricevere aiuto, risposte alle vostre domande e conforto semplicemente suonando un campanello. Ora siete sole». Certo, spesso si è felici di lasciare l'ospedale: magari le infermiere sono state brusche o hanno fornito consigli contrastanti, e le frequenti interruzioni del personale sanitario e dei visitatori vi hanno probabilmente impedito di riposare. In ogni caso, quando arrivano a casa per la maggior parte le mamme sono spaventate, confuse, esauste o sofferenti... o forse tutte queste cose insieme.

Perciò consiglio un rientro «lento»: quando varcate la soglia di casa, respirate a fondo. Pensate che questo è l'inizio di una nuova avventura, e che voi e il vostro partner siete due esploratori. E soprattutto siate realistiche: il periodo del post partum *è* difficile, un terreno insidioso: sono davvero pochi quelli che non inciampano lungo il cammino. (Per altre indicazioni su come le mamme possono superare il periodo post partum vedi il capitolo 7.)

Cominciate a dialogare con il vostro bambino mostrandogli la sua nuova casa. Certo, fate un vero e proprio tour della casa, come se foste i curatori di un museo e lui un importante visitatore. Ricordate quello che vi ho detto sul rispetto: dovete trattare il vostro piccolo come una persona, come qualcuno che capisce e sente. Certo, parla una lingua ancora sconosciuta, ma in ogni caso è importante chiamarlo per nome e far sì che ogni interazione sia un *dialogo* e non una lezione.

Dunque camminate per la casa tenendolo in braccio e mostrategli dove vivrà. Parlate *con* lui. Con voce dolce e gentile descrivete ogni stanza: «Questa è la cucina. È dove io e papà facciamo da mangiare. Qui c'è il bagno, dove facciamo la doccia». E così via. Può darsi che vi sentiate sciocchi: molti neogenitori sono intimiditi quando cominciano a dialogare con il loro bambino. È normale. Fate pratica, e vi sorprenderete di quanto vi verrà facile. Cercate solo di ricordare che avete fra le braccia un piccolo *essere umano*, una persona i cui sensi sono vivi, un esserino che già riconosce la vostra voce e perfino il vostro odore.

Mentre camminate, dite al papà o alla nonna che vi preparino una camomilla, un tè o un'altra bevanda calmante. Il tè, naturalmente, è la *mia* bevanda preferita. Al mio paese, quando una mamma torna a casa dall'ospedale c'è sempre qualcuno che spunta dalla porta accanto e mette su un bricco per il tè. È un'usanza molto inglese e molto civile, e l'ho insegnata a tutte le famiglie per cui ho lavorato: dopo una bella tazza di tè, tutto ciò che vorrete sarà conoscere meglio la meravigliosa creatura a cui avete dato la vita.

Cercate di limitare le visite

Convincete tutti, tranne i parenti e gli amici più stretti, a non venire a trovarvi nei primi giorni. Se qualche parente viene da fuori, la cosa migliore che può fare è cucinare, pulire e farvi delle commissioni. Fate sapere in modo carino che chiederete il loro aiuto con il bambino *se* ne avrete bisogno, ma che vorreste usare questo periodo per conoscere il vostro piccolo in tranquillità.

Fate un bagnetto al bambino e allattatelo (informazioni e consigli sull'allattamento nel capitolo 4, per il bagnetto vedi pp. 196-197).

Ricordate che non siete le uniche a essere sotto shock: anche il vostro bambino ha dovuto fare un bel viaggetto! Immaginate un piccolo essere umano che si trova esposto alla luce violenta di una sala parto. Improvvisamente il suo corpicino viene strofinato, sballottato e punzecchiato con energia e velocità da estranei le cui voci non gli sono familiari. Dopo qualche giorno nella nursery, circondato da altri piccoli esseri umani, ha dovuto trasferirsi a casa. Se poi lo avete adottato, il viaggio è stato probabilmente ancora più lungo.

Un consiglio. *Le nursery degli ospedali hanno una temperatura piuttosto alta, simile a quella del ventre materno: fate in modo che la nuova stanza del bambino sia sui 22 °C.*

Il bagnetto è un'occasione meravigliosa per studiare da vicino il miracolo che avete appena compiuto: probabilmente è la prima volta che vedete il vostro bambino nudo. Fate conoscenza con ogni centimetro della sua pelle, esplorate le piccole dita delle mani e dei piedi: continuate a parlare con lui, cercate di stabilire un legame. Allattatelo o dategli il biberon. Osservatelo mentre gli viene sonno e fate in modo che si addormenti nella sua culla (altri suggerimenti sul tema «dormire» sono nel capitolo 6).

«Ma ha gli occhi aperti» è stata la protesta di Gail, una parrucchiera la cui bimba di appena due giorni sembrava fissare felice la fotografia di un neonato appesa sulla culla. Avevo suggerito che Gail lasciasse la stanza e si riposasse un pochino, ma lei rispose: «Non si è ancora addormentata». Ho sentito la stessa frase da molte neomamme, ma dirò subito che il vostro bambino non deve necessariamente dormire per essere messo nella sua culla e perché voi possiate allontanarvi. «Guarda» sorrisi, «Lily è occupata col suo ragazzo, ora *tu* va' a riposare.»

Procedete a piccoli passi

Avete molta carne al fuoco, cercate di non aggiungere altri motivi di tensione. Invece di prendervela con voi stesse perché non avete ancora scritto tutti gli annunci di nascita o spedito i bigliettini di ringraziamento, stabilite una meta per volta, purché sia ragionevole. Ad esempio, scrivere cinque bigliettini al giorno invece di quaranta. Fissate delle priorità, dividendo le cose da fare in «urgenti», «da rimandare» e «da fare quando starò meglio». Se siete calme e scrupolose nel fare questa divisione, sarete sorprese di quante cose finiranno nell'ultima categoria.

Fate un riposino. Non disfate le valigie, non attaccatevi al telefono ed evitate di guardarvi intorno pensando a tutto quello che dovete fare. Siete esauste: quando il piccolo dorme, approfittatene. Avete dalla vostra uno dei grandi miracoli della natura: i bambini ci mettono qualche giorno a riprendersi dallo shock della nascita, e non è raro che un neonato di due giorni dorma sei ore di fila; questo vi concede un po' di tempo per riprendervi dal trauma. Però attenzione: se il vostro bimbo sembra un angioletto, potrebbe essere la quiete prima della tempesta! Può darsi che abbia assorbito qualche farmaco dal vostro organismo, o che sia solo stanco a causa del parto, anche se avvenuto per via naturale. Non è ancora del tutto in sé, ma, come leggerete più avanti, il suo vero carattere si rivelerà molto presto...

Due parole sugli animali domestici

Gli animali possono essere molto gelosi dei neonati: dopo tutto, per loro è come se portaste a casa un fratellino.

Cani. Non potete certo parlare al vostro cane per prepararlo, ma potete portare dall'ospedale una coperta o un pannolino per abituarlo all'odore del bambino. Quando tornate dall'ospedale, fate in modo che Fido incontri il nuovo arrivato *fuori* di casa, *prima* che entriate; i cani hanno un forte senso del territorio e non amano le invasioni brusche. Andrà meglio se li farete abituare per tempo al suo odore, ma in ogni caso il mio consiglio ai genitori è quello di non lasciare *mai* un bambino solo con nessun animale domestico.

Gatti. Che i gatti amino acciambellarsi sul viso dei bambini che dormono è una leggenda, ma è vero che sono *molto* attratti da questi piccoli batuffoli caldi. La cosa migliore è tenerli fuori dalla loro stanza, per evitare che saltino nella culla. I polmoni di un neonato infatti sono molto delicati: i peli dei gatti, così come quelli più sottili dei cani (ad esempio quelli di un Jack Russell), possono causare una reazione allergica e provocare perfino un attacco d'asma.

Chi è il *vostro* bambino?

«In ospedale era un tale angelo!» si lamentava Lisa dopo tre giorni dalla nascita di Robbie. «Perché ora piange tanto?» Se potessi avere una moneta da ogni mamma o papà che pronuncia questa frase, sarei una donna ricca. È invece il momento in cui devo ricordare alle mamme che il bambino che pensavano di conoscere raramente si comporta allo stesso modo una volta a casa.

La verità è che tutti i neonati – proprio come gli adulti – sono diversi nel modo in cui mangiano, dormono e rispondono agli stimoli, e quindi anche nel modo in cui possono essere calmati. Chiamatelo carattere, personalità, disposizione, natura: comunque sia, comincia a emergere fra il terzo e il quinto giorno, e indica il tipo di persona che il vostro bambino è e sarà.

Dico questo in base alla mia esperienza diretta, perché sono rimasta in contatto con molti dei «miei» piccolini. Guardandoli diventare bambini e poi adolescenti, scorgo invariabilmente un nucleo del loro io infantile nel modo in cui salutano, in cui affrontano situazioni nuove e perfino nel modo in cui interagiscono con genitori e coetanei.

Davy, che aveva sorpreso i genitori arrivando con due settimane di anticipo, aveva bisogno di protezione dal rumore e dalla luce e di una dose extra di coccole per sentirsi sicuro. Ancora oggi, che sta imparando a camminare, è un po' timido.

Anna, una neonata dal viso aperto che a undici giorni di vita dormiva tutta la notte, è stata sempre così tranquilla che sua madre, una donna sola che l'ha avuta grazie al seme di un donatore, dopo una settimana non aveva più bisogno di me. A dodici anni, Anna accoglie ancora il mondo a braccia aperte.

Poi ci sono i gemelli, due bambini che non avrebbero potuto essere più diversi: Sean si attaccava facilmente al seno della madre e sorrideva nella sua culla, mentre Kevin aveva problemi a poppare per tutto il primo mese e sembrava perennemente arrabbiato col mondo. Ho perso i contatti con questa famiglia quando il padre, dirigente di un'azienda petrolifera, venne trasferito oltreoceano, ma ho sentito che Sean ha ancora un temperamento più solare rispetto a Kevin.

Al di là delle mie osservazioni cliniche, molti psicologi hanno documentato l'esistenza del temperamento nei neonati e hanno cercato di descriverne i vari tipi. Jerome Kagan dell'Università di Harvard (vedi box successivo) e altri ricercatori hanno scoperto che, in effetti, alcuni bambini *sono* più sensibili, alcuni più difficili, alcuni più scontrosi, altri più dolci e altri ancora più prevedibili.

Questi aspetti del carattere influenzano il modo in cui un neonato percepisce l'ambiente circostante e interagisce con esso e – cosa più importante da capire per i genitori – il modo in cui può essere consolato. Il segreto sta nel vedere con lucidità il vostro bambino, accettandolo per quello che è.

Natura o educazione?

Come la maggior parte degli studiosi del ventesimo secolo, Jerome Kagan, ricercatore dell'Università di Harvard che studia il temperamento dei neonati e dei bambini, credeva che l'ambiente avesse la meglio sulla biologia. Ma vent'anni di ricerche sembrano raccontare una storia diversa:

«Confesso di provare un po' di tristezza» scrive in *Galen's Prophecy*, «nel vedere che alcuni neonati sani e belli, nati in famiglie affettuose ed economicamente benestanti cominciano la loro vita con caratteristiche fisiologiche tali per cui sarà difficile per loro essere rilassati, spontanei e capaci di farsi una risata di cuore come vorrebbero. Alcuni di questi bambini dovranno combattere un impulso naturale a essere accigliati e a preoccuparsi sempre del domani.»

Badate bene, il temperamento è solo un'*influenza*, non una condanna a vita. Nessuno sta dicendo che il pargoletto che avete tra le mani vi sputerà ancora il latte addosso quando sarà grande, o che la vostra piccolina, che sembra così fragile, farà tappezzeria alla sua prima festa da ballo. Non possiamo annullare l'effetto della natura – la chimica e l'anatomia del cervello hanno la loro importanza –, ma l'*educazione* gioca ancora un ruolo fondamentale nello sviluppo umano. Tuttavia, per supportare e allevare al me-

glio il vostro bambino, è necessario che conosciate il baga-
glio con cui è venuto al mondo.

Grazie alla mia esperienza personale ho potuto constatare che i neonati rientrano generalmente in cinque tipologie fondamentali, che ho definito: *il bambino angelico, il
bambino da manuale, il bambino sensibile, il bambino vivace* e
il bambino scontroso. Più avanti le descriverò una per una.
Per aiutarvi a osservare il nuovo arrivato ho ideato un test con venti domande, valido per i neonati sani dai cinque
giorni agli otto mesi di vita. Ricordate che durante le prime due settimane potrebbero verificarsi dei cambiamenti
nel carattere, che di solito sono transitori: ad esempio,
una circoncisione (spesso eseguita l'ottavo giorno) o un
qualsiasi tipo di anomalia neonatale quale l'ittero, che
provoca sonnolenza, potrebbero oscurare la vera natura
di un bambino.

Il mio consiglio è che voi *e* il vostro partner rispondiate
alle domande del test... separatamente. Se siete madri o
padri single chiedete la collaborazione di un fratello o di
un altro parente, di un buon amico, di una persona che lavori con i bambini, insomma di qualcuno che di solito passa un po' di tempo con vostro figlio.

Perché sono necessarie *due* persone per fare questo test?

Prima di tutto, specialmente nel caso siate marito e moglie, vi garantisco che avrete due visioni differenti del carattere del vostro bambino: dopo tutto, al mondo non esistono
due persone che vedano le cose nello stesso identico modo.

Secondo, i bambini si comportano in modo diverso davanti a ogni persona che hanno di fronte, e questo è asso-
dato.

Terzo, abbiamo la tendenza a proiettare noi stessi sui figli, e a volte ci identifichiamo intensamente con il loro carattere, vedendo solo ciò che vogliamo. Inconsciamente
potreste essere troppo concentrati su alcuni aspetti della
personalità del bambino, o al contrario trascurarne altri:
ad esempio, se da piccoli eravate timidi e magari siete stati presi in giro, potreste esasperare il fatto che il vostro

bambino pianga in presenza di estranei. È un po' doloroso pensare che lui dovrà sopportare le stesse ansie quando entrerà in società e lo scherno degli amici, non è vero? Sì, quando ci sono di mezzo i figli ci portiamo *un po'* avanti con l'immaginazione! E ci identifichiamo con loro: la prima volta che un bimbetto si rialzerà da solo, il padre facilmente dirà: «Guardate il mio giocatore di calcio!», mentre se viene calmato dalla musica la mamma, che suona il piano da quando aveva cinque anni, è probabile che sentenzi: «Si vede già che ha il mio orecchio!».

Comunque, vi prego, non litigate se le vostre risposte saranno diverse da quelle del partner; non si tratta di vedere chi è il più intelligente o chi conosce meglio il bambino: è solo uno strumento che avete a disposizione per capire meglio questo piccolo essere umano che è entrato nella vostra vita. Dopo aver calcolato il punteggio in base alle indicazioni che seguono, vedrete quale descrizione si adatta meglio a vostro figlio; l'idea non è quella di classificarlo, ma piuttosto di aiutarvi a focalizzare alcuni degli elementi che di solito osservo in un neonato, come i diversi tipi di pianto, il modo di reagire e di addormentarsi e il carattere: tutto ciò alla fine mi permette di venire incontro ai suoi bisogni fondamentali.

Venti domande per conoscere il vostro bambino

Per ognuna delle domande che seguono scegliete la risposta *migliore*, ovvero l'affermazione che *il più delle volte* descrive il comportamento del vostro bambino.

1. Il mio bambino
   A. piange raramente
   B. piange solo quando ha fame, è stanco o troppo stimolato
   C. piange senza motivo apparente
   D. piange molto forte, e se non intervengo subentra un pianto furibondo
   E. piange molto spesso

2. Quando è ora di dormire, il mio bambino
>   A. se ne sta tranquillo nella sua culla, poi si appisola
>   B. di solito si addormenta facilmente nel giro di venti minuti
>   C. protesta un po', sembra che si addormenti ma poi si risveglia sempre
>   D. è molto agitato e spesso va tenuto in braccio
>   E. piange molto e non ama essere messo giù

3. Quando si risveglia al mattino, il mio bambino
>   A. piange raramente: gioca tranquillo nella sua culla finché non arrivo io
>   B. fa i suoi versetti guardandosi intorno
>   C. chiede attenzione immediata o comincia a piangere
>   D. urla
>   E. piagnucola

4. Il mio bambino sorride
>   A. a tutto e a tutti
>   B. se stimolato
>   C. se stimolato, ma a volte scoppia a piangere dopo aver sorriso per qualche minuto
>   D. molto e si fa sentire, producendo i tipici suoni rumorosi dei bambini
>   E. solo se le circostanze sono favorevoli

5. Quando porto fuori il mio bambino
>   A. si fa portare molto facilmente
>   B. va bene purché non sia un luogo troppo affollato o sconosciuto
>   C. protesta molto
>   D. chiede molto la mia attenzione
>   E. non ama essere manipolato troppo

6. Se si trova di fronte un estraneo che lo saluta in modo amichevole, il mio bambino
>   A. sorride immediatamente
>   B. dopo un po' di solito sorride prontamente
>   C. sembra che stia per piangere, a meno che la persona non riesca a distrarlo
>   D. diventa molto eccitato
>   E. non sorride quasi mai

7. Quando c'è molto rumore, ad esempio un cane che abbaia
o una porta che sbatte, il mio bambino
   A. non si innervosisce mai
   B. se ne accorge ma non mostra segni di fastidio
   C. si spaventa visibilmente e spesso scoppia a piangere
   D. fa rumore anche lui
   E. scoppia a piangere

8. Al suo primo bagnetto, il mio bambino
   A. sembrava un pesciolino
   B. era un po' sorpreso dalla novità, ma l'ha apprezzata
   quasi subito
   C. era molto sensibile: tremava un po' e sembrava
   spaventato
   D. è impazzito: batteva le manine spruzzando acqua
   dappertutto
   E. non gli è piaciuto affatto, piangeva

9. Il linguaggio corporeo del mio bambino di solito è
   A. rilassato e attento
   B. perlopiù rilassato
   C. teso e molto reattivo agli stimoli esterni
   D. convulso: braccia e gambe si muovono di continuo
   E. rigido: braccia e gambe sono spesso piuttosto tese

10. Il mio bambino emette suoni rumorosi e aggressivi
   A. ogni tanto
   B. solo quando gioca ed è molto stimolato
   C. quasi mai
   D. spesso
   E. quando è arrabbiato

11. Quando gli cambio il pannolino, gli faccio il bagno o lo vesto,
il mio bambino
   A. è sempre tranquillo
   B. va bene se faccio le cose lentamente e gli spiego
   cosa succede
   C. spesso fa i capricci, come se non sopportasse
   di stare nudo
   D. si dimena e cerca di buttare giù tutto dal fasciatoio
   E. lo detesta: vestirlo è sempre una lotta

12. Se lo espongo improvvisamente a una luce forte, come
    quella del sole o quella fluorescente, il mio bambino
    A. è tranquillo
    B. a volte è un po' sorpreso
    C. sbatte eccessivamente le palpebre e cerca
    di distogliere il viso dalla luce
    D. diventa ipereccitato
    E. è infastidito

13a. *Se lo si allatta con il biberon*: quando gli do il biberon,
    il mio bambino
    A. poppa sempre bene, è attento e di solito mangia
    in venti minuti
    B. è un po' strano durante i periodi di crescita intensa,
    ma di solito mangia senza problemi
    C. si muove molto e ci mette tanto a finire la bottiglia
    D. afferra con forza la bottiglia e tende a mangiare troppo
    E. è spesso capriccioso e ci mette tanto a mangiare

13b. *Se lo si allatta al seno*: quando allatto il mio bambino, lui
    A. si attacca immediatamente: è stato facile
    fin dal primo giorno
    B. ci son voluti un giorno o due per farlo attaccare
    nel modo giusto, ma ora tutto va bene
    C. ha sempre voglia di succhiare, ma si allontana e si
    riavvicina al seno, come se avesse dimenticato come fare
    D. mangia bene finché lo tengo come vuole lui
    E. è infastidito e agitato, come se non avessi
    abbastanza latte

14. La frase che meglio descrive la comunicazione tra me
    e il mio bambino è
    A. mi fa sempre sapere con esattezza ciò di cui ha bisogno
    B. di solito è facile capire quali sono le sue necessità
    C. mi confonde: a volte piange anche con me
    D. manifesta con molta chiarezza cosa gli piace e cosa no
    E. generalmente attira la mia attenzione con un pianto
    forte e rabbioso

15. Quando andiamo a una riunione di famiglia dove
    tutti vogliono tenerlo in braccio, il mio bambino
    A. si adatta molto facilmente
    B. in qualche modo sceglie da chi andare

C. piange facilmente se viene manipolato da troppe persone
D. piange o cerca perfino di sottrarsi alle braccia di qualcuno se non si sente a suo agio
E. rifiuta chiunque tranne mamma e papà

16. Quando torniamo a casa dopo un'uscita, il mio bambino
    A. si riambienta subito e facilmente
    B. ci mette qualche minuto per acclimatarsi
    C. di solito è molto irritabile
    D. spesso è sovreccitato e difficile da calmare
    E. sembra arrabbiato e infelice

17. Il mio bambino
    A. è capace di divertirsi da solo a lungo guardando la prima cosa che capita, perfino le sponde della culla
    B. è capace di giocare da solo per circa quindici minuti
    C. ha difficoltà a divertirsi in un ambiente sconosciuto
    D. ha bisogno di essere molto stimolato per divertirsi
    E. non si diverte mai molto facilmente

18. La cosa che si nota di più nel mio bambino è come
    A. sia incredibilmente educato e facile da trattare
    B. stia crescendo rispettando esattamente le tappe: proprio come diceva il libro
    C. sia sensibile a ogni cosa
    D. sia aggressivo
    E. possa essere di cattivo umore

19. Sembra che il mio bambino
    A. si senta tremendamente al sicuro nel suo lettino (o culla)
    B. di solito preferisca il suo lettino
    C. si senta insicuro nel suo lettino
    D. si comporti aggressivamente, come se il lettino fosse una prigione
    E. si offenda se lo si mette nel lettino

20. La frase che meglio descrive il mio bambino è
    A. si sente a malapena che in casa c'è un bambino: è buono come un angelo
    B. è facile da trattare e prevedibile
    C. è un cosino molto delicato
    D. ho paura che quando comincerà a gattonare non lo terremo più
    E. la sa lunga: sembra che sia già stato qui prima

Per calcolare il punteggio di questo test scrivete A, B, C, D, E su un foglio di carta e contate quante volte avete usato le singole lettere: in questo modo avrete il profilo corrispondente.

Prevalenza di risposte	A: tipo «angelico»
"	B: tipo «da manuale»
"	C: tipo «sensibile»
"	D: tipo «vivace»
"	E: tipo «scontroso»

I vostri bambini tipo per tipo

Quando farete i calcoli, le lettere predominanti saranno probabilmente una o due. Leggendo le descrizioni che seguono, ricordate che stiamo parlando di un modo di comportarsi generale e non di uno stato d'animo occasionale o di un tipo di comportamento dettato da circostanze particolari, ad esempio sotto l'effetto delle coliche o in una determinata fase dello sviluppo come la dentizione. È probabile che riconosciate vostro figlio in una delle descrizioni sommarie che seguono, o forse avrà qualcosa di una e qualcosa di un'altra. Leggetele tutte e cinque. Ogni profilo è esemplificato da un bambino che ho realmente conosciuto, le cui caratteristiche si adattano quasi alla perfezione al tipo descritto.

Il bambino «angelico». Forse questo è il tipo di bambino che tutte le future mamme si immaginano di avere quando aspettano il primo figlio: buono come un angelo. Pauline è esattamente così: dolce, sempre sorridente e per nulla esigente. I suoi bisogni sono facili da interpretare. Non è infastidita dai nuovi ambienti e si fa portare in giro: davvero la si può trasportare ovunque. Mangia, gioca e dorme senza problemi, e di solito non piange quando si sveglia. Al mattino Pauline se ne sta tranquilla nella sua culla a far versetti, parlando a un animale di peluche o semplicemente divertendosi a guardare una riga sul muro. Un bambino «angelico» è spesso in grado di calmarsi da solo, ma se per caso è più stanco del solito, magari perché i suoi bisogni non sono stati compresi nel modo giusto, tutto ciò che dovete fare è coccolarlo un po' e dirgli: «Vedo che sei un po' stanco». Poi caricate un carillon, fate in modo che la sua stanza sia tranquilla e in penombra e si addormenterà da solo.

Il bambino «da manuale». Questi bambini sono molto prevedibili, e quindi piuttosto facili da trattare. Oliver fa tutto al momento giusto, quindi con lui non ci sono molte sorprese. Ha raggiunto le tappe dello sviluppo nei tempi previsti da manuale: dormire la notte intera a tre mesi, girarsi sulla pancia a cinque e stare seduto da solo a sei. Con la precisione di un orologio svizzero attraversa periodi di crescita intensa, nei quali il suo appetito aumenta improvvisamente a causa di un incremento extra di peso o perché sta per compiere un salto nello sviluppo. Già a una settimana di vita è in grado di giocare da solo per brevi periodi – circa quindici minuti –, facendo molti versetti e guardandosi intorno. Se qualcuno gli sorride, lui fa lo stesso. Benché Oliver abbia delle fasi in cui è un po' capriccioso – proprio come dicono i manuali –, è facile calmarlo e non si fa fatica a farlo addormentare.

Il bambino «sensibile». Per un bambino ipersensibile come Michael il mondo è una serie infinita di stimoli sensoriali: si ritrae al suono di una motocicletta che va su di giri nella strada sotto casa, quando la tv è accesa o un cane abbaia nell'appartamento accanto; sbatte le palpebre o gira la testa se la luce è troppo intensa; a volte piange senza motivo apparente, perfino con sua madre. In questi casi, quello che sta cercando di dirvi nel suo linguaggio infantile è: «Ne ho abbastanza, ho bisogno di un po' di pace e tranquillità». Spesso si innervosisce se molte persone lo tengono in braccio, o dopo essere stato fuori casa. Gioca da solo per qualche minuto, ma ha bisogno di essere sicuro che qualcuno che conosce bene – mamma, papà o una tata – sia nelle vicinanze. Poiché i bambini di questo tipo hanno bisogno di succhiare molto, le mamme potrebbero fraintendere i loro bisogni e pensare che siano affamati quando basterebbe un semplice ciuccio. A volte Michael poppa in modo irregolare, come se avesse dimenticato come si fa, e al momento del riposino o alla sera ha difficoltà a addormentarsi. I bambini «sensibili» come lui vanno in tilt molto facilmente, perché il loro sistema nervoso è molto fragile: bastano un riposino più lungo del solito, un pasto saltato, una visita inaspettata, una gita, un cambio di latte artificiale per gettare Michael nel panico. Per calmare un tipo «sensibile» dovete ricreare l'atmosfera del ventre materno: tenetelo stretto fra le vostre braccia, coccolandolo e sussurrandogli ritmicamente all'orecchio *sh... sh... sh* (il rumore dei fluidi avvertito nel grembo) e battendogli dolcemente sulla schiena, mimando il battito del cuore (questo calmerà molti bambini, ma funziona molto bene con quelli «sensibili»). Quando avete un neonato di questo tipo, prima imparate a decifrare i suoi bisogni e i tipi di pianto e più semplice sarà la vostra vita: amano l'ordine e la prevedibilità, quindi niente sorprese, per favore!

Il bambino «vivace». Questi bambini sembrano uscire dalla pancia della mamma sapendo perfettamente cosa piace loro e cosa no, e non esiteranno a farvelo sapere. Karen, ad esempio, è molto chiassosa e a volte sembra perfino aggressiva: spesso, quando si sveglia al mattino, chiama mamma o papà urlando. Detesta avere il pannolino sporco e il suo modo per dire «cambiatemi» consiste nell'esprimere rumorosamente il suo sconforto. È una bambina che fa molti versi e spesso ad alta voce. Il suo linguaggio corporeo tende a essere un po' convulso. Karen spesso ha bisogno di essere tenuta in braccio per addormentarsi, perché altrimenti le braccia e le gambe sono sempre in movimento, impedendole di rilassarsi. Se comincia a piangere e il circolo vizioso non viene subito interrotto, raggiunge un punto di «non ritorno» cosicché il pianto produrrà altro pianto finché non le verrà la febbre. È probabile che un bambino «vivace» cerchi di afferrare il biberon già da molto piccolo; inoltre noterà gli altri bambini prima che questi notino lui, e non appena raggiungerà l'età giusta per avere una buona presa, cercherà di impadronirsi anche dei loro giocattoli.

Il bambino «scontroso». Ho una teoria che i bambini come Gavin siano già stati qui in precedenza – la sanno lunga, come dico io – e non siano affatto contenti di tornarci. Certo, potrei sbagliarmi, ma qualunque sia la ragione vi assicuro che questo tipo di bambini sono assolutamente *mardy* – come diciamo nello Yorkshire –, cioè furiosi col mondo, e non cercano neppure di nasconderlo (la mia coautrice mi informa che la parola yiddish corrispondente è *farbissiner*). Gavin piagnucola ogni mattina, non sorride molto durante il giorno e fa sempre i capricci prima di addormentarsi la sera. Sua madre ha grossi problemi a trattenere le baby-sitter, perché il cattivo umore del bambino tende a estendersi anche a loro. All'inizio odiava perfino fare il bagnetto, e ogni volta che qualcuno cercava di vestirlo o di cambiarlo era irrequieto e nervoso. La madre aveva cercato di allattarlo al seno, ma il suo flusso (la velocità con cui il latte scende e fuoriesce dai capezzoli) era lento e Gavin era impaziente. Anche dopo il passaggio al latte artificiale, nutrire questo tipo di bambini rimane difficile a causa della loro disposizione scontrosa. Per calmarli di solito ci vuole una mamma – o un papà – paziente, perché si arrabbiano molto e il loro pianto è particolarmente lungo e sonoro. Quindi il suono *sh... sh... sh* deve essere più forte del pianto. I bambini «scontrosi» odiano essere tenuti in braccio e di certo ve lo faranno capire. Quando raggiungono un alto livello di stress, invece di sussurrare loro *sh... sh... sh* dite: «Va tutto bene, va tutto bene, va tutto bene» ritmicamente, facendoli dondolare dolcemente avanti e indietro.

Un consiglio. *Quando cullate qualsiasi tipo di bambino, fatelo dondolare avanti e indietro e non da destra a sinistra o su e giù. Prima di nascere, il vostro bambino veniva cullato così mentre camminavate, quindi è abituato e confortato da questo tipo di movimento.*

Fantasia o realtà?

Sono sicura che avrete riconosciuto il vostro bambino in una delle descrizioni precedenti, o forse è un incrocio tra due tipi diversi. In ogni caso, queste informazioni dovrebbero esservi di aiuto e guidarvi, e non costituire motivo di allarme: quindi non è tanto importante creare etichette, quanto sapere che cosa aspettarvi dal carattere del vostro bambino per imparare a interagire con lui.

Ma... fermi un attimo: state dicendo che questo non è il piccino che sognavate? Si muove di più? Sembra più irritabile? Non ama stare in braccio? Siete confuse, e anche un po' arrabbiate; potreste perfino avere dei dubbi: be', non siete le sole. Durante i nove mesi della gravidanza quasi tutti i genitori si creano un'immagine del bambino che verrà: che aspetto avrà, che tipo diventerà, che persona sarà in futuro. Questo succede soprattutto alle madri più mature che hanno avuto problemi nel concepimento o hanno aspettato di avere trenta o quarant'anni prima di metter su famiglia. Sarah, una donna di trentasei anni con una bambina «da manuale», quando Lizzie aveva cinque settimane mi confessò: «All'inizio, mi godevo solo il venticinque per cento del tempo che passavo con lei. Pensavo davvero di non amarla quanto avrei dovuto». Nancy, un avvocato sulla cinquantina che aveva fatto ricorso a una «madre in affitto» per avere Julian – un vero tipo «angelico» – era comunque «scioccata nel vedere quanto fosse difficile e quanto forte fosse da subito la sensazione di non potercela fare». Ricorda ancora di aver guardato il suo bambino di quattro giorni dicendo: «Tesoro, ti prego, non ucciderci!».

Amore a prima vista?

Gli occhi si incontrano nella stanza ed è subito amore... o almeno questo è quel che succede a Hollywood. Ma nella realtà per molte coppie le cose non vanno proprio così, e lo stesso succede alle madri e ai loro bambini. Alcune di esse se ne innamorano all'istante, ma per molte altre ci vuole un po' di tempo. Siete stanche, scioccate e spaventate; e, cosa peggiore di tutte, *volete* che tutto sia perfetto. Raramente lo è, quindi non prendetevela con voi stesse. Per imparare ad amare il vostro bambino avete bisogno di tempo: proprio come succede tra persone adulte, il vero amore arriva quando ci si conosce davvero.

Questa fase di aggiustamento può durare pochi giorni o settimane, ma anche di più, a seconda di come era la vita prima dell'arrivo del bambino. Comunque sia, tutti i genitori (almeno spero) arriveranno ad accettare il bambino che hanno, e la vita che ne consegue. (Genitori molto ordinati possono avere problemi a subire il caos, e quelli molto organizzati rischiano di affogare nella confusione; a questo proposito vedi il capitolo seguente.)

Un consiglio. *Mamme, potrebbe essere molto utile parlare con qualcuno che vi ricordi che i «su e giù» sono normali: una buona amica che ci è già passata o anche vostra madre, se con lei avete un buon rapporto. Papà, lo stesso non si può dire dei vostri amici maschi: quelli che partecipano ai miei gruppi «Papà e io» dicono che i neopapà tendono a competere l'uno con l'altro, specialmente per quanto riguarda la mancanza di sonno e di sesso.*

Il fatto interessante è che il carattere di vostro figlio in questo caso è ininfluente: quando si parla di aspettative dei genitori ci sono emozioni talmente forti e profonde in gioco che nessun bambino, per quanto «angelico» sia, riuscirebbe a realizzarle. Un esempio: Kim e Jonathan lavoravano entrambi e avevano grandi responsabilità. Quando arrivò la piccola Claire, non potevo immaginare una bambina migliore: mangiava bene, giocava da sola e dormiva beatamente, e i suoi pianti erano facilmente comprensibili. Di certo il mio lavoro sarebbe durato poco, pensavo. Be', che ci crediate o no, Jonathan era preoccupato. «Non è un po' troppo passiva?» mi chiese. «È normale che dorma molte ore? Se è così tranquilla, certamente non avrà preso dalla mia famiglia!» Ho il sospetto che Jonathan fosse un po' seccato di non poter competere con i suoi amici maschietti nella «Maratona americana degli insonni». Comunque, gli assicurai che avrebbe dovuto baciarsi i gomiti: i bambini «angelici» come Claire sono assolutamente adorabili, chi non vorrebbe averne uno?

Certo, più spesso lo shock arriva quando i genitori speravano in un bimbetto calmo e gentile e si trovano invece di fronte a qualcosa di un po' diverso. Nei primi giorni, quando il neonato dorme tutto il tempo, molti pensano che i loro sogni si siano avverati; poi, improvvisamente, tutto cambia e si ritrovano fra le mani un esserino impulsivo e vigoroso. «Cosa abbiamo fatto di male?» è la prima domanda, mentre la successiva è: «Cosa *possiamo* fare?». Il primo passo è quello di riconoscere il proprio disappunto, e poi adeguare le aspettative di conseguenza.

Un consiglio. *Pensate al vostro bambino come a qualcuno che vi propone una meravigliosa sfida: dopo tutto, ognuno di noi avrà le sue lezioni da imparare nella vita, e nessuno sa chi sarà a insegnarcele. In questo caso, il maestro è lui.*

A volte i genitori non sono consapevoli di questo processo, o se lo sono si vergognano troppo per esprimere a parole il proprio disappunto. Non vogliono ammettere che il loro bambino non è così adorabile o bene educato quanto speravano, oppure che non hanno provato l'esperienza dell'«amore a prima vista» che avevano immaginato. Le coppie che conosco e che ho visto passare attraverso questa fase non si contano, e forse sentire alcune delle *loro* storie vi farà stare meglio.

Mary e Tim. Mary è una donna piacevole e dai modi delicati, che si muove con grazia e ha un ottimo carattere. Anche il marito è una persona molto calma, equilibrata e concreta. Mable, la loro figlia, si comportò come una bambina «angelica» per i primi tre giorni: la prima notte dormì per sei ore filate, e la seconda quasi altrettanto. Ma quando arrivarono a casa, la sua vera personalità cominciò a emergere. Dormiva più sporadicamente, si calmava a fatica e spesso aveva problemi a addormentarsi. Ma non era tutto: bastava un nonnulla per farla saltare su e scoppiare a piangere; si contorceva e piagnucolava ogni volta che qualcuno la prendeva in braccio. Spesso in realtà sembrava piangere senza un motivo apparente.

Mary e Tim non si rassegnavano al fatto di aver dato vita a una bambina tanto nervosa. Parlavano continuamente dei figli dei loro amici che dormivano facilmente, si divertivano da soli per lunghi periodi e potevano essere scarrozzati in macchina. Be', Mable non era certo così. Ho cercato di aiutarli a vederla per quello che realmente era: una bambina «sensibile». Mable amava le cose prevedibili perché il suo sistema nervoso centrale non era ancora del tutto sviluppato; per questo aveva bisogno che i suoi genitori si tranquillizzassero e che l'ambiente circostante fosse eccezionalmente calmo. Mary e Tim dovevano essere gentili e pazienti in modo da consentirle di adattarsi al mondo intorno a lei. La sua ipersensibilità non era un problema, bensì il suo modo per insegnare loro qualcosa di sé; e, dato il carattere dei suoi genitori, avevo il sospetto che la mela non fosse caduta molto lontano dall'albero. Proprio come Mary, Mable aveva bisogno di un ritmo più lento, e aveva una gran voglia di serenità esattamente come suo padre.

Queste intuizioni e un pizzico di incoraggiamento aiutarono Mary e Tim ad accogliere il bambino reale con cui vivevano, piuttosto che continuare a desiderare che Mable si comportasse come i figli dei loro amici. Rallentarono il ritmo intorno a lei, diminuirono il numero di persone che la tenevano in braccio, e cominciarono a osservarla più da vicino.

Tra le altre cose, Mary e Tim scoprirono che Mable lanciava loro messaggi molto chiari. Quando cominciava a sentirsi travolta, allontanava la testa da chiunque la stesse osservando o perfino da un mobile. Nel suo modo infantile, Mable stava dicendo ai genitori: «Basta con gli stimoli!». Sua madre notò che se soddisfaceva velocemente queste richieste era più facile farla addormentare. Altrimenti cominciava a piangere e ci voleva sempre parecchio tempo per calmarla. Un giorno ero passata per una visita e Mary, desiderosa di dividere con me le sue scoperte sulla bambina, ne ignorò i segnali e Mable scoppiò a piangere. Per fortuna, la mamma le disse con riguardo: «Mi spiace, tesoro. Non ti stavo prestando attenzione».

Jane e Arthur. Questa deliziosa coppia, una delle mie preferite, aveva aspettato sette anni prima di avere figli. Anche James, finché era in ospedale, sembrava un bambino «angelico», ma una volta a casa piangeva quando veniva cambiato, piangeva mentre faceva il bagnetto, piangeva, piangeva e ancora piangeva, apparentemente per un nonnulla. Ora, Jane e Arthur sono persone che amano divertirsi e hanno un grande senso dell'umorismo, ma non erano in grado di fare neppure un sorriso stiracchiato al piccolo James. Sembrava talmente infelice per la maggior parte del tempo. «Piange così tanto» mi disse Jane, «e quando lo allatto al seno è impaziente. Devo ammettere che non vediamo l'ora che si addormenti.»

Perfino il pronunciare questa frase li preoccupava entrambi. È difficile ammettere che il vostro bambino sembra avere una nuvola scura sopra di sé. Come molti genitori, Jane e Arthur credevano di essere in qualche modo responsabili di questo. «Facciamo un passo indietro e cerchiamo di considerare James come un individuo» suggerii. «Quello che vedo è un bambino che cerca di dire: "Hey, mamma, cosa aspetti a cambiarmi?" e "Oh, no, ancora mangiare!" e "Cosa? Un altro bagno?".» Una volta attribuita una voce al loro bambino «scontroso», il sense of humour di Jane e Arthur si risvegliò. Raccontai loro la mia teoria sui bambini «scontrosi» che la sanno lunga, ed essi risero approvando. «Sai» disse Arthur, «mio padre è esattamente così, e noi lo amiamo per questo. Pensiamo a lui come a un personaggio.» Improvvisamente il piccolo James non era più una calamità venuta a rovinare di proposito le loro vite. Era James, una persona con un temperamento e dei bisogni proprio come tutti noi: un essere umano che meritava il loro rispetto.

Adesso, quando si trattava di fargli il bagnetto, invece di esserne terrorizzati Jane e Arthur cercavano di rilassarsi, concedevano a James più tempo per abituarsi all'acqua e gli parlavano per tutto il tempo. «So che non lo trovi divertente» gli dicevano, «ma un giorno piangerai quando ti tireranno *fuori* dall'acqua.» Smisero anche di fasciarlo. Impararono ad anticipare i suoi bisogni e sapevano che se potevano evitare una crisi sarebbe stato meglio per tutti. A sei mesi James ha ancora la tendenza a essere un po' scontroso, ma almeno i suoi genitori la accettano come parte della sua natura e sanno come sfumare i suoi cattivi umori. Il piccolo James è fortunato a essere compreso in così tenera età.

Storie come queste illustrano due degli aspetti più critici del «baby whispering»: avere rispetto e usare il buon senso. Così come non esistono ricette con le persone adulte, lo stesso succede con i bambini. Non potete concludere che al vostro bambino piacerà essere tenuto in un certo modo o vorrà essere fasciato una volta messo a letto perché così era per il figlio di vostra sorella; non potete pensare che, siccome la figlia della vostra migliore amica ha un carattere solare, anche la vostra bimba l'avrà. Scordatevi questi desideri illusori: dovete fare i conti con il figlio reale, e sapere cosa è meglio per il *vostro* bambino. E vi assicuro che se saprete guardare e ascoltare con attenzione, vi

dirà esattamente di cosa ha bisogno e come potrete aiutar
lo nelle situazioni difficili.

Alla fine, questo tipo di empatia e comprensione renderà più semplice la vita del vostro bambino, perché lo
aiuterete a contare sulle sue forze compensando i suoi
punti deboli. Ed ecco la buona notizia: non importa che tipo sia, tutti i neonati stanno meglio quando la vita è calma
e prevedibile. Nel prossimo capitolo vi aiuterò a partire
nel modo giusto con un programma che farà fiorire tutta
la vita familiare.

2

Ci pensa E.A.S.Y.

> «Mangia quando hai fame. Bevi quando hai sete. Dormi quando hai sonno.»
>
> *Proverbio buddhista*

> «Sentivo che mia figlia sarebbe stata più felice se avesse avuto da subito una giornata regolare. In più ho visto che funzionava con i bambini delle mie amiche.»
>
> *La mamma di una bambina «da manuale»*

La ricetta del successo: una routine ben strutturata

Non passa giorno senza che io riceva qualche telefonata da parte di genitori in ansia, confusi, sopraffatti dagli eventi e soprattutto in crisi di astinenza da sonno: mi bombardano di domande pregandomi di dar loro delle risposte perché ne va di mezzo la qualità della vita familiare. A prescindere dalla natura del problema, il rimedio che suggerisco è sempre lo stesso: *una routine ben strutturata*.

Un esempio: quando Terry, una donna di trentatré anni dirigente in un'agenzia di pubblicità, mi telefonò, credeva davvero che Garth, il suo bambino di cinque settimane, «non sapesse mangiare». Mi disse: «Non poppa come si deve. Ci impiega almeno un'ora e in più continua a staccarsi dal seno».

La prima cosa che le ho chiesto è stata: «Segue un programma regolare?».

La sua esitazione mi fornì subito la risposta: un «no» forte e chiaro. Promisi a Terry che sarei passata più tardi il giorno stesso per dare un'occhiata e ascoltare il bambino, ma da quel poco che mi aveva detto sapevo già cosa stava succedendo.

«Un programma?» chiese Terry quando le proposi la mia soluzione. «No, no, non un programma per favore» protestò. «È una vita che lavoro e le mie giornate sono sempre state delle vere e proprie tabelle di marcia. Ora che ho lasciato il posto per stare col mio bambino mi dici che devo preparare una scaletta *per lui*?»

Quello che suggerivo non era certo di inserire scadenze fisse o limiti dettati dalla disciplina, quanto piuttosto una base solida ma flessibile a seconda dei bisogni di Garth. «Non ho in mente una *scaletta* come la intendi tu» chiarii, «ma un programma ben strutturato, un piano che preveda una cornice e una certa regolarità. Non sto dicendo che dovete vivere guardando l'orologio, tutt'altro. Ma è necessario che portiate un po' di coerenza e di ordine nella vita di vostro figlio.»

Capivo che Terry era ancora un po' scettica al riguardo, ma cominciò a rilassarsi quando le assicurai che questo sistema non solo avrebbe risolto il cosiddetto «problema» di Garth, ma le avrebbe permesso di capire il suo linguaggio. Allattarlo circa ogni ora, spiegai, voleva dire fraintendere i suoi bisogni: *nessun bambino normale ha bisogno di mangiare ogni ora*. Avevo il sospetto che Garth fosse in grado di poppare molto meglio di quanto sua madre immaginasse. Il suo staccarsi dal seno voleva dire: «Ho finito», ma lei continuava a farlo succhiare. Non si sarebbe arrabbiata *anche lei* in questo caso?

Inoltre mi accorsi che anche Terry non se la passava molto bene: alle quattro del pomeriggio era ancora nel suo pigiama a fiori. Era ovvio che non aveva tempo per sé, neppure un quarto d'ora per farsi la doccia. (Sì, lo so miei cari, se avete appena avuto un bambino probabilmente *anche voi* sarete ancora in pigiama alle quattro del pomerig-

gio: ma spero che ciò non succeda più dopo cinque settimane dal parto.)

Per ora fermiamoci qui (più avanti vi dirò come se l'è
cavata Terry). Può darsi che la soluzione che ho proposto
a Terry vi sembri troppo semplice, ma che ci crediate o no,
una scaletta ben organizzata *è* spesso tutto ciò che serve
per risolvere il problema, qualunque esso sia: poppate difficili, sonno irregolare o anche le cosiddette «coliche». E se
poi capita che la situazione sia ancora difficile, almeno
avrete fatto un passo nella giusta direzione.

Quello che stava succedendo era che Terry, involontariamente, ignorava i bisogni di Garth. Inoltre gli consenti-
va di dettare il ritmo invece di stabilire un programma che
lui potesse seguire. Sì, so bene che oggi l'imperativo è
quello di lasciar fare al bambino, forse come reazione ai rigidi schemi secondo cui venivano allevati una volta i piccoli americani. Purtroppo questa filosofia fa sì che i genitori vedano *qualsiasi* tipo di regolarità e di programma
come inibente la naturale espressione o sviluppo del bambino. Ma a queste mamme e papà dico: «Per carità di Dio,
è solo *un bambino*. Non sa ancora cosa è bene per lui». (Ricordate, ragazzi miei, che c'è una grande differenza tra ri-
spettarlo e permettergli di decidere ogni cosa.)

Fra l'altro, poiché sono fautrice di un approccio che
coinvolga tutta la famiglia, dico sempre ai genitori: «È lui
che fa parte della *vostra* vita, non il contrario». Se gli per-
mettiamo di dettare legge, facendolo mangiare e dormire
quando ne ha voglia, nel giro di sei settimane il vostro ménage familiare sarà nel caos. Per questo il mio consiglio è
sempre quello di cominciare *da subito* a creare un ambiente
sicuro e coerente, stabilendo un ritmo che il bambino possa seguire senza fatica. Io lo chiamo E.A.S.Y., e in effetti è
davvero facile.

E.A.S.Y. accontenta tutti

E.A.S.Y. è un acronimo del programma che cerco di far seguire a tutti i miei bambini, possibilmente *dal primo giorno di vita*. Pensatelo come un periodo di tempo ricorrente nel corso della giornata e della durata di circa tre ore, in cui ognuno dei momenti che seguono si presenta nel seguente ordine

E-Eating. Sia che il vostro bambino venga allattato al seno sia col biberon o magari in entrambi i modi, nutrirsi è il suo bisogno primario. I bambini infatti sono piccole «macchine» divoratrici di cibo: in confronto al peso corporeo, assorbono il doppio o anche il triplo delle calorie di una persona obesa! (Nel capitolo 4 troverete maggiori dettagli sul tema «cibo».)

A-Activity. Prima dei tre mesi, il vostro bambino probabilmente passerà il 70 per cento del suo tempo mangiando e dormendo. Quando non è così, sarà sul fasciatoio, nella vaschetta da bagno, nella sua culla a far versetti o sulla sdraietta a guardar fuori dalla finestra. Dal nostro punto di vista non è granché come attività, ma è quello che i bambini *fanno*. (Vedi il capitolo 5.)

S-Sleep. Che dormano come angeli o abbiano il sonno irregolare, tutti i bambini hanno bisogno di imparare come addormentarsi da soli e, per amor di autonomia, *nel loro lettino*. (Vedi il capitolo 6.)

Y-You. Finalmente – ovvero quando il vostro bambino dorme – è il *vostro* turno. Vi sembra impossibile o irragionevole? Non lo è. Se seguirete il metodo E.A.S.Y., ogni poche ore avrete la possibilità di riposarvi, rigenerarvi e, una volta riprese, di svolgere tutte le incombenze. Ricordate che nelle prime sei settimane – il cosiddetto periodo «post partum» – avete bisogno di recuperare energie dal punto di vista fisico ed emotivo dopo il trauma del parto. Le madri che cercano di tornare il più in fretta possibile alla vita di prima o che non hanno tempo di riposare perché allattano a richiesta, lo sconteranno in seguito (vedi il capitolo 7).

Un programma molto «E.A.S.Y.»

Sebbene ogni bambino sia diverso da un altro, dalla nascita ai tre mesi di vita la scaletta che segue può adattarsi a tutti. Non esitate a modificarla leggermente man mano che il vostro bambino mangerà meglio e sarà contento di giocare da solo per periodi più lunghi.

Eating: da 25 a 40 minuti al seno o col biberon; un neonato normale, che pesa sui 2 chili e 700 grammi o anche più, può aspettare da 2 ore e 1/2 a 3 ore per il pasto successivo.

Activity: 45 minuti (compresi il cambio di pannolino e di vestitino e, una volta al giorno, un bel bagnetto).

Sleep: 15 minuti per addormentarsi; pisolini della durata di mezz'ora-un'ora; dopo due o tre settimane dormirà sempre più a lungo la notte.

You: un'ora o anche più per voi quando il bambino dorme; questo lasso di tempo aumenta via via che il bambino cresce, mangia più velocemente, gioca da solo e fa pisolini più lunghi.

In confronto ad altri sistemi usati in puericultura, E.A.S.Y. è una via di mezzo pratica e sensata, e viene accolto con sollievo dalla maggior parte dei genitori i quali così sono finalmente liberi di uscire dai rigidi dettami della moda del momento, che sul tema dell'educazione dei bambini sembra oscillare sempre tra due estremi opposti. Da una parte vi sono gli esperti dell'«amore puro», che ritengono che il diritto di «educare» i bambini comprenda una buona dose di sforzo: è bene lasciarli piangere e disperare un pochino, non bisogna «viziarli» prendendoli in braccio ogni volta che piangono e comunque devono adattarsi rigidamente alla *vostra* vita, seguendo i *vostri* bisogni. Dalla parte opposta, i rappresentanti della filosofia più popolare oggi, secondo i quali bisogna «assecondare il bambino» e che consigliano alle madri di allattare «a richiesta»: un termine che credo parli da solo. Bene, in questo modo avrete un bambino esigente e impegnativo. I seguaci di questa dottrina credono che per avere un bambino ben adattato si debba soddisfare qualsiasi suo bisogno... cosa che, seguita alla lettera, vuol dire rinunciare completamente alla propria vita.

In verità, miei cari, nessuno dei due metodi funziona. Col primo rischiate di non rispettare vostro figlio, con il secondo non rispettate voi stessi. Ma soprattutto, E.A.S.Y. è fondamentale per un approccio che coinvolga tutta la famiglia perché fa sì che ogni membro, e non solo l'ultimo arrivato, possa soddisfare i suoi bisogni. In questo modo siete in grado di ascoltare e osservare con attenzione il vostro piccolino, rispettandone le esigenze, *e allo stesso tempo* lo inserite nella vita familiare. Nel box successivo vengono illustrate le differenze tra E.A.S.Y. e gli altri sistemi.

Il metodo E.A.S.Y. in confronto agli altri sistemi

«A richiesta»	E.A.S.Y.	A schema fisso
Asseconda qualsiasi domanda del bimbo: se piange allattatelo anche dieci-dodici volte al giorno.	Scaletta flessibile ben strutturata per un periodo di 2 e 1/2-3 ore, comprendente i momenti del cibo, del gioco, della nanna e del tempo libero per la mamma.	Segue una tabella prefissata per pasti regolari, di solito ogni 3-4 ore.
È imprevedibile: il bambino detta legge.	È prevedibile: i genitori fissano un ritmo che il bimbo può seguire, e questi sa cosa aspettarsi.	È prevedibile ma fonte di ansia: i genitori fissano un programma che il bimbo potrebbe non seguire.

I genitori non imparano a decifrare i segnali del bambino; spesso il pianto viene scambiato per fame.	Poiché è logico, i genitori possono prevenire i bisogni del bambino e quindi sono più propensi a comprendere i diversi significati del suo pianto.	Il pianto viene ignorato se non rientra nello schema; i genitori non imparano a interpretare i segnali del bambino.
I genitori non hanno una vita propria: è il bambino a scandire la giornata.	I genitori possono pianificare la loro vita.	I genitori sono schiavi dell'orologio.
I genitori si sentono confusi; spesso in casa regna il caos	I genitori sono più fiduciosi nelle proprie capacità perché comprendono il pianto e i bisogni del bambino.	I genitori si sentono spesso in colpa e perfino irritati se il bambino non segue lo schema.

Perché E.A.S.Y. funziona

A qualsiasi età, gli esseri umani sono creature abitudinarie: sono in grado di funzionare meglio all'interno di uno schema di eventi che si succedono in maniera regolare. Al giorno d'oggi è normale pianificare e organizzare tutto secondo un ordine logico. Come dice la mia Nan: «Non puoi aggiungere le uova al pudding una volta cotto». Nelle nostre case, negli uffici, nelle scuole e perfino nei luoghi di culto mettiamo in atto una serie di regole che ci fanno sentire sicuri.

Fermatevi un minuto e pensate alla vostra routine quotidiana: è probabile che inconsciamente seguiate dei rituali ricorrenti al mattino, a cena e all'ora di andare a letto. Come vi sentite se uno di questi rituali salta improvvisamente? Perfino quando si verifica qualcosa di poco grave come un problema alle tubature che vi costringe a rinunciare alla vostra doccia mattutina, o un blocco stradale che vi obbliga a seguire un percorso diverso per andare al lavoro, o ancora un piccolo ritardo nell'orario dei pasti, questi inconvenienti possono mandarvi in tilt per tutta la giornata. Perché allora dovrebbe essere diverso per un bambino? I bambini hanno bisogno di una routine tanto quanto noi, ed è per questo che E.A.S.Y. funziona.

I bambini non amano le sorprese. Il loro sistema nervoso ancora immaturo funziona meglio se il cibo, il sonno e il gioco si susseguono nello stesso ordine e più o meno alla stessa ora tutti i giorni. Ci possono essere leggere variazioni, ma non di più. Specialmente i neonati e i bambini molto piccoli, amano anche sapere che cosa succederà in seguito: non apprezzano molto le sorprese improvvise. Prendete la ricerca pionieristica sulla percezione visiva dei bambini fatta dal dottor Marshall Haith dell'Università di Denver: egli notò che gli occhi dei bambini, benché leggermente miopi nel primo anno di vita, sono molto coordinati fin dalla nascita: in presenza di immagini ripetitive su uno schermo televisivo, cominciano a cercare di *prevedere* quel che succederà in seguito. Registrando i movimenti dei loro occhi, Haith ha dimostrato che «quando un'immagine è prevedibile, i bambini sono più propensi a crearsi delle aspettative. Se li imbrogliate, ne sono turbati». È possibile generalizzare questa affermazione? Assolutamente sì, sostiene Haith: i bambini amano e hanno bisogno di una routine.

E.A.S.Y. abitua il vostro bambino all'ordine naturale delle cose: pappa, gioco e nanna. Ho visto genitori mettere a letto i propri figli appena nati subito dopo mangiato, spesso perché si addormentano mentre poppano dal seno o dal biberon. Non sono d'accordo per due motivi: primo, il bambino diventa dipendente al seno della madre o dal biberon, e presto non si addormenterà più senza; secondo, *a voi* capita di voler dormire subito dopo ogni pasto? A meno che non siate in vacanza e che abbiate fatto una cena pantagruelica a base di tacchino, probabilmente no. Più spesso succede che dopo mangiato vi dedichiate a una qualche forma di attività. Non c'è dubbio che la giornata di una persona adulta sia organizzata secondo una colazione mattutina, l'uscita per andare al lavoro, a scuola o a giocare, il pranzo, ancora lavoro, scuola o gioco, poi la cena, il bagno e a letto. Perché non offrire anche al vostro bambino questa naturale progressione di eventi?

Un assetto ben organizzato dona un senso di sicurezza a tutta la famiglia. Una routine organizzata aiuta i genitori a stabilire un ritmo adatto al bambino e a creare un ambiente che gli consenta di sapere cosa viene dopo. Con E.A.S.Y. non c'è alcuna rigidità: si ascolta il bambino e si soddisfano i suoi bisogni specifici, mantenendo però un ordine logico nelle sue giornate. Siamo *noi* ad allestire la scena, non lui.

La sera, ad esempio, la poppata delle cinque o delle sei (la E di *Eating*) avverrà nella nursery o in un angolo della casa riservato ai pasti, lontano dagli odori della cucina, dalla musica alta e dal baccano degli altri fratelli. Poi entriamo nella fase di attività (la A di *Activity*), che alla sera significa fargli il bagnetto: anch'esso si ripete ogni volta nello stesso modo (vedi pp. 197-201). Nel suo pigiamino o nella sua camicina da notte, ecco che il bambino è pronto per la nanna (la S di *Sleep*), quindi abbassiamo le luci nella sua cameretta e mettiamo della musica dolce.

Il lato molto positivo di questo semplice piano è che a ogni passo il bambino sa quale sarà il successivo, e così tutti gli altri. Questo vuol dire che anche mamma e papà possono programmare la *loro* vita, mentre gli eventuali fratelli non vengono trascurati. Alla fine, ognuno ha l'amore e l'attenzione di cui ha bisogno.

E.A.S.Y. aiuta i genitori a interpretare il comportamento del proprio bambino. Ho avuto a che fare con così tanti bambini che ormai conosco il loro linguaggio. Quando piangono, «Ho fame, dammi la pappa» suona molto diverso da «Ho il pannolino sporco, cambiami» o da «Sono stanco, aiutami a calmarmi e ad addormentarmi». Il mio scopo è quello di insegnare ai genitori *come* ascoltare e osservare, in modo da poter comprendere il linguaggio dei neonati. Ma per questo ci vogliono tempo, pratica e un po' di tentativi e di errori. Tuttavia, con E.A.S.Y. sarete in grado di fare supposizioni intelligenti sui bisogni del vostro piccolino ancor *prima* di parlare fluentemente la sua lingua. (Nel prossimo capitolo spiegherò altre cose sul modo in cui interpretare gesti, pianti e altri versetti dei neonati.)

Per esempio, supponiamo che il vostro bambino abbia già mangiato (*Eating*) e se ne sia stato per venti minuti disteso su una coperta in soggiorno a osservarne le righe bianche e nere (il suo modo di giocare, quindi *Activity*); se improvvisamente cominciasse a piangere, potete essere abbastanza sicuri che sia un po' stanco e quindi pronto per ciò che viene dopo: la nanna (*Sleep*). Invece di ficcargli qualcosa in bocca, fargli fare un giro in macchina o piazzarlo in una di quelle terribili sdraiette dondolanti – cosa che lo renderà ancora più infelice, e alle pp. 225-226 spiegherò perché –, lo mettete a letto dopo aver creato l'atmosfera giusta e poi – rapidamente! – si addormenterà da sé.

E.A.S.Y. stabilisce una base solida ma flessibile per il vostro bambino. E.A.S.Y. fissa alcune linee guida che i genitori possono adattare al carattere del bambino e, cosa altrettanto importante, ai propri bisogni. Un esempio: ho dovuto aiutare June, mamma della piccola Greta, a cambiare *quattro* diverse versioni di E.A.S.Y. June aveva allattato solo per un mese e poi era passata al biberon: questo tipo di cambiamenti spesso richiede anche un adattamento della routine stabilita. In più Greta era una bambina «scontrosa», e sua madre dovette quindi imparare a smussare i suoi gusti così ben definiti. A complicare le cose c'era poi il fatto che June era schiava dell'orologio e si sentiva in colpa se Greta non si conformava esattamente a quanto stabilito dal programma. Si capisce allora il motivo di tante modifiche e aggiustamenti.

Benché in questo modo si mantenga sempre lo stesso ordine – pappa, gioco, nanna –, man mano che il bambino cresce subentrano dei piccoli cambiamenti. La tabella standard di E.A.S.Y. riportata a p. 60 è applicabile ai neonati, in genere fino ai tre mesi di vita. A quel punto, la maggior parte dei bambini comincia a stare sveglia per più tempo, a dormire meno durante il giorno, a succhiare meglio e quindi a mangiare più velocemente. Ma per allora voi conoscerete bene vostro figlio, e sarà facile adattare un po' la routine impostata in precedenza.

E.A.S.Y. facilita la cooperazione fra i genitori... con o senza un partner. Se la persona che si prende cura del neonato per la maggior parte del tempo – di solito la madre – non ha spazio per sé, è molto probabile che se ne lamenti o che se la prenda con il partner perché non divide con lei questo fardello. Mi è capitato di veder insorgere queste difficoltà in molte delle famiglie che ho conosciuto. Non c'è nulla che faccia infuriare una neomamma che cerca di comunicare la sua frustrazione al suo compagno quanto la frase: «Di che ti lamenti? L'unica cosa che hai da fare è star dietro al bambino».

«Ho dovuto camminare con lui in braccio per tutto il giorno. Ha pianto per due ore» dice lei.

Quello che davvero desidera è lamentarsi per bene, e poi tutto sarà finito. Ma lui pensa di dover trovare delle soluzioni e se ne esce con proposte del tipo: «Ti comprerò un marsupio», oppure «Perché non gli hai fatto fare un giro?». Il risultato è che lei si arrabbia perché non si sente apprezzata, e lui ha la sensazione di essere frustrato e vessato: non ha idea di quale sia stata davvero la giornata della moglie, e tutto ciò che riesce a pensare è: *ma cosa diavolo vuole da me?* A questo punto la sua massima aspirazione è quella di nascondersi dietro un giornale o accendere la tv per guardare la partita, mentre lei sta per avere una crisi di nervi: invece di cercare di risolvere insieme i problemi relativi al bambino, si ritrovano immersi nel proprio dramma personale.

Ma ecco che E.A.S.Y. arriva in soccorso! Quando c'è una scaletta ben strutturata, il papà sa come si svolgono le giornate della mamma e, cosa non meno importante, può prenderne parte. Ho scoperto che gli uomini danno il meglio quando hanno dei compiti concreti da svolgere: perciò se il papà può essere a casa per le sei, voi guardate l'orologio e decidete quale compito assegnargli. Molti papà amano fare il bagnetto al bambino e dargli da mangiare la sera.

Anche se è un caso decisamente più raro, esiste un 20 per cento di famiglie con bambini molto piccoli in cui il papà è a casa tutto il giorno e la mamma è quella che rientra dopo il lavoro. Comunque, suggerisco che, quando il genitore che è stato fuori casa rientra, tutti e tre passiate almeno una mezz'oretta insieme. Poi chi è rimasto a casa tutto il giorno deve essere incoraggiato a uscire, giusto per distrarsi un po'.

Un consiglio. *Quando rientrate dal lavoro, è bene che vi cambiate i vestiti anche se siete stati tutto il giorno in un ufficio. Questi infatti trattengono gli odori esterni, che potrebbero risultare fastidiosi per i sensi ancora delicati del bambino (e non preoccupatevi di metterli in ordine).*

Nel caso di Ryan e Sarah, E.A.S.Y. mise fine ai loro frequenti litigi su cosa fosse «meglio» per il piccolo Teddy. Nel periodo in cui aiutavo Sarah a stabilire una routine per il piccolo, Ryan viaggiava molto per lavoro: quando rientrava, è naturale che volesse passare gran parte del tempo tenendo in braccio il suo cucciolino. Teddy non ci mise molto ad abituarsi a essere portato in giro dal padre, e quando aveva tre settimane Sarah non riusciva quasi a metterlo giù. Il padre lo aveva involontariamente abituato

ad aspettarsi di essere sempre tenuto in braccio, specialmente prima di mangiare e di dormire. Quando Sarah mi
chiamò, le spiegai che avrebbe dovuto «riprogrammare»
Teddy per abituarlo a dormire senza un «puntello» umano, come lo definisco io (vedi pp. 216-217), soprattutto
perché il maritino era in procinto di partire per un altro
viaggio lasciando la povera mamma nelle peste. Ci vollero
solo due giorni per riabituare Teddy, dato che era così piccolo. Per fortuna, Ryan capì e accettò E.A.S.Y., così quando
tornò a casa la volta successiva lui e la moglie poterono la-
vorarci insieme.

Che dire allora delle madri e dei padri single? Certamente all'inizio per loro è dura, perché non hanno nessuno dietro le quinte pronto ad alleviare la fatica. Ma a parte la sensazione di essere un po' travolta dal punto di vista emotivo,
Karen, una donna di trentotto anni, ritiene di essersela passata meglio di molte coppie. «Non c'è nessuno con cui litigare su cosa fare o non fare» ha osservato. La necessità di
impostare Matthew secondo il metodo E.A.S.Y. la spinse a
chiedere l'aiuto di altre persone: «Avevo scritto tutto» ricorda, «e ogni volta che amici o parenti venivano a tenermi il
bambino sapevano esattamente di cosa aveva bisogno, a
che ora faceva il pisolino, quando doveva giocare e così via.
Tutto era molto chiaro».

Un consiglio. *Se siete un genitore single, gli amici sono un
vero toccasana. A quelli che non possono o non vogliono prendersi cura del bambino, chiedete un aiuto per la casa, la spesa o
altre commissioni. Non aspettatevi che gli altri sappiano legger-
vi nel pensiero per poi arrabbiarvi se non lo fanno.*

Cominciate subito a comportarvi
nel modo in cui intendete procedere

Mi rendo conto che l'idea di una routine pianificata possa
essere in contrasto con quanto avete sentito dagli amici o

letto in altri libri. L'idea di organizzare la giornata di un minuscolo neonato non è molto popolare, anzi, può apparire perfino crudele, eppure molti di quegli stessi libri, così come i vostri parenti e amici, suggeriscono di stabilire una certa regolarità all'età di tre mesi. A quell'epoca, secondo questo ragionamento, il vostro bambino avrà certamente raggiunto il giusto peso e sarà in grado di dormire abbastanza bene.

Sciocchezze, dico io! *Perché aspettare?* Per allora ci sarà già il pandemonio. Tra l'altro, non succede certo che a tre mesi le cose avvengano come un riflesso automatico. È vero che la maggior parte dei neonati avrà raggiunto determinate tappe dello sviluppo, ma per impostare una routine organizzata non è mai troppo presto: è solo una questione di apprendimento. Alcuni bambini poi, di solito del tipo «angelico» o «da manuale», lo fanno da soli molto prima dei tre mesi, ma altri no. E questi ultimi, invece di assestarsi, avranno ormai sviluppato quelli che vengono interpretati come «problemi» del sonno o dell'alimentazione: *tutte difficoltà che avrebbero potuto essere evitate o almeno minimizzate offrendo a questi bambini una routine pianificata fin dalla primissima infanzia.*

Con E.A.S.Y. siete *voi* a guidare il vostro bambino e, allo stesso tempo, imparate a conoscerne i bisogni. Quando raggiungerà i tre mesi di vita, conoscerete già le sue modalità di comportamento e sarete in grado di comprendere il suo linguaggio. Per questo è bene che iniziate subito con le buone abitudini: come diceva la mia Nan, *cominciate subito a comportarvi nel modo in cui intendete procedere.* Ciò significa che dovete cercare di immaginarvi come vorreste che fosse la vostra famiglia, e agire di conseguenza non appena portate il bimbo a casa dall'ospedale. In sintesi, permettetemi di dire questo: se volete seguire il mio approccio, che tiene in considerazione tutta la famiglia, che riconosce e soddisfa i bisogni del bambino inserendolo contemporaneamente nella vita familiare, usate il

metodo E.A.S.Y. Altrimenti, siete liberi di scegliere proce-
dimenti diversi.

Il vero problema, però, è che spesso i genitori non si rendono conto che il comportamento dei figli è frutto di una
loro scelta, e può capitare che si verifichi quella che io
chiamo un'«educazione involontaria». Non si fermano a
ripensare all'andamento delle prime settimane per decidere se è davvero questo che vogliono, oppure non sono
coscienti di quanto il loro atteggiamento possa influenzare
le modalità di relazione con il bambino. Non cominciano
da subito a comportarsi nella maniera in cui intendono
procedere. (Sull'educazione involontaria e su come ovviare ai problemi che ne possono derivare vedi il capitolo 9.)

A essere sinceri, di solito sono gli adulti, e non i bambini, a innescare situazioni difficili. In quanto genitori, siete
voi a dover prendere l'iniziativa: dopo tutto ne sapete certo più di vostro figlio! A dispetto del fatto che i neonati
vengono al mondo con un temperamento assolutamente
unico, il comportamento dei genitori *può* fare la differenza. Ho visto bambini «angelici» e «da manuale» trasformarsi in piccole pesti perché confusi dallo scompiglio e
dall'agitazione. A prescindere dalla tipologia del vostro
bambino, ricordate che siete *voi* a determinare quali abitudini svilupperà.

Anche il pensare a una *propria* routine può essere molto
utile. Cosa vi succede quando la vostra giornata è sconvolta da un evento inaspettato o un ostacolo alle solite abitudini? Diventate irritabili e vi sentite frustrati, e magari
perdete perfino la calma, cosa che può influire negativamente sull'appetito e sulla qualità del riposo. Il vostro
neonato non è diverso, tranne che non può stabilire da solo una sua routine: *siete voi a doverlo fare per lui*. Se saprete
stabilire un programma sensato che il bambino è in grado
di seguire, lui si sentirà più sicuro e voi sarete meno travolti dagli eventi.

Un'educazione consapevole

I buddhisti parlano di uno stato di «consapevolezza», che vuol dire avere un'attenzione assoluta a quel che ci circonda ed essere vigili in ogni istante. Il mio consiglio è quello di applicare questo concetto all'educazione del vostro neonato: cercate di diventare più consapevoli delle abitudini che potreste involontariamente innescare.

Ad esempio, raccomando sempre ai genitori che hanno l'abitudine di portare in braccio i figli per farli addormentare, di provare a fare la stessa cosa per una mezz'ora con un sacco di patate da dieci chili. È questo che volete fare fra qualche mese?

A quelli che invece stanno perennemente intorno ai bambini per farli divertire, chiedo: «Come vorreste che fosse la vostra vita fra un po' di tempo?». Sia che pensiate di tornare al lavoro sia di stare a casa, sareste contenti se avessero sempre bisogno della vostra attenzione? Non pensate che sarebbe bello avere un po' di tempo per voi stessi? Se è così, è ora che facciate qualche passo per promuovere la loro indipendenza.

«Istintivi» e «pianificatori»

Può succedere che all'inizio i genitori *rifiutino* anche solo l'idea di stabilire una routine per il proprio bambino. Quando dico loro: «Imposteremo subito la giornata di vostro figlio secondo un programma preciso», mi guardano orripilati.

«Oh, no!» esclamano mamma e papà. «I libri dicono che dobbiamo lasciar fare a lui, e assicurarci che tutti i suoi bisogni siano soddisfatti. Altrimenti diventerà un insicuro.» In qualche modo hanno l'idea che «routine» significhi ignorare i ritmi naturali del bambino *oppure* lasciarlo piangere. Non si rendono conto che è esattamente il contrario: con E.A.S.Y. i genitori sono aiutati a comprendere e soddisfare meglio i suoi bisogni.

Alcuni genitori poi disprezzano l'idea di impostare una

routine perché convinti che toglierà spontaneità alla *loro* vita. Recentemente ho fatto visita a una giovane coppia che la pensava in questo modo. Tutto nel loro stile di vita – tipico di molte coppie sui venti, trent'anni che abbracciano la teoria dell'«educazione naturale» dei figli – mi suggeriva che non volevano assolutamente essere limitati in alcun modo. Chloe, un'ex igienista dentale, aveva partorito in casa con l'aiuto di un'ostetrica, mentre Seth, che è un mago del computer, aveva scelto di proposito un impiego flessibile per poter lavorare da casa il più possibile e aiutare la moglie nella cura della bambina. Quando posi loro alcune semplici domande come: «A che ora viene allattata di solito la piccola Isabella?» o «A che ora fa il suo pisolino?», entrambi mi guardarono confusi. Dopo un attimo di esitazione, Seth rispose: «Be', dipende da come va la *nostra* giornata».

Le coppie che inizialmente sono refrattarie all'adozione del metodo E.A.S.Y. tendono a rientrare nei due estremi opposti degli «istintivi» e dei «pianificatori». Alcuni «istintivi» sono attaccati al proprio stile informale e improvvisato, come succedeva a Chloe e Seth. Altri invece sono davvero disorganizzati e sentono di *non poter* cambiare le cose (ma non è vero, come vedrete in seguito). Oppure ci sono i tipi come Terry, che cercano di trasformare uno stile di vita molto rigido in un ménage più sciolto e rilassato. In ogni caso, quando dico «impostare una routine» loro *capiscono* «scaletta» e *pensano* a una tabella di marcia orologio alla mano.

Quando mi capita di incontrare genitori totalmente disorganizzati o comunque abbastanza improntati al laissez faire per quanto riguarda la propria vita, dico loro in tutta onestà: «Se volete trasmettere delle buone abitudini al vostro bambino dovete averle voi per primi. Io posso insegnarvi come interpretare il suo pianto e venire incontro ai suoi bisogni, ma non potrete mai dargli un senso di sicurezza e di calma se non fate qualcosa per garantirgli un ambiente adatto».

All'estremo opposto vi sono i «pianificatori», genitori ligi ai manuali come Dan e Rosalie, entrambi dirigenti di alto livello a Hollywood. La loro casa è ordinatissima, e la loro giornata regolata al minuto. Durante la gravidanza di Rosalie, lei e Dan immaginavano che il bambino si sarebbe adattato subito a questo tipo di vita, ma dopo poche settimane dalla nascita della piccola Winnie le cose non andavano esattamente come avevano sperato. «Di solito Winnie si attiene bene agli orari stabiliti, ma ci sono volte in cui si sveglia prima o ci mette di più a mangiare» mi spiegò Rosalie. «In quei casi la nostra giornata viene completamente sconvolta. Può spiegarmi come rimetterla in riga?» Ho cercato di far capire a lei e a Dan che, malgrado io sottolinei sempre l'importanza di essere coerenti, credo anche nella flessibilità. «Siete voi che dovete sintonizzarvi sui bisogni della vostra bambina» dissi loro. «Sta cercando di abituarsi al mondo, non potete aspettarvi che rispetti i *vostri* orari.»

La maggior parte dei genitori dopo un po' capisce. Non sono affatto sorpresa quando, dopo molte settimane o mesi in cui fanno a modo loro, madri e padri che avevano rifiutato E.A.S.Y. mi richiamano, o perché la loro vita è un inferno o perché si ritrovano un bambino capriccioso e non capiscono il perché... oppure entrambe le cose. Se la madre era una «pianificatrice», molto organizzata ed efficiente, che ha cercato di far rientrare il bambino nel vecchio ménage, di solito non si capacita del perché la cosa non funzioni. Se invece era una «istintiva» che ha scelto di assecondare sempre e comunque il bambino, ha permesso che un cosino inerme dettasse legge e ora si chiede perché non ha neppure il tempo di farsi una doccia, di vestirsi e perfino di respirare! Non parliamo poi di fare un discorso o un pasto col marito, cosa che non avviene da settimane. In entrambi i casi, la mia risposta è: *trasformate il caos in quiete, o smettetela di voler controllare tutto, con E.A.S.Y.*

Siete «istintivi» o «pianificatori»?

È ovvio che alcuni di noi sono «pianificatori» per natura mentre altri amano vivere al limite seguendo l'istinto, e la maggioranza si trova da qualche parte in mezzo a questi due estremi. Ma qual è la *vostra* posizione? Per scoprirlo ho ideato un breve questionario che può aiutarvi a capire in quale dei due estremi vi ponete. Ogni affermazione è basata su quanto ho potuto osservare nelle case delle numerose famiglie che ho conosciuto nel corso degli ultimi vent'anni. Vedendo come i genitori tengono la casa e conducono la propria vita quotidiana, sono in grado di dire con sufficiente precisione se riusciranno a adattarsi a una routine organizzata una volta arrivato il bambino.

Quoziente «istintivi»/«pianificatori»

Vivo seguendo un programma preciso.	5 ④ 3 2 1
Preferisco che la gente chiami prima di passare a trovarmi.	⑤ 4 3 2 1
Dopo aver fatto acquisti o essere passata in lavanderia, metto subito le cose a posto.	5 ④ 3 2 1
Do la priorità alle scadenze quotidiane e settimanali.	5 ④ 3 2 1
La mia scrivania è molto ordinata.	5 ④ 3 2 1
Ogni settimana faccio la spesa di cibi e di altre cose che so mi serviranno.	5 ④ 3 2 1
Odio quando la gente è in ritardo.	⑤ 4 3 2 1
Faccio attenzione a non prendere troppi impegni.	5 ④ 3 2 1
Prima di iniziare un progetto, mi procuro tutto ciò di cui avrò bisogno.	⑤ 4 3 2 1
Pulisco e sistemo il mio armadio con regolarità.	5 ④ 3 2 1
Quando finisco un lavoro in casa, metto via tutto quel che ho usato.	⑤ 4 3 2 1
Pianifico le cose in anticipo.	⑤ 4 3 2 1

N.B. Per ogni domanda cerchiate il numero che vi descrive meglio. Calcolate il punteggio come segue:

5 = sempre
4 = di solito sì
3 = a volte
2 = di solito no
1 = mai

Per scoprire qual è il vostro quoziente «istintivi»/«pianificatori» sommate i punteggi delle singole risposte e dividete per 12: la cifra che ne risulterà sarà compresa tra 1 e 5, e indicherà l'estremo verso cui tendete. Perché è importante tutto questo? Se siete troppo vicini a uno dei due estremi, potreste essere uno di quei genitori che all'inizio hanno problemi con il metodo E.A.S.Y., perché siete un po' troppo rigidi o al contrario un po' troppo improntati al laissez faire. Questo però non significa che *non possiate* mettere in atto una routine organizzata, ma solo che potreste dover dedicare a E.A.S.Y. un po' più di tempo e di pazienza dégli altri genitori che sono in una posizione più mediana. Le descrizioni che seguono vi forniscono la spiegazione a seconda del punteggio e vi prospettano le sfide che potreste trovarvi ad affrontare.

X *Da 5 a 4*: probabilmente siete una persona molto organizzata. Avete un posto per ogni cosa e vi piace che tutto sia in ordine. Sono certa che non avrete problemi con il *concetto* di «routine organizzata», anzi, probabilmente lo accoglierete con piacere. Potreste invece incontrare delle difficoltà a inserire nelle vostre giornate un pizzico di flessibilità e/o a introdurre dei piccoli cambiamenti nei vostri «rituali» quando questi si scontrano con il carattere e i bisogni del vostro bambino.

Da 4 a 3: siete piuttosto organizzati, anche se non siete fanatici dell'ordine e della programmazione. A volte lasciate la casa o l'ufficio un po' in disordine, ma poi mettete via tutto, rassettate, rimettete a posto le carte o fate qualsiasi altra cosa sia necessaria per ristabilire l'ordine. È probabile che non avrete grossi problemi a mettere il vostro bambino a regime con E.A.S.Y., e dato che sembrate già essere piuttosto flessibili non avrete grandi difficoltà a modificarlo leggermente se lui avrà idee un po' diverse.

Da 3 a 2: avete la tendenza a essere un po' sbadati e disorganizzati, ma non siete affatto una causa persa. Per riuscire ad affrontare una routine organizzata, è probabile che abbiate bisogno di *prendere appunti* in modo da non perdere il filo. Segnate quotidianamente l'ora esatta in cui il vostro bambino mangia, gioca e dorme. Potreste anche aver voglia di compilare una lista di cose da fare. (A pagina 85 ho preparato una scheda per facilitarvi il compito.) La buona notizia, nel vostro caso, è che siete già abituati a una certa dose di confusione, e quindi la vita con un bambino potrebbe non rivelarsi una sorpresa così grossa.

Da 2 a 1: siete dei veri tipi «istintivi», e impostare una routine organizzata per voi sarà una grossa sfida. Dovete *assolutamente* scrivere tutto, cosa che implica un cambio radicale nel vostro stile di vita. Ma sapete una cosa, miei cari? Avere un bambino *è* esattamente questo!

Come trasformare i propri punti deboli

Per fortuna i genitori non sono come i leopardi: tranne pochi casi eccezionali (*vedi box seguente*), la maggior parte di noi *è in grado* di trasformare le proprie «macchie». Ho notato che quelli che si trovano a metà dello spettro «istintivi»/«pianificatori» partono subito bene, forse perché sono per natura il gruppo più flessibile: infatti sanno apprezzare i vantaggi di una buona organizzazione e allo stesso tempo riescono a tollerare quel tanto di confusione.

Se riusciranno a liberarsi dall'ansia di perfezionismo, anche genitori troppo esigenti o molto meticolosi potranno trovare sollievo in questo metodo, perché ha un piglio «manageriale» e organizzato. Tuttavia è probabile che debbano lavorare un po' sulla propria flessibilità. Con enorme piacere, ho visto anche i genitori più disorganizzati comprendere la logica e i vantaggi di E.A.S.Y.

Se E.A.S.Y. sembra difficile

È raro, ma alcuni genitori hanno molte difficoltà a stabilire una routine organizzata. Di solito capita per uno di questi motivi:

* *Non sanno guardare le cose in prospettiva.* Nel più ampio quadro della vita, l'infanzia non dura che un momento. I genitori che vedono E.A.S.Y. come una condanna perpetua finiscono per lamentarsi e brontolare senza riuscire a capire e godere il proprio bambino.

* *Non si impegnano abbastanza.* La routine che avete stabilito per il vostro bambino potrebbe cambiare col tempo o aver bisogno di piccoli aggiustamenti dovuti al suo carattere o ai vostri bisogni personali. Tuttavia, è necessario che ogni giorno essa resti sostanzialmente la stessa: cibo, gioco, nanna, tempo per voi. Lo so, è un po' noioso, però funziona.

* *Non sono in grado di mettere in atto una pratica via di mezzo.* O credono nella necessità che il bambino si conformi totalmente ai loro bisogni, o abbracciano la filosofia del «bambino sempre e comunque»: in quest'ultimo caso il piccolo (e il caos) finisce per comandare la vita familiare.

Hannah. Hannah, che aveva un quoziente «istintivi»/«pianificatori» di 5 quando la incontrai la prima volta, ha dovuto fare molta strada per modificare le sue abitudini. Quando dico che allattava la bambina con un occhio all'orologio, lo intendo in senso letterale. Hannah era una convinta assertrice delle regole, e poiché in ospedale le avevano detto di allattare Miriam dieci minuti per parte (cosa in cui assolutamente *non* credo; vedi p. 136), faceva esattamente così. A ogni poppata metteva la sveglia, e ogni volta che udiva quel tremendo rumore staccava la piccola dal seno e cambiava lato. Dopo dieci minuti la sveglia suonava di nuovo, e Miriam veniva allontanata definitivamente dal seno e portata subito nella sua stanza per il pisolino. Con mio orrore, Hannah metteva di nuovo la sveglia, dicendo: «Entro ogni dieci minuti. Se sta ancora piangendo, la tranquillizzo. Poi esco per altri dieci minuti, e ripeto il tutto finché non si addormenta». (Attenzione, non importava se Miriam passava *nove* di quei dieci minuti piangendo, era la sveglia a fare testo.)

«Butta via quella maledetta sveglia!» le dissi col tono più attento e delicato che riuscii a trovare. «Proviamo ad ascoltare il pianto di Miriam per scoprire che cosa sta cercando di comunicare. La osserveremo mentre mangia, guarderemo il suo piccolo corpicino e faremo in modo che sia lei a dirci di che cosa ha bisogno.» Spiegai immediatamente il metodo E.A.S.Y. ad Hannah, aiutandola a metterlo in atto. Le ci volle qualche settimana per abituarsi (Miriam intanto stette subito molto meglio), ma presto la bambina fu in grado di mangiare bene e di giocare un pochino per conto suo. Solo quando mostrava segni di stanchezza Hannah si avvicinava alla sua culla.

Terry. Anche se inizialmente l'idea di una routine strutturata l'affascinava, Terry aveva un quoziente «istintivi»/«pianificatori» di 3,5. Personalmente penso che avrebbe potuto essere vicina al 4, dato che era stata per molti anni un dirigente con alte responsabilità: può darsi che le sue risposte riflettessero il modo in cui *avrebbe desiderato* essere. Comunque, una volta superate le sue resistenze, ci concentrammo sul problema dei pasti del piccolo Garth. Aiutai Terry a vedere che il bambino mangiava abbastanza bene e ogni volta che indugiava al seno era solo perché aveva voglia di succhiare. Presto Terry fu in grado di sentire meglio la differenza tra il suo pianto da fame e quello da stanchezza, e, credetemi, sono davvero diversi. Suggerii anche che tenesse un diario quotidiano per registrare i pasti, i momenti di gioco e di sonno di Garth, così come i periodi di tempo per se stessa (vedi p. 85). Il fatto di avere un programma, di vedere la sua giornata nero su bianco e di sapere cosa aspettarsi fu molto utile a Terry e l'aiutò a diventare più abile nell'interpretare il pianto di Garth, permettendole anche di trovare tempo per sé. Sentiva di essere una madre migliore, e tutta la sua vita era più serena.

Dopo due settimane mi telefonò: «Sono solo le 10 e 30 del mattino, e io sono sveglia, vestita e pronta per uscire per commissioni» mi disse tutta fiera. «Sai, la cosa buffa è che, benché fossi così preoccupata di essere spontanea, la mia vita era totalmente imprevedibile. In questo modo riesco a trovare il tempo per *essere* spontanea!».

Trisha e Jason. Entrambi consulenti che lavoravano da casa, Trisha e Jason ricadevano vicino all'estremo 1 dello spettro «istintivi»/«pianificatori». Erano una coppia dolce, sui trentacinque anni, ma fin dal nostro primo incontro, seduti nel loro soggiorno, mi sentii obbligata a chiudere le porte dei rispettivi studi per non vedere le ciambelle ammuffite, le tazzine da caffè abbandonate e la carta che spuntava da ogni parte. Era ovvio che il ménage familiare era nel caos: la biancheria sporca pendeva dalle sedie, e perfino il pavimento era costellato di calzini, maglioni e altri articoli di uso quotidiano; in cucina gli armadietti erano aperti e i piatti sporchi abbandonati nel lavello. Niente di tutto ciò sembrava infastidire i padroni di casa.

Mentre alcune coppie tendono a negare la cosa, Jason e Trisha, che era al nono mese di gravidanza, sapevano bene che con l'arrivo della bambina tutto sarebbe stato diverso. Li aiutai a capire quali cambiamenti specifici e concreti avrebbero dovuto apportare al loro stile di vita. Non solo il loro adorato fagottino avrebbe avuto bisogno di un angolo tutto suo dove mangiare, giocare e dormire senza essere troppo stimolato, ma anche mamma e papà avrebbero dovuto rispettare il suo bisogno di regolarità.

Elizabeth nacque una domenica e il giorno successivo lei e la madre vennero dimesse dall'ospedale. Avevo fornito a Jason e Trisha una lista di articoli da tenere a portata di mano, e devo dire che ne acquistarono la maggior parte. Furono un po' meno efficienti nel preparare la cameretta della bambina: non tutte le cose erano state tolte dai pacchetti e disposte in modo da essere facilmente raggiungibili. Malgrado queste piccole pecche, devo ammettere che si comportarono incredibilmente bene (e con mia sorpresa) col metodo E.A.S.Y. Li aiutò molto il fatto che Elizabeth fosse una bambina «da manuale»: dopo due settimane dal parto, i genitori non avevano più problemi a farle rispettare orari e tempi, e a sette settimane dormiva cinque o sei ore filate per notte.

Non crediate, però: Trisha e Jason sono sempre gli stessi, ma almeno hanno iniziato bene. Anche se la loro casa è un po' più ordinata, ha sempre l'aria di una zona di guerra. Tuttavia la piccola Elizabeth cresce bene grazie all'ambiente sicuro e confortevole che i suoi genitori hanno creato per lei e all'introduzione di un ritmo che la piccola è in grado di seguire. Allo stesso modo, Terry è sempre Terry, un po' divisa tra il suo amore per Garth e la voglia di continuare la sua carriera. Ho il sospetto che, malgrado si sia ripromessa di non tornare a lavorare, possa ripensarci in futuro. In questo caso, con il metodo E.A.S.Y. ormai assimilato, lei e Garth avranno una transizione dolce. E anche Hannah è sempre Hannah: non mette più la sveglia, ma la sua casa continua a essere immacolata; Miriam non ha ancora iniziato a camminare, ma per ora sarebbe difficile dire che un bambino vive lì. Perlomeno Hannah è in grado di comprendere e parlare il linguaggio di sua figlia.

Quanto è E.A.S.Y. il vostro bambino?

Naturalmente, ci sono bambini più o meno facili. La mia prima figlia, Sara, era del tipo «vivace», estremamente impegnativa ed esigente in qualsiasi momento del giorno e della notte. Era molto decisa, badate bene, e nel momento in cui apriva gli occhi pretendeva che io facessi le cose con lei. Ero esausta. L'unico modo per riuscire a cavarcela fu quello di instaurare una routine regolare. Avevamo un rituale della buona notte che non è mai cambiato, e quando per caso succedeva, Sara andava nel pallone e si scatenava il finimondo. Poi arrivò sua sorella Sophie, una bambina «angelica» fin dall'inizio. Abituata alle monellerie di Sara, era per me fonte di continua sorpresa vedere quanto la mia nuova piccola fosse costantemente calma e tranquilla. A dire la verità, c'è stata più di una mattina in cui mi sono ritrovata china sulla sua culla per controllarne il respiro, e lei era lì, con gli occhioni spalancati, che faceva versetti ai suoi giocattoli. Altro che stabilire una routine con un tipo così!

Cosa potete aspettarvi allora dal *vostro* bambino? Non lo si può dire con certezza, ma di una cosa sono sicura: non ho mai incontrato un bambino che non crescesse bene con E.A.S.Y. né una vita familiare che non migliorasse con delle regole ben precise. Se il vostro piccolino è del tipo «angelico» o «da manuale», probabilmente avrà un orologio interiore che lo farà partire bene fin dall'inizio. Ma per le altre tipologie potrebbe essere necessario un piccolo aiuto. Ecco cosa potete aspettarvi caso per caso.

Tipo «angelico». Non c'è da sorprendersi che un bambino con un carattere dolce e docile si adatti facilmente a una giornata scandita da ritmi molto regolari. Emily era esattamente così: non appena venne a casa dall'ospedale applicammo il metodo E.A.S.Y., e fin dalla prima notte nella sua culla dormì dalle 11 di sera fino alle 5 del mattino e continuò a farlo finché non raggiunse le tre settimane di vita... Dopodiché cominciò a dormire dalle 11 alle 7. La madre era invidiata da tutte le amiche. Secondo la mia esperienza questo succede spesso: con una routine organizzata molti bambini «angelici» dormono tutta la notte a tre settimane di vita.

Tipo «da manuale». Anche questi bambini si possono formare facilmente perché sono molto prevedibili. Una volta partita la routine, la seguiranno senza allontanarsene troppo. Tommy si svegliava regolarmente per mangiare e dormiva beatamente dalle dieci di sera alle quattro del mattino, e a sei settimane fino alle sei. Ho notato che i bambini «da manuale» di solito dormono per tutta la notte quando raggiungono le sei, otto settimane di vita.

Tipo «sensibile». Questo è il bambino più fragile, amante della regolarità che una routine può dare. Più sarete costanti, meglio vi capirete l'un l'altro e prima arriverà il momento in cui dormirà tutta la notte, di solito tra le otto e le dieci settimane se avrete interpretato correttamente i suoi bisogni. Altrimenti, fate attenzione. A meno che un bambino «sensibile» non segua un programma ben preciso, è difficile comprendere le sue necessità, e questo non farà che renderlo ancora più irritabile. Con Iris, ad esempio, bastava un nonnulla per gettarla nel panico, da una visita inattesa a un cane che abbaiava fuori dalla finestra. Sua madre deve sempre stare molto attenta: se si lascia sfuggire un segnale di fame o di stanchezza (vedi p. 221) e aspetta troppo a lungo prima di allattarla o di metterla nella culla, questa bambina «sensibile» entra in uno stato di agitazione in pochi minuti e allora diventa difficile calmarla.

Tipo «vivace». Questi bambini, che sono fatti tutti a modo loro, potrebbero in apparenza *opporsi* alle regole da voi stabilite. Oppure, proprio quando pensate di averli ben inquadrati, *loro* decidono che non va bene. Allora è giusto prendersi un giorno per osservarne i bisogni: cercate di capire che cosa vi stanno chiedendo e poi riportateli sulla «retta via». I bambini «vivaci» vi dimostreranno sempre che cosa va loro bene e che cosa no. Bart, ad esempio, improvvisamente cominciò a addormentarsi sul seno di sua madre ogni volta che questa cercava di allattarlo, e si risvegliava con fatica (dopo aver seguito il metodo E.A.S.Y. per quattro settimane). Suggerii a Pam di prendersi una giornata per ascoltare e osservare attentamente suo figlio. Quello che emerse con chiarezza fu che Bart durante il giorno dormiva per periodi più brevi; quando si svegliava, non aveva avuto la dose sufficiente di sonno. Pam si rese anche conto che interveniva un po' troppo velocemente al momento del risveglio, invece di ascoltare le sue richieste. Quando iniziò ad attendere un pochino invece di correre immediatamente da lui, scoprì che si riaddormentava e quindi era più sveglio al momento dei pasti: in questo modo riuscì a farlo rientrare nei ranghi. Ci vogliono circa dodici settimane prima che un bambino «vivace» cominci a dormire per tutta la notte: sembra quasi che non vogliano dormire per paura di perdersi qualcosa. Spesso hanno anche difficoltà a rilassarsi.

Tipo «scontroso». Ecco un bambino che potrebbe essere refrattario a *qualsiasi* tipo di routine, perché è difficile in quasi tutti i campi. Ma se riuscite a regolarizzarlo con un po' di costanza, sarà molto più contento. Questo tipo di bambini vive le cose con molta intensità, ma con E.A.S.Y. è meno probabile che abbiate dei problemi a fargli il bagnetto, a vestirlo e perfino ad allattarlo, perché almeno il vostro piccolo «testone» saprà cosa aspettarsi e di conseguenza si sentirà meglio. Spesso succede che ai neonati di questo tipo vengano diagnosticate le coliche, quando in realtà tutto ciò di cui hanno bisogno sono regolarità e perseveranza. Stuart era un bambino «scontroso»: non amava divertirsi, non amava essere cambiato, ed era visibilmente irritabile anche quando si attaccava al seno di sua madre. Il suo ritmo naturale funzionava per lui ma non altrettanto per lei, che non apprezzava particolarmente il fatto di doversi alzare in piena notte senza un motivo apparente. Così la mamma decise di applicare il metodo E.A.S.Y., e quando le giornate diventarono più prevedibili, il piccolo cominciò a dormire per periodi più lunghi di notte e di conseguenza era un po' più disponibile durante il giorno. I bambini «scontrosi» spesso dormono tutta la notte quando raggiungono le sei settimane di vita. In effetti, sembra che per loro il massimo sia starsene belli coperti a letto, lontano dal trambusto della vita familiare.

Permettetemi di ricordarvi, come ho già fatto nel primo capitolo al momento di presentare le singole «tipologie», che il vostro bambino potrebbe presentare le caratteristiche di più «tipologie». Ma non dovete leggere queste descrizioni come fossero incise nella pietra, anche se ho notato che alcuni bambini seguono la routine di E.A.S.Y. più facilmente di altri. E alcuni, come la mia Sara, *hanno bisogno* di regole precise più di altri.

Come imparare a capire di che cosa ha bisogno il bambino?

Va bene, a questo punto vi conoscete un po' meglio e sapete grosso modo che cosa aspettarvi dal vostro bambino. È già qualcosa, ma Roma non è stata costruita in un solo giorno. Le prime settimane in cui seguite una routine organizzata potrebbero essere dure: ci vogliono tempo e pazienza, e la perseveranza di attenervi al vostro programma. Ecco alcuni consigli da non dimenticare.

Prendete appunti. Tra gli strumenti che fornisco ai genitori, particolarmente utile per quelli «istintivi» è la mia tabella E.A.S.Y., su cui è possibile segnare sia il punto del processo in cui ci si trova sia l'attività in cui sono impegnati in ogni momento mamma e bambino. È molto importante tenere un diario durante le prime sei settimane. Ricordate di registrare anche la vostra convalescenza come spiegherò più in dettaglio nel capitolo 7: per le mamme è fondamentale riposare durante queste prime sei settimane quanto imparare a prendersi cura del proprio bambino.

La vostra tabella E.A.S.Y.

Data									
t appa) che ora?	Quanto? (grammi)	Seno destro? (minuti)	Seno sinistro? (minuti)	M O V. I N T E S T I N A L I	U R I N A	Activity (gioco) Quanto tempo?	Bagnetto (mattina o sera?)	Sleep (nanna) Quanto tempo?	You (tempo per voi) Riposo? Commissioni? Introspezione? Commenti?

Nel giro di una settimana al massimo, vedrete esattamente come si comporta il vostro bambino. Potreste notare un balzo di crescita, ad esempio, perché mangia di più, oppure potreste osservare che si attarda di più al seno. Se improvvisamente passa cinquanta minuti o un'ora al seno mentre prima gli bastava mezz'ora per pasto, chiedetevi se stia davvero mangiando o se invece abbia solo voglia di bighellonare e utilizzare il seno per calmarsi. Conoscerete la risposta solo se vi prenderete del tempo per osservarlo in maniera attiva: è questo il modo in cui le mamme e i papà apprendono il linguaggio dell'infanzia e le abitudini del proprio bambino, che è unico (su questo tema vedi anche il prossimo capitolo).

La tabella precedente è stata pensata soprattutto per le mamme. Quando leggerete i capitoli dal 4 al 6, che affrontano il tema della pappa, dei movimenti intestinali, della minzione, del gioco e di altri aspetti della giornata del bambino, troverete ulteriori indicazioni per misurare i suoi progressi. Potete comunque riadattare questo schema alla vostra situazione particolare: ad esempio, se voi e il partner vi siete equamente divisi i compiti relativi alla cura del piccolo, potreste voler annotare chi dei due ha fatto la tal cosa. O ancora, se il bambino è nato prematuro o è venuto a casa dall'ospedale con qualche problema particolare (vedi il capitolo 8), potrebbe essere necessario aggiungere un'altra colonna per segnare eventuali cure speciali. La cosa importante da ricordare è la *regolarità*, e questa tabella vi aiuterà in tal senso.

Imparate a conoscere il vostro bambino come persona. La sfida che vi si presenta è quella di imparare a conoscere vostro figlio come l'individuo unico e speciale che è. Se il suo nome è Rachele, non pensate a lei come «alla bambina», ma a una persona che si chiama Rachele. Ora conoscete il modo in cui si articola la sua giornata: pappa, gioco, nanna; ma dovete anche raccogliere gli input che lei vi manda, e questo potrebbe comportare qualche giorno di sperimentazione, per osservare davvero quel che sta succedendo.

Un consiglio. *Ricordate che il bambino non è proprio «vostro», ma è una persona separata, un dono che vi è stato fatto affinché ve ne prendiate cura.*

Take it easy... nel vero senso della parola. L'acronimo E.A.S.Y. è pensato anche per ricordarvi che i bambini sono sensibili ai movimenti dolci, semplici e lenti. È questo il loro ritmo naturale, e va rispettato. Invece di imporre al bambino un ritmo diverso, rallentate il vostro. In questo modo sarete in grado di osservare e ascoltare, senza bisogno di entrare di fretta nel suo mondo. Oltre a far bene a lui, farà bene anche a voi «sintonizzarvi» sulle sue cadenze, che sono più lente. Ecco perché il mio suggerimento è quello di fare tre respiri profondi anche prima di prenderlo in braccio. Nel prossimo capitolo darò altre spiegazioni sul modo in cui rallentare il vostro ritmo e dare al bambino quell'ascolto attento e amorevole di cui ha bisogno.

3

Fermatevi un istante...
(e ascoltate il linguaggio del vostro bambino)

> «Riteniamo che una madre che sa interpretare i bisogni del proprio bambino, che capisce ciò che egli sta cercando di dirle, sarà più portata a creare condizioni adatte alla sua crescita, stimolandone lo sviluppo e facilitandone l'apprendimento futuro.»
>
> Prof. Barry Lester, *The Crying Game*

Il neonato:
straniero in un mondo sconosciuto

Di solito cerco di aiutare i neogenitori a mettersi nei panni dei loro piccoli spiegando che un neonato è come un visitatore proveniente da un paese straniero. Li invito a immaginarsi in viaggio attraverso una terra strana ma senza dubbio molto affascinante; certo, il paesaggio può anche essere molto bello, la gente calda e amichevole: basta guardarli negli occhi, leggere i loro volti sorridenti. Ma ottenere ciò di cui si ha bisogno può risultare molto frustrante. Pensate di entrare in un ristorante e di chiedere: «Scusi, dov'è il bagno?», e immaginatevi che il cameriere vi conduca a un tavolo apparecchiato dove campeggia un enorme piatto di spaghetti; oppure, al contrario, avete voglia di un buon pranzo e vi portano alla toilette!

Dal momento in cui vengono al mondo, è così che i neonati si sentono. Non importa quanto decorate siano le camerette o quanto buone le intenzioni dei genitori: essi vengono bombardati da sensazioni sconosciute che non sono in grado di comprendere. L'unica forma di comunicazione che hanno a disposizione – il loro linguaggio – sono il pianto e i movimenti del corpo.

È importante ricordare anche che i bambini crescono col *loro* ritmo, non con il nostro: a eccezione di quelli «da manuale», la maggior parte non rispetta scadenze precise. I genitori non devono far altro che stare fermi e guardarli fiorire, aiutandoli ma non correndo in soccorso ogni volta che qualcosa di banale va storto.

Alt... frenate!

Quando i genitori mi chiedono di aiutarli a capire perché il bambino piange o fa i capricci, so che entrambi sono in ansia e desiderano che io *faccia* qualcosa immediatamente. Ma, con loro grande sorpresa, dico sempre: «Fermi. Cerchiamo di capire cosa ci sta dicendo!». Per prima cosa faccio un passo indietro per poter osservare i movimenti del piccolo: le braccia e le gambe che si agitano in tutte le direzioni, la piccola lingua che si arriccia e si muove velocemente dentro e fuori dalla bocca, la schiena che si inarca. Ognuno di questi gesti ha un significato. Faccio pure molta attenzione al tipo di pianto e ai suoni che il bimbo emette: timbro, intensità e frequenza fanno anch'essi parte del suo linguaggio.

Poi cerco di «respirare» l'atmosfera, immaginando di *essere* quel particolare bambino: oltre a osservare il suo aspetto generale, i suoni e i gesti, esploro la stanza in cui ci troviamo, ne avverto la temperatura, e ascolto i rumori della casa. Infine guardo i genitori – se hanno l'aria nervosa, stanca o arrabbiata – e sento quello che mi dicono. Può darsi che faccia loro qualche domanda, come: «Quando è stata l'ultima poppata?», oppure «Di solito lo prendete in braccio e camminate per farlo addormentare?», o ancora «Contrae spesso le gambine in questo modo?».

Poi aspetto. Voi non vi intromettereste in una conversazione fra persone adulte senza sapere esattamente che cosa è stato detto, no? Stareste un attimo in silenzio per capire se è il momento giusto per intervenire. Troppo spesso, invece, gli adulti tendono a buttarsi a capofitto: fanno versetti al bambino, lo cullano, gli tolgono il pannolino, gli fanno il solletico, lo blandiscono o lo scuotono; parlano a voce troppo alta o troppo velocemente. Pensano che sia lui a richiederlo, ma non è così; in realtà vanno per la loro strada senza pensare, e a volte agendo sulla base del proprio disagio invece di rispondere ai bisogni del bambino, senza volerlo non fanno che aumentarne le difficoltà.

Rallentate il ritmo

Ogni volta che il vostro bambino piange, provate questa semplice tecnica per la quale occorrono solo pochi secondi.

Fermatevi. Ricordate che il pianto è il suo linguaggio.

Ascoltate. Che cosa significa questo pianto particolare?

Osservate. Che cosa sta facendo? Che cos'altro sta succedendo intorno a lui?

Qual è il problema? Valutate la situazione e rispondete sulla base di quanto avete visto e ascoltato.

Con gli anni ho imparato ad apprezzare l'importanza di fermarsi ad analizzare la situazione prima di precipitarsi a fare qualcosa; fare un passo indietro è diventato per me una seconda natura. Mi rendo conto, però, che per molti neogenitori, che non hanno familiarità con il pianto di un neonato e che si portano dietro le proprie ansie al riguardo, spesso la cosa è più difficile da mettere in atto. Ecco quattro punti da non dimenticare.

Fermatevi. State fermi dove siete e aspettate un momento; non è necessario che vi precipitiate a prendere in braccio il piccolo nell'istante in cui piange. Fate tre respiri profondi per trovare il vostro baricentro interiore e migliorare le vostre capacità di percezione. Ciò vi aiuterà anche a liberare la mente dalle voci e dai consigli degli altri, cosa che spesso impedisce di essere obiettivi.

Ascoltate. Il pianto è il linguaggio del neonato. Questo momento di esitazione non significa che dobbiate lasciarlo piangere, ma piuttosto che dovete ascoltare quello che sta cercando di dirvi.

Osservate. Cosa vi sta comunicando il suo linguaggio corporeo? Cosa succede intorno a lui? Cosa stava succedendo prima che «dicesse» qualcosa?

Qual è il problema? Se ora mettete insieme tutte le informazioni – quello che avete sentito e visto così come la fase della routine giornaliera in cui si trova il bambino – sarete in grado di farvi un'idea delle sue necessità.

Perché fermarsi?

Quando il vostro piccolino piange, l'istinto naturale sarebbe quello di correre da lui. Probabilmente pensate che sia in difficoltà o, peggio, che il pianto sia una cosa negativa. In realtà è importante imparare a dominare queste emozioni, fermandosi un momento a riflettere. Lasciate che vi spieghi tre motivi fondamentali per cui è bene farlo.

1. Il vostro bambino ha bisogno di sviluppare la sua «voce». Tutti i genitori desiderano che i propri figli sappiano esprimersi, ovvero siano in grado di chiedere quando hanno bisogno e di parlare di ciò che sentono. Purtroppo molte mamme e molti papà aspettano che il bambino cominci a sviluppare il linguaggio *verbale* per insegnargli questa capacità fondamentale; invece, le radici della possibilità di espressione si pongono nella prima infanzia, quando i bambini iniziano a «parlare» con noi grazie ai loro piccoli versi e al pianto.

Tenendo presenti queste cose, considerate che cosa succede quando in risposta al pianto del bambino una mamma lo attacca sempre e comunque al seno o gli mette il ciuccio in bocca: così facendo, non solo gli toglie la capacità di esprimersi – rendendolo praticamente «muto» (ecco perché noi inglesi chiamiamo il ciuccio *dummy*, che significa appunto «muto», «silenzioso») –, ma senza volerlo lo abitua a *non* chiedere aiuto. Dopo tutto, qualsiasi forma di pianto è una richiesta da parte del bambino, che dice: «Comprendi i miei bisogni». Ora, non penso che ficchiate un calzino in bocca al vostro compagno ogni volta che dice: «Sono stanco». Eppure, è questo che facciamo a un bambino se ci limitiamo a mettergli qualcosa in bocca piuttosto che fare un passo indietro e ascoltare quel che sta cercando di dirci.

La cosa peggiore in tutto questo è che, precipitandosi da lui tutte le volte che piange, i genitori involontariamente lo abituano all'idea di *non* avere voce. Se non si fermano ad ascoltare davvero per imparare a distinguere i diversi tipi di pianto – che numerosi studi hanno dimostrato *essere* differenti fin dalla nascita –, col tempo questi *diventano* veramente indistinguibili. In altre parole, se il pianto di un neonato viene costantemente ignorato o se al contrario la risposta è sempre quella del cibo, questi imparerà che il modo in cui piange non è importante: il risultato infatti è sempre uguale. In seguito si arrenderà e il suo pianto *suonerà* effettivamente lo stesso.

2. *Incoraggiate il vostro bambino a imparare a calmarsi da solo.* Anche nella vita adulta, sappiamo tutti quanto sia importante riuscire a tranquillizzarsi da soli: quando ci sentiamo un po' giù, facciamo un bagno caldo o un massaggio, leg-

giamo un buon libro, ci concediamo una passeggiata rigenerante. Ognuno ha i suoi sistemi per rilassarsi, l'importante è sapere che cosa funziona per farci entrare in uno stato di calma o aiutarci a prendere sonno. Lo stesso si può dire per i bambini, di qualunque età essi siano: a tre anni si succhiano il pollice o abbracciano il peluche preferito quando ne hanno abbastanza del mondo circostante, mentre un adolescente si chiude nella sua stanza ad ascoltare musica.

E i neonati? È ovvio che non possono farsi una passeggiata o accendere la tv, ma fin dalla nascita sono dotati di un sistema interno di «autorilassamento» – il riflesso di suzione e il pianto –, e quel che dobbiamo fare è insegnare loro a farne buon uso. Se non hanno ancora raggiunto i tre mesi di vita, può darsi che non riescano ancora a trovare il dito, ma di sicuro sanno piangere. Tra le altre cose, il pianto è un modo per mettere un freno agli stimoli esterni, motivo per cui molti neonati piangono quando sono troppo stanchi. In realtà, noi adulti facciamo la stessa cosa. Non vi è mai capitato di dire: «Sono così stanco che vorrei urlare»? Quello che davvero vorreste fare in questi casi è chiudere gli occhi, tapparvi le orecchie con le mani, aprire la bocca e piangere, in modo da fermare il mondo esterno.

Con questo non sto dicendo che dovreste lasciar piangere un neonato finché non si addormenta da solo: penso che sarebbe irresponsabile e allo stesso tempo crudele. Però possiamo imparare a interpretare il pianto «da stanchezza» come un segnale di bisogno, facendo un po' di oscurità nella stanza e isolandola da luci e rumori. Inoltre, può succedere che un bambino pianga per pochi secondi – è quello che io definisco il pianto del «bambino fantasma» (vedi p. 232) – per poi rimettersi subito a dormire, riuscendo in pratica a calmarsi da solo. Se ci precipitiamo da lui ogni volta che questo succede, presto perderà questa capacità.

3. *Imparate il linguaggio del vostro bambino.* Se riuscirete a fermarvi qualche secondo per distinguere i diversi tipi di

pianto del vostro bambino e il linguaggio corporeo che li accompagna, sarete in grado di comprendere i suoi bisogni meglio che non mettendogli in bocca il capezzolo o cullandolo senza capire davvero cosa sta succedendo.

Ancora una volta, però, ripeto che fermarsi per compiere questo processo di valutazione *non* vuol dire lasciar piangere il bambino: vi state solo prendendo un momento per imparare il suo linguaggio. Così facendo *soddisfate* la sua richiesta e *non* lasciate che sia troppo frustrato. Con questo sistema presto diventerete così bravi a decifrare il suo comportamento da riuscire a riconoscere le possibili difficoltà prima che vi sfuggano di mano. In breve, prendersi tempo per osservare e ascoltare per poi valutare con attenzione il problema vi rende genitori migliori e più forti come viene illustrato nel box successivo.

I benefici effetti dell'empatia

Il professor Barry Lester, insegnante di psichiatria e comportamento umano presso il Centro di sviluppo infantile della Brown University, ha studiato per oltre vent'anni il pianto dei neonati. Oltre a classificarne i diversi tipi, ha svolto delle ricerche nelle quali chiedeva alle madri di identificare il pianto del proprio bambino di un mese: ogni volta che la valutazione della madre corrispondeva alla classificazione dei ricercatori, le veniva assegnato un punteggio. I bambini le cui madri avevano avuto un punteggio più alto, a diciotto mesi risultavano avere migliori capacità mentali rispetto a quelli le cui madri avevano riportato un punteggio inferiore, e per quell'epoca avevano imparato un numero di parole due volte e mezzo superiore.

Piccolo manuale per imparare ad ascoltare meglio

Ci vorrà un po' di pratica per riuscire a distinguere i vari tipi di pianto del vostro bambino, ma ricordate che «ascoltare» significa anche fare attenzione a un contesto più ampio per scoprire eventuali chiavi di interpretazione. Premesso che do per scontata l'adozione del metodo E.A.S.Y., ecco qualche suggerimento per aiutarvi a migliorare la vostra capacità di ascolto.

Considerate il momento della giornata. A che punto della giornata il bambino ha iniziato a essere nervoso o a piangere? Aveva appena mangiato? Era stato sveglio a giocare? Aveva forse il pannolino bagnato o sporco? Era iperstimolato? Con la mente cercate di ripercorrere che cosa è successo subito prima o anche il giorno precedente: ha fatto qualche esperienza nuova, come girarsi sulla pancia per la prima volta o cominciare a gattonare? (A volte uno scatto di crescita o un altro tipo di salto nello sviluppo si riflette sull'appetito del bambino o anche sulle modalità del sonno e sul carattere; vedi p. 147.)

Considerate il contesto. Quale altro avvenimento si è verificato nella vita familiare? Il cane abbaiava? Qualcuno ha passato l'aspirapolvere o ha usato un apparecchio rumoroso? C'erano molti rumori esterni? Una qualsiasi di queste eventualità potrebbe aver confuso o spaventato il vostro bambino. Qualcuno stava cucinando, e magari un odore pungente è fuoriuscito dalla cucina? C'erano altri profumi forti nell'aria, ad esempio un deodorante per ambienti o dell'aerosol spray? I neonati sono estremamente sensibili agli odori. Considerate anche la temperatura della stanza: c'era corrente d'aria? Il bimbo era coperto troppo o troppo poco? Se lo avete tenuto fuori di casa più del solito, ha visto, sentito o annusato qualcosa di particolare o delle persone sconosciute?

Considerate voi stessi. I bambini assorbono le emozioni degli adulti che hanno intorno, in particolare quelle della madre. Se vi sentite molto ansiose o stanche o arrabbiate, ciò potrebbe avere effetti sul vostro bambino. Può darsi che abbiate ricevuto una telefonata che vi ha disturbato, o magari stavate urlando con qualcuno. Se in quel momento stavate allattando, sicuramente il piccolo ha avvertito la differenza nel vostro comportamento.

Ricordate anche che quando un neonato piange di solito siamo tutt'altro che obiettivi: lo stesso succede quando vediamo un adulto in difficoltà e proiettiamo su di lui ciò che *noi* pensiamo stia provando in quel momento, sulla base della nostra esperienza. Qualcuno, vedendo la fotografia di una donna che si tiene la pancia, potrebbe dire: «Oh poverina, sta soffrendo», mentre un altro, esaminando la stessa foto, magari penserebbe: «Ha appena avuto una bella notizia: è incinta». Anche quando sentiamo un bambino piangere facciamo questo tipo di proiezioni. Pensiamo di sapere cosa sta provando, e se la connotazione è negativa, è possibile che diventiamo tesi e preoccupati sul da farsi. I neonati avvertono la nostra insicurezza e la nostra rabbia. Una volta una mamma mi raccontò di aver realizzato di essere un po' nervosa quando si scoprì a «dondolare la culla del bambino un po' troppo velocemente».

Cercate di essere realistici: non c'è niente di male nel *non* saper fare qualcosa e nel chiedersi come ci si dovrebbe comportare. Non c'è niente di male neppure nell'essere arrabbiati: avere timori ed emozioni vi rende semplicemente genitori normali. Quello che dovete cercare di evitare è proiettare la vostra ansia o rabbia sul bambino. Io dico sempre alle mamme: «Nessun bambino è mai morto per aver pianto un po'. A costo di lasciarlo piangere per qualche secondo in più, uscite dalla stanza e prendetevi qualche minuto per calmarvi».

Un consiglio. *Per calmare il vostro bambino dovete prima essere calmi voi. Fate tre respiri profondi: ascoltate le vostre emozioni, cercate di comprenderne l'origine e, cosa più importante, lasciate cadere qualsiasi sentimento di ansia o di collera.*

Bambino che piange = cattiva mamma?
No, ragazzi, non è così!

Janice, trentun anni, insegnante in una scuola per puericultrici di Los Angeles per cui ho lavorato, aveva grossi
problemi a mettere in pratica il mio suggerimento di fermarsi ad ascoltare il bambino. Ogni volta che il piccolo
Eric piangeva, Janice sentiva di dover correre da lui. Come spesso succede, cercava di farlo mangiare o di mettergli un ciuccio in bocca. Non facevo che ripeterle la stessa
cosa: «Aspetta un attimo, tesoro, così capirai cosa sta cercando di dirti». Ma era più forte di lei. Finalmente, un
giorno Janice trovò da sola la soluzione e divise con me
questa sua intuizione.

«Eric aveva due settimane, e io stavo parlando al telefono con mia madre, che era appena ritornata a Chicago. Era
venuta insieme a mio padre e a mia sorella non appena il
bimbo era nato, ma tutti erano ripartiti dopo il battesimo
di Eric. Pochi giorni dopo, quando mia madre sentì dal telefono che il bimbo piangeva, mi chiese in maniera molto
condiscendente: "Che cos'ha? Che cosa gli stai *facendo*?".»

Malgrado la sua lunga esperienza con i bambini degli
altri, Janice si sentiva già incerta sulle proprie capacità di
essere una buona mamma, ma la velata insinuazione della
madre fu come la goccia che fa traboccare il vaso. Dopo
quella telefonata Janice si convinse di stare effettivamente
facendo *qualcosa* di sbagliato al bambino. Come se non bastasse, alla fine della telefonata la madre aggiunse: «*Tu*
non piangevi mai da piccola. Io ero un'ottima madre».

Eccolo finalmente, uno dei più grandi e dannosi equivo-
ci che ci possano essere al riguardo: *bambino che piange =
cattivi genitori*. Janice aveva questo messaggio impresso
nella mente: chi poteva biasimarla per il fatto di voler soc-
correre il piccolo Eric? In più, sua sorella aveva un bambino «angelico», e anche questo contribuiva a crearle dei
complessi, dato che Eric era un tipo «sensibile» e bastava
un piccolo stimolo per far tremare tutto il suo mondo. Ja-

nice però non era in grado di vedere le cose lucidamente, perché l'ansia le annebbiava la mente.

Una volta chiarite le cose, tuttavia, questo atteggiamento cominciò a cambiare. Innanzi tutto si ricordò del fatto che sua madre aveva avuto un aiuto ventiquattr'ore su ventiquattro quando lei e i suoi fratelli erano piccoli: può darsi che il tempo avesse offuscato la sua memoria o forse la tata le aveva sempre tenuto nascosto il loro pianto. Comunque, il fatto è che *tutti* i bambini piangono, a meno che non ci sia qualcosa che non va (vedi box successivo). Anzi, una giusta dose di pianto è benefica: le lacrime contengono un antisettico che previene le infezioni oculari. Il pianto di Eric era un segnale col quale cercava di manifestare i suoi bisogni.

Quando il pianto deve preoccupare

Per i bambini piangere è normale e salutare, ma è bene chiamare un medico se:

* Un bambino di solito tranquillo e contento piange per due o più ore.

* Il bambino piange forte e ha:
  febbre
  vomito
  diarrea
  convulsioni
  debolezza
  colorito pallido o bluastro
  esantemi o contusioni insoliti.

* Il bambino non piange *mai*, o il suo pianto è estremamente flebile e suona più come quello di un gattino.

Certo, in questi casi non era facile per Janice tacitare la voce interiore che urlava: «Mamma cattiva! Mamma cattiva!», ma conoscendo l'origine di quest'ansia era comunque in grado di riflettere sulle proprie azioni invece di cercare di tacitare il bambino. L'autoanalisi le permise di separare Eric dal turbine di emozioni che provava, vedendolo finalmente per quel piccolo, dolce e sensibile bambino che era: non certo un angelo come quello di sua sorella, ma un dono altrettanto meraviglioso e degno di amore.

Anche il fatto di poter parlare con altre neomamme del mio gruppo neonatale aiutò Janice a capire che non era sola. Mi capita spesso di incontrare genitori che all'inizio hanno questo tipo di problemi perché non riescono a fermarsi, o se lo fanno hanno difficoltà ad ascoltare e osservare senza farsi travolgere dalle emozioni.

Perché a volte è difficile ascoltare

C'è una serie di motivi per cui i genitori a volte hanno difficoltà ad ascoltare il pianto del proprio bambino e a essere obiettivi al riguardo. Può darsi che vi riconosciate in uno di quelli sotto elencati: se è così, fatevi coraggio, miei cari; la consapevolezza spesso è tutto ciò che serve per mutare il modo di vedere le cose.

Avete in mente la «voce» di qualcun altro. Potrebbe essere quella dei vostri genitori (come nel caso di Janice), oppure di amici, o ancora di un particolare esperto di puericultura che avete visto o sentito attraverso i media. Nel fare la nostra esperienza di genitori ci portiamo dietro anche una vita di interazioni passate, che a loro volta contribuiscono a formare l'idea di quel che un «buon genitore» dovrebbe o non dovrebbe fare (per rinfrescarvi la memoria a questo proposito rileggete il box di p. 26). In essa sono compresi il modo in cui siamo stati trattati da piccoli, il modo in cui i nostri amici trattano i loro figli, quello che abbiamo visto in tv o al cinema e quello che abbiamo letto nei libri. Il fatto è che dobbiamo imparare a non ascoltare tutte queste «voci».

Un consiglio. *Cercate di essere consapevoli di questi finti ideali presenti nella vostra mente, e sappiate che non dovete raggiungerli. Potrebbero funzionare per il bambino di qualcun altro, per un'altra famiglia, ma non per voi.*

Fra le altre cose, può accadere che queste «voci» vi dicano: «Fai esattamente *il contrario* di questo e di quest'altro», ma ciò sarebbe altrettanto limitativo. Dopo tutto, sono pochi i genitori davvero «cattivi», e cercando di *non* assomigliare a una determinata persona si finisce per trasformarla in uno stereotipo artificioso. Supponiamo che vostra madre fosse più severa di quanto voi vogliate essere con i vostri figli; è anche possibile che lei fosse particolarmente organizzata o creativa, quindi perché buttare via il bambino insieme all'acqua sporca?

Un consiglio. *La vera gioia dell'essere genitori si prova quando siamo consapevoli e liberi di seguire la nostra guida interiore. Tenete gli occhi aperti, informatevi; considerate tutte le opzioni e i diversi stili di educazione. Poi decidete qual è il migliore per voi e per la vostra famiglia.*

Attribuite sentimenti e intenzioni adulte al vostro bambino. La domanda più frequente che i genitori mi rivolgono quando un bambino piange è: «Sarà triste?». Oppure mi dicono: «Sembra che pianga apposta per rovinare la nostra cena». Per un adulto, il pianto segnala uno sfogo di emozioni, di solito una tristezza che non riusciamo a trattenere, oppure gioia e a volte anche rabbia. Anche se spesso il pianto di una persona adulta ha una connotazione negativa, è normale e perfino salutare farsene uno ogni tanto: pensate che in tutta la vita ognuno di noi produce quasi trenta secchi di lacrime! Tuttavia, i motivi per cui *noi* piangiamo sono diversi da quelli per cui lo fanno i neonati normali. Non c'è nessuna tristezza, né l'intenzione di manipolare gli altri; non vogliono rovinarvi di proposito la giornata o la serata. Semplicemente, sono bambini, che non hanno avuto le esperienze che noi abbiamo vissuto. Il pianto è il loro modo per dirvi: «Ho bisogno di dormire», «Ho fame» o «Sono stufo» o «Sento un po' di freddo».

Un consiglio. *Se vi accorgete di proiettare emozioni o intenzioni adulte sul vostro bambino, pensate al vostro piccolo come a un cagnolino che abbaia o a un gattino che miagola. Credete che stia soffrendo, no? Piuttosto che stia cercando di «parlare» con voi. Fate la stessa cosa con il vostro bambino.*

Il pianto di un bambino sano

Cosa può significare	Cosa non può significare
Ho fame.	Sono arrabbiato con te.
Sono stanco.	Sono triste.
Ho troppi stimoli.	Mi sento solo.
Voglio cambiare ambiente.	Sono scocciato.
Mi fa male il pancino.	Voglio tornare da te.
Sono scomodo.	Voglio rovinarti la vita.
Ho caldo.	Mi sento abbandonato.
Ho freddo.	Ho paura del buio.
Sono stufo.	Odio la mia culla.
Ho bisogno di un abbraccio o di una carezza.	Vorrei essere il bambino di qualcun altro.

Proiettate le vostre motivazioni e i vostri problemi sul bambino. Yvonne, il cui bambino fa i capricci prima di addormentarsi, non tollera neppure i minimi rumori che provengono dall'interfono posto nella sua stanzetta e si precipita subito da lui: «Oh, povero Adam» sospira. «Ti senti triste qui tutto solo? Hai paura?». Il problema non è il piccolo Adam, è Yvonne. «Oh, povero Adam» in realtà significa: «Oh, povera me». Il marito viaggia parecchio per lavoro, e lei non è mai stata molto autonoma. In un'altra famiglia, Donald si preoccupa eccessivamente per il pianto del figlio Timothy, di tre settimane. «Avrà forse la

febbre?» chiede. «Tira su le gambine in questo modo perché prova dolore?» Come se non bastasse, aggiunge: «Oh
no, avrà di certo le coliche come successe a me».

Questo tipo di proiezioni possono indebolire la capacità
di osservazione. Il rimedio consiste nel conoscere i propri
punti deboli e, grazie a questa consapevolezza, nell'evitare di rivivere i propri incubi peggiori ogni volta che il
bambino piange. Vi è difficile stare da soli? È probabile
che pensiate che vostro figlio piange perché si sente solo.
Siete un po' ipocondriaci? Per voi ogni pianto potrebbe essere il segnale di una malattia. Siete inclini agli scoppi d'i-
ra? Di certo penserete che anche il vostro bambino è arrabbiato. Avete un basso livello di autostima? Ai vostri occhi,
se il bimbo piange, è perché anche lui si sente a disagio
con se stesso. Vi sentite in colpa perché dovete tornare a
lavorare? Quando rientrerete a casa e il vostro bambino
scoppia a piangere, penserete che avrà sentito la vostra
mancanza (per le vere ragioni del pianto dei bambini, vedi
la tabella alla fine di questo capitolo).

Un consiglio. *Prendetevi sempre un momento per chiedervi:
«Sto davvero sintonizzandomi sui bisogni del bambino o sto
semplicemente reagendo a mie emozioni personali?».*

Avete una bassa soglia di tolleranza a sentire il suo pianto.
Ciò potrebbe essere dovuto alle «voci» nella vostra mente,
e di sicuro era il caso di Janice. Però ammettiamolo, il
pianto di un neonato può dare davvero sui nervi. Benché
io non lo avverta come una cosa negativa – forse perché
ho passato con i bambini la maggior parte della mia vita
adulta –, molti genitori, almeno inizialmente, lo fanno.
Noto questo fenomeno ogni volta che, nei corsi preparto,
faccio ascoltare ai futuri genitori una cassetta di tre minuti
sulla quale ho registrato il pianto di un bambino. Dapprima ridacchiano nervosamente; poi, sempre più imbaraz-
zati, cominciano ad agitarsi e a cambiare posizione sulla
sedia. Quando la cassetta finisce è chiaro dall'espressione

di almeno la metà dei visi – più spesso quelli dei padri – che sono a disagio, se non addirittura scossi. A quel punto, domando sempre: «Secondo voi, per quanto tempo ha pianto questo neonato?». Nessuno ha mai risposto: meno di sei minuti. In altre parole, alla maggior parte della gente il pianto di un bambino sembra durare almeno il doppio del tempo reale.

In più, vi sono alcuni genitori che effettivamente hanno una soglia più bassa di tolleranza dei rumori. La loro reazione comincia come meramente fisica, ma ben presto anche la mente entra in azione. Il pianto di un bambino squarcia il silenzio degli adulti, e i genitori subito pensano: «Oh mio Dio! Non so cosa fare!». Spesso i papà meno resistenti in questo senso vogliono che io «faccia qualcosa». Ma anche le mamme descrivono la loro giornata come «una discesa spericolata» se il piccolo ha avuto una mattinata difficile.

Leslie, madre di un bambino di due anni, confessa che «è tutto molto più facile ora che Ethan può chiedermi le cose». Mi ricordo di quando era appena diventata mamma: non sopportava di sentirlo piangere, e non solo per il rumore; le sue lacrime le spezzavano il cuore, perché era convinta di essere in qualche modo responsabile della sua infelicità. Mi ci vollero tre settimane piene di lavoro insieme per convincerla che il pianto era semplicemente la voce di Ethan.

Comunque, non sono solo le mamme a tacitare i bambini offrendo loro il seno. Ogni volta che il piccolo Scott, appena nato, piangeva per più di pochi secondi, Brett, uno dei padri con cui ho lavorato di recente, insisteva perché la moglie lo allattasse. Non solo Brett aveva una bassa soglia di tolleranza dei rumori, ma non era in grado di gestire la sua ansia e quella della moglie. Benché fossero entrambi dirigenti di alto livello, il nuovo arrivato aveva sminuito la loro fiducia in se stessi. Inoltre, entrambi in fondo pensavano che il pianto di Scott fosse qualcosa di negativo.

Un consiglio. *Se siete molto sensibili ai rumori, potrebbe essere necessario lavorare sulla vostra capacità di accettare la situazione attuale. Ora è questa la vostra vita; avete un bambino, e i bambini piangono. Non durerà in eterno. Prima imparerete il suo linguaggio, meno piangerà, ma comunque non smetterà del tutto di farlo. Nel frattempo, cercate di non drammatizzare. Procuratevi dei tappi per le orecchie o mettetevi le cuffie per la musica: sentirete lo stesso il pianto, ma il suono sarà un po' attutito. Come osservò un mio amico inglese, «Preferirei di gran lunga ascoltare Mozart piuttosto che il pianto di un bambino...».*

Il pianto del vostro bambino vi mette in imbarazzo. Questa sensazione fin troppo comune sembra – devo ammettere – affliggere più le donne degli uomini. A questo proposito ho assistito a una scena avvenuta nella sala d'attesa di un dentista in cui rimasi per circa venticinque minuti. Di fronte a me c'era una mamma con un bambino intorno ai tre, quattro mesi. Osservai come gli allungò un giocattolo e quando fu stufo del primo gliene dette un secondo. Il bimbo cominciò a diventare nervoso e la madre provò con un terzo giocattolo. La durata della sua attenzione stava diminuendo rapidamente, e la donna cominciava a temere il peggio. L'espressione sul suo volto diceva: «Oh no! So bene che cosa succederà ora!». E aveva ragione. Il piccolo cominciò ad agitarsi e il suo nervosismo si trasformò velocemente nel tipico pianto di un bambino stanco. A quel punto, la madre si guardò intorno imbarazzata: «Mi dispiace tanto» disse rivolta a tutti i presenti nella stanza.

Mi sentii così male per lei che mi presentai. «Non c'è bisogno di scusarsi, mia cara» le dissi. «Il tuo piccolino sta solo parlando. Sta cercando di dirti: "Mamma, sono tanto piccolo e ho raggiunto il limite di attenzione. Ho bisogno di fare la nanna!".»

Un consiglio. *Quando uscite di casa è buona regola portare con voi un passeggino o un seggiolino, in modo da avere un posto comodo e sicuro in cui un bimbo stanco può dormire.*

Quanto sto per dire merita di essere ripetuto, quindi darò istruzioni all'editore perché lo stampi a lettere maiuscole affinché tutte le mamme lo vedano (fatevi dei foglietti tipo questo e appendeteli in giro per casa, in macchina e in ufficio, e mettetene uno anche nel portafoglio):

SE UN BAMBINO PIANGE, NON SIGNIFICA CHE I GENITORI SIANO INCAPACI

Ricordate anche che voi e il bambino siete due persone separate, quindi non prendete il suo pianto come un fatto personale. Non ha nulla a che fare con voi.

Avete avuto un parto difficile. Ricordate Chloe e Seth, di cui abbiamo parlato nel capitolo 2? Chloe era rimasta in travaglio per venti ore, perché Isabella era bloccata nel canale del parto. Dopo cinque mesi, si sentiva ancora dispiaciuta per la bambina, o almeno così pensava: in realtà, stava semplicemente trasferendo il proprio dispiacere sulla piccola. Nella sua mente, aveva immaginato che il parto in casa si sarebbe svolto senza il minimo intoppo. Ho notato questa tristezza perdurante anche in altre madri, che invece di concentrarsi sul nuovo arrivato, continuano a dispiacersi per se stesse, perché la realtà non si è rivelata all'altezza delle aspettative. Così continuano a rivivere mentalmente il parto. Si sentono in colpa, specialmente se il bambino ha avuto qualche problema, e impotenti. Ma non riescono a superare questa impasse perché non sono consapevoli di ciò che sta davvero accadendo dentro di loro.

Un consiglio. *Se sono passati più di due mesi dal parto e vi accorgete di continuare a rivivere con la mente questo evento, raccontando la vostra storia a chiunque abbia voglia di ascoltarla, cercate di pensare e vedere la cosa in un modo nuovo. Invece di concentrarvi sul «povero bambino», provate ad ammettere il vostro dispiacere.*

Quando mi accorgo che una madre non ha ancora superato psicologicamente l'esperienza del parto, le suggerisco una chiacchierata con un parente stretto o una buona amica, che può essere sufficiente a farle cambiare il suo modo di vedere le cose. Come dissi a Chloe, cercando di confermare la sua esperienza ma allo stesso tempo spingendola a uscire dal dramma: «Sento quanto sia stato difficile per te. Ma non puoi fermarti lì o cambiare quanto è successo. Quindi ora devi andare avanti».

Migliorare la vostra capacità di osservazione: una guida completa «dalla testa ai piedi»

Oltre al suono del pianto, sono altrettanto importanti i gesti, le espressioni del viso e la postura del corpo. Imparare a «leggere» il vostro bambino significa usare tutti gli organi di senso – orecchie, occhi, dita, naso – e la mente, che mette insieme le informazioni raccolte. Per aiutare i genitori in questo senso, ho immaginato di fare un inventario di tutti i bambini che ho conosciuto e di cui mi sono presa cura, chiedendomi anche come *apparivano* esternamente quando avevano fame, erano stanchi, in difficoltà, quando avevano caldo, freddo o erano bagnati. Ho pensato di guardare i miei piccolini al videoregistratore senza volume, in modo da concentrarmi sulle loro facce e sui loro corpicini.

Quella che segue è una tabella «dalla testa ai piedi» su quanto ho visto nel mio video immaginario. Questo tipo di linguaggio corporeo è utilizzato dai neonati fino ai cinque, sei mesi di vita, quando cominciano ad avere un maggior controllo dei movimenti (ad esempio, succhiandosi il dito). Tuttavia, la base della comunicazione non verbale resta la stessa anche in seguito. Inoltre, se comincerete subito, per allora conoscerete il *vostro* bambino e, molto probabilmente, sarete in grado di comprendere il «dialetto» con cui si esprime il suo corpo.

Linguaggio corporeo	*Significato*
Testa	
Si muove da parte a parte.	È stanco.
Si allontana dagli oggetti.	Vuole cambiare scenario.
Si gira di lato, il collo allungato all'indietro.	Ha fame.
Se è in posizione verticale, ciondola come quando ci si addormenta in metrò.	È stanco.
Occhi	
Arrossati, iniettati di sangue.	È stanco.
Si chiudono lentamente per poi riaprirsi di colpo, e così via.	È stanco.
«Sguardo spiritato»: occhi spalancati, palpebre che non si chiudono, come fossero tenute aperte con degli stuzzicadenti.	È troppo stanco o troppo stimolato.
Bocca/labbra/lingua	
Sbadiglia.	È stanco.
Labbra increspate/contratte.	Ha fame.
Sembra voler urlare ma non emette suoni; alla fine un sussulto precede un lamento udibile.	Ha aria nella pancia o altro tipo di dolore.
Il labbro inferiore trema.	Ha freddo.
Si succhia la lingua.	Modo per calmarsi, spesso preso per fame.

Linguaggio corporeo	Significato
Arriccia la lingua sui lati.	Ha fame: è la classica espressione «grufolante».
Arriccia la lingua in avanti, come una piccola lucertola.	Ha aria nella pancia o altro tipo di dolore.

Viso

Fa smorfie, spesso sembra accartocciato come un bonbon masticato; se messo giù, il bimbo può anche iniziare ad ansimare, roteare gli occhi e a fare un'espressione che somiglia a un sorriso.	Ha aria nella pancia o altro tipo di dolore, oppure ha movimenti intestinali.
Arrossato; le vene sulle tempie possono diventare visibili.	Ha pianto troppo a lungo, trattenendo il respiro; i vasi sanguigni si dilatano.

Mani/braccia

Si porta le mani alla bocca, cercando di succhiarle.	Ha fame, se non ha mangiato per 2 ore e 1/2, 3 ore; altrimenti ha solo voglia di succhiare.
Gioca con le dita.	Ha bisogno di cambiare ambiente.
Si muovono qua e là in modo molto scoordinato, magari cercando di afferrare la pelle.	È troppo stanco; oppure ha aria nella pancia.
Le braccia si agitano, leggero tremito.	Ha aria nella pancia o altro tipo di dolore.

Linguaggio corporeo	Significato
Busto	
Si inarca all'indietro, cercando il seno o il biberon.	Ha fame.
Si contorce, muovendo il sedere.	Ha il pannolino bagnato o ha freddo; potrebbe anche essere aria nella pancia.
Si irrigidisce.	Ha aria nella pancia o altro tipo di dolore.
Trema.	Ha freddo.
Pelle	
Umidiccia, sudata.	È surriscaldato; o ha pianto a lungo; il corpo è costretto a espellere sudore ed energia.
Estremità bluastre.	Ha freddo, o ha aria nella pancia o altro tipo di dolore, o ha pianto troppo a lungo; mentre il corpo espelle sudore ed energia, il sangue confluisce alle estremità.
Leggera pelle d'oca.	Ha freddo.
Gambe	
Scalciano forte e in modo scoordinato.	È stanco.
Vengono portate al torace.	Ha aria nella pancia o altro tipo di dolore addominale.

Qual è il problema?

Per poter mettere insieme tutte le informazioni necessarie a capire qual è in quel momento il problema del vostro bambino, rifatevi alla tabella di fine capitolo, che vi sarà di aiuto nell'interpretare suoni e movimenti. Certo, ogni neonato è unico, ma ci sono una serie di segnali universali che di solito ci dicono di che cosa ha bisogno. Se farete attenzione, inizierete a comprendere il suo linguaggio.

Senza dubbio uno degli aspetti più gratificanti del mio lavoro è quello di veder *crescere i genitori*, e non solo i loro figli. Per alcune mamme e papà è più difficile acquisire queste competenze, ma la maggior parte di quelli con cui ho lavorato iniziano a decifrare il linguaggio infantile nel giro di due settimane, un mese al massimo.

Shelly. Shelly venne da me perché era sicura che sua figlia soffrisse di coliche. Mentre parlavamo, però, si manifestò il vero problema: era «la tetta più veloce del West», come affettuosamente la chiamavo. Non appena Maggie emetteva il più piccolo rumore, ecco che lei la prendeva in braccio e... bam, la bambina si ritrovava con una tetta in bocca.

«Non sono capace di farla piangere, mi arrabbio troppo» ammetteva Shelly, «e allora preferisco darle il seno piuttosto che prendermela con lei.» Era chiaro che si sentiva in colpa per questo. «Di sicuro faccio qualcosa di sbagliato. Forse il mio latte non è buono.» Questo cocktail letale di emozioni negative le rendeva difficile prendersi una pausa, non parliamo poi di fermarsi per ascoltare e osservare la piccola.

Per farle capire che cosa stava succedendo, le chiesi di tenere un diario. In questo modo, era obbligata a segnare esattamente quando Maggie mangiava, giocava e dormiva. Fu sufficiente guardare all'andamento di due giornate per scoprire dove stesse il problema: la bambina mangiava ogni venticinque, quarantacinque minuti. Le cosiddette «coliche» non erano altro che un eccesso di lattosio, e sarebbero immediatamente scomparse se Shelly avesse adottato il regime E.A.S.Y., allattando a intervalli regolari.

«La tua bambina perderà la capacità di dirti che cosa vuole se non imparerai a capire il significato dei diversi tipi di pianto» le spiegai. «Alla fine ci sarà un unico grosso pianto che vorrà dire: "Fai attenzione!".»

All'inizio dovetti «allenare» Shelly, aiutandola a identificare i diversi tipi di pianto di Maggie. Dopo pochi incontri, era eccitatissima: era già in grado di distinguerne almeno due, quello da fame – che aveva un ritmo fisso tipo «waa, waa, waa» – e quello da stanchezza eccessiva, che consisteva in piccoli colpetti di gola simili a quelli della tosse, accompagnati da contorcimenti e dall'incurvarsi della schiena. Se sua madre non l'avesse capito in tempo, aiutandola a addormentarsi, questo nervosismo si sarebbe presto mutato in pianto.

Come ho già detto in precedenza, le proprie personali tempeste emotive possono mettersi di mezzo, come nel caso di Shelly. Ora è migliorata molto nella tecnica di fermarsi ad ascoltare e osservare la sua piccola, e credo che continuerà a farlo. Ma la cosa più importante è che questa nuova consapevolezza la aiuta a vedere Maggie come un essere separato, che ha emozioni e bisogni suoi.

Marcy. Marcy, una delle mie allieve predilette, si buttò a capofitto in questa «crociata» dopo aver imparato a sintonizzarsi sui bisogni del bambino. Il motivo per cui mi chiamò inizialmente era che i suoi seni erano infiammati e doloranti e il piccolo sembrava mangiare in modo distratto e discontinuo.

«Dylan piange solo quando ha fame» insistette la prima volta che ci incontrammo. Quando mi spiegò che ciò succedeva circa ogni ora, seppi che non era ancora in grado di distinguerne i vari tipi di pianto. Cominciai subito col far capire a Marcy che il bambino, allora di tre settimane, aveva bisogno di seguire una routine ben precisa, che avrebbe reso prevedibili e ben strutturate le giornate di entrambi. Poi passai un pomeriggio con lei. A un certo punto, Dylan cominciò a lamentarsi, emettendo come dei piccoli colpetti di tosse.

«Ha fame» annunciò Marcy. E aveva ragione; il piccolo poppò bene, ma dopo pochi minuti cominciò a addormentarsi.

«Sveglialo dolcemente» dissi cercando di convincerla, poiché mi guardava come se le avessi chiesto di torturarlo. Le insegnai a strofinargli leggermente il mento (vedi p. 149 per altri piccoli segreti per svegliare il vostro bambino mentre sta mangiando). Dylan riprese a poppare. Rimase attaccato al seno per quindici minuti buoni, e alla fine fece un bel ruttino. Poi lo misi su una coperta con un po' di giocattoli colorati in vista: se ne stette lì, abbastanza contento, per circa un quarto d'ora, e poi iniziò a innervosirsi. Non era proprio un pianto, piuttosto un lamento.

«Vedi?» disse Marcy. «Dev'essere ancora affamato.»

«No, tesoro» le dissi, «è solo stanco.»

Così lo mettemmo nella sua culla. (Tralascio altri dettagli perché di questo tema parlerò nel capitolo 6.) Vi basti sapere che nel giro di due giorni Dylan era diventato un bambino E.A.S.Y., che mangiava ogni tre ore. E soprattutto, Marcy era un'altra donna. Mi disse: «Mi sembra di aver imparato una lingua straniera fatta di suoni e movimenti». Cominciò perfino a dare consigli alle altre mamme: «Il tuo bambino non piange solo perché ha fame» disse a una mamma di uno dei miei gruppi neonatali. «Devi fare un passo indietro e aspettare finché non capisci quel che ti vuol dire».

Rispettate il ritmo del vostro bambino

Certo, tutto questo richiede pratica, ma sarete sorpresi di quanto diverse saranno le vostre reazioni dopo aver appreso questo semplice sistema: esso vi permetterà di cambiare prospettiva, riuscendo a vedere vostro figlio per la persona separata che è e ascoltando la sua voce unica. Badate bene, ci vogliono pochi secondi per migliorare questa tecnica, ma in quel breve lasso di tempo sarete i migliori genitori che il vostro piccolo possa mai sperare di avere.

Una volta che avete scoperto ciò che vuole dirvi e vi preparate a rispondere ai suoi bisogni, ricordatevi di una cosa: *in presenza del vostro bambino muovetevi lentamente e con gentilezza.*

Per chiarire questo concetto, spesso nelle classi di neo-genitori ricorro a una piccola dimostrazione: chiedo ai presenti di stendersi per terra, poi, senza dire una parola, mi avvicino a uno di loro, gli afferro una gamba sollevandola con forza e la faccio passare sopra la testa del povero sventurato. Tutti scoppiano a ridere, è ovvio, poi arriva la mia spiegazione: «Ecco cosa prova un bambino!».

Non dobbiamo mai presumere di poter avvicinare un bambino senza presentarci, o di poter fare qualcosa senza avvisare e spiegare che cosa sta per succedere: sarebbe semplicemente mancanza di rispetto. Perciò, quando il vostro piccolo piange e voi sapete che è ora di cambiargli il pannolino, ditegli quanto state per fare, parlategli mentre svolgete questa operazione, e concludete così: «Spero che tu ti senta meglio ora». Ricordate sempre che, anche quando piange, il vostro bambino non è mai arrabbiato - questa è una proiezione di noi adulti – ma siamo semplicemente noi che non lo stiamo capendo.

Nei prossimi quattro capitoli approfondirò i temi della pappa, del cambio del pannolino, del bagnetto, del gioco e della nanna. Ma a prescindere da quello che state facendo con o per il vostro piccolino, fatelo lentamente e con molta calma.

Causa	Ascolta	Osserva	Altri modi per valutare la situazione/ Commenti
Stanchezza	Comincia come nervosismo e insofferenza, ma se non si interviene subito diventa pianto da stanchezza: prima tre lamenti, poi un forte pianto, seguono due brevi respiri e un altro pianto più lungo e sonoro. Di solito il pianto continua: se il piccolo viene lasciato solo si addormenterà.	Sbatte le palpebre, sbadiglia. Se non viene messo a letto, inarca la schiena, scalcia e muove le braccia; si afferra le orecchie o le guance e si graffia la faccia (un riflesso); se lo tenete in braccio si dimena e cerca di girarsi. Se continua a piangere, il viso diventa rosso.	È il pianto più frainteso di tutti, viene preso per fame. Perciò fate attenzione al *momento* in cui comincia. Può succedere dopo il gioco o dopo che qualcuno lo ha intrattenuto con versetti etc. Il contorcersi del corpo viene preso per coliche.
Eccesso di stimoli	Pianto lungo e forte, simile a quello per stanchezza.	Agita braccia e gambe; sposta la testa dalla luce; si allontana da chiunque cerchi di giocare con lui.	Di solito insorge quando il bimbo ha giocato abbastanza e gli adulti insistono nel farlo divertire.
Vuole un cambio di ambiente	Irritazione che inizia con suoni di fastidio più che con un pianto vero e proprio.	Si ritrae dagli oggetti posti di fronte; gioca con le dita.	Se mutando posizione al bimbo, peggiora, potrebbe essere stanchezza: in questo caso ci vuole un pisolino.
Dolore/Aria nella pancia	Urla acute inconfondibili, che cominciano senza preavviso; può trattenere il respiro tra un lamento e l'altro, e poi ricominciare.	Tutto il corpo si irrigidisce; questo peggiora le cose, dato che l'aria non può uscire; porta le ginocchia al petto, il volto è contratto in un'espressione di dolore, la lingua si muove verso l'alto come quella di una piccola lucertola.	Tutti i neonati inghiottono aria, che provoca gas nella pancia. Durante il giorno sentirete un leggero rumore stridente e a sussulti nella parte posteriore della gola: è l'aria che viene inghiottita. Il gas può anche essere causato da modalità irregolari di nutrizione.

Causa	Ascolta	Osserva	Altri modi per valutare la situazione/ Commenti
Fame	Leggero rumore simile alla tosse in gola; poi inizia il pianto, prima breve, poi con ritmo più stabile.	Il bimbo inizia a succhiarsi le labbra e poi a «grufolare»: la lingua esce dalla bocca e la testa si muove di lato; porta i pugnetti alla bocca.	Il modo migliore per distinguere la fame è guardare l'ora dell'ultimo pasto. Se si segue il metodo E.A.S.Y., sarà più facile.
Freddo	Pianto forte con tremolio del labbro inferiore.	Pelle d'oca; tremore; estremità fredde; la pelle può avere un colorito bluastro.	Con un neonato può succedere dopo il bagnetto o mentre lo cambiate.
Caldo	Lamento nervoso simile a un respiro affannoso, prima basso per 5 minuti; se il bimbo viene lasciato solo diventa pianto.	È caldo e sudato; rosso in viso; fatica a respirare; potreste vedere puntini rossi sul viso e sul torso.	È diverso dalla febbre per cui il pianto è simile a quello di dolore; la pelle è secca, non fredda e umida (misurate la temperatura).
«Dov'eri? Fammi le coccole»	Rumori tipo versetti si trasformano in piccoli «waa» come quelli di un gattino; il pianto sparisce se il bimbo viene preso in braccio.	Si guarda intorno, cercandovi.	Se lo capite subito, non è ncessario prenderlo in braccio. Un colpetto sulla schiena e dolci paroline stimolano la sua autonomia.
Ha mangiato troppo	Si agita e piange dopo mangiato.	Rigurgita spesso.	Ciò si verifica spesso quando sonnolenza ed eccesso di stimoli vengono scambiati per fame.
Disturbi intestinali	Si lamenta o piange mentre mangia. l'intestino si muove.	Si contorce e spinge; smette di poppare.	Possono essere scambiati per fame; le mamme spesso pensano di «fare qualcosa che non va».

4

La «E» (*Eat*): di chi è questa boccuccia?

> «Quando un'infermiera ti dice che il bambino ha fame, tocca il tuo punto più debole. Ringraziando Dio ho letto molto e frequentato dei corsi.»
>
> *La mamma di un neonato di tre settimane*

> «Prima viene il pane, poi i principi morali.»
>
> *Bertolt Brecht*

Il dilemma di ogni mamma

Per noi uomini il cibo è la principale fonte di sopravvivenza. Gli adulti hanno un'ampia possibilità di scelta, ma qualunque sia la vostra dieta, troverete sempre *qualcuno* che la pensa in modo diverso. Ad esempio, ci potrebbero essere cento persone che sostengono la dieta vegetariana e sono contrarie ai cibi iperproteici, e altre cento che viceversa ci credono ciecamente. Chi ha ragione? Dopo tutto, non è questo l'importante. A dispetto del parere dei numerosi esperti in questo campo, siamo *noi* a dover decidere che cosa mangiare.

Purtroppo, le future mamme si trovano di fronte al medesimo imbarazzo quando devono stabilire come nutrire i loro figli. Vista l'attuale controversia che oppone il latte materno a quello artificiale, la scelta rischia di essere il risultato di enormi campagne pubblicitarie. Ovviamente, nei libri dedicati al tema dell'allattamento al seno o nei siti Internet sponsorizzati dalla Lega del latte o dal Servizio sanitario pubblico degli Stati Uniti – entrambi accesi sostenitori di questa pratica naturale –, il materiale presentato mira a convincervi a dare al vostro bambino il latte materno; mentre su un altro sito sponsorizzato da una casa farmaceutica che produce latte in polvere troverete indicazioni opposte.

Come neomamme, quindi, qual è la cosa giusta da fare? Per prima cosa cercate di mantenere un'ottica equilibrata e, alla fine, scegliete ciò che va meglio *per voi*. Tenete conto di tutte le opinioni, ma siate caute su che cosa o chi state consultando; cercate di scoprire che cosa quella particolare fonte sta cercando di «vendervi». Per quanto riguarda le amiche, ascoltate le loro esperienze, ma non prestate eccessiva attenzione alle storie troppo tragiche. Certo, ci sono esempi di bambini allattati con latte materno che sono malnutriti, come esistono casi di latte in polvere avariato, ma sono assolutamente eccezionali.

In questo capitolo, cercherò di fornirvi suggerimenti che vi possano aiutare a fare la vostra scelta, senza ricorrere alle armi della scienza pura o alle statistiche piene di numeri con cui di solito vi bombardano i libri tradizionali sull'allattamento al seno. Il mio invito è quello di far buon uso delle conoscenze e dei consigli – spesso dettati dal buon senso – che vi offro, ma ricordate che la cosa migliore è affidarvi al vostro intuito.

La decisione giusta per la ragione sbagliata?

Se c'è una cosa che mi rattrista molto è vedere che molte mamme, confuse su che cosa sia «meglio» o «giusto», finiscono per prendere una decisione per motivi sbagliati. Spessissimo, dopo la nascita di un bambino, vengo chiamata come esperta in problemi dell'allattamento, e scopro che la madre si è in qualche modo imposta di allattare al seno, perché spinta dal partner o da altri membri della famiglia, perché teme di far brutta figura con gli amici o ancora perché ha letto o sentito qualcosa che l'ha convinta di non avere altra scelta.

Lara, per esempio, chiamò il mio studio dopo essere partita con il piede sbagliato. Il piccolo Jason faticava ad attaccarsi al seno correttamente, e ogni volta che lei tentava di allattarlo piangeva. Il suo periodo post partum era particolarmente difficile, poiché aveva avuto un cesareo: non solo aveva il seno infiammato, ma le doleva anche la ferita. In più Duane, il marito, si sentiva incapace, impotente e sopraffatto: non proprio i sentimenti ideali per un uomo in questa fase delicata.

Ovviamente, tutti gli amici e i conoscenti avevano la loro idea in proposito, e chiunque capitasse in casa si sentiva in diritto di dare il suo parere sull'allattamento naturale. Una di queste amiche era particolarmente pressante, il tipo che, se soffrite di mal di testa dopo il parto, vi racconta che *lei* ha avuto l'emicrania; se avete avuto un taglio cesareo, il *suo* è stato quantomeno «augusteo»; se i vostri capezzoli sono doloranti per l'allattamento, i *suoi* avevano fatto infezione. Bel conforto per Lara, un tipo così.

Inoltre, non bisogna dimenticare sua madre, una donna piuttosto severa che spingeva la più giovane delle sue tre figlie a «superare la cosa»: dopo tutto, Lara non era certo l'unica donna al mondo ad aver partorito.

Una delle due sorelle maggiori si mostrava altrettanto poco comprensiva, insistendo sul fatto di non aver mai avuto problemi ad attaccare al seno il *suo* bambino. Il padre era scomparso chissà dove, ma la madre non perdeva occasione per dire a chiunque che era sconvolto che la figlia stesse male, tanto che non tornò a trovarla in ospedale una seconda volta.

Dopo aver osservato per qualche minuto queste interazioni, chiesi gentilmente a tutti di lasciarci sole, e incoraggiai Lara a raccontarmi come si sentisse *lei*.

«Non posso farlo, Tracy» disse, mentre grosse lacrime le rigavano le guance. Mi confessò che allattare era «troppo difficile». Durante la gravidanza, si era immaginata con il bambino che poppava tranquillamente al seno, mentre lei sprizzava gioia da tutti i pori per il nuovo arrivato. La realtà però non si era rivelata nemmeno lontanamente vicina alle sue fantasie da Madonna col Bambino, e ora si sentiva in colpa e spaventata allo stesso tempo.

«Va bene» le risposi. «Lo so, ti senti sopraffatta. Lo so, è una responsabilità. Ma con il mio aiuto ce la farai.»

Lara sorrise debolmente. Per rassicurarla ulteriormente, le dissi che tutte attraversano qualcosa di simile a quanto stava provando lei. Come Lara, molte donne non sanno che allattare al seno è qualcosa che *si impara*: occorrono preparazione e pratica, e non tutti possono o devono farlo.

Per decidere come allattare
il vostro bambino

---

* Informatevi sulle differenze tra l'allattamento al seno e quello artificiale.

* Considerate la vostra organizzazione e il vostro stile di vita.

* Cercate di conoscervi: riflettete sul vostro livello di pazienza, su quanto vi sentireste a vostro agio all'idea di allattare in pubblico, sui vostri sentimenti riguardo al seno e ai capezzoli e su qualsiasi altra teoria preconcetta sul tema della maternità che potrebbe influenzare la vostra opinione.

* Ricordate che potete sempre cambiare idea e che è comunque possibile optare per *entrambe* le alternative (vedi p. 154 e sg.).

Una scelta consapevole

Prima di tutto, va detto che allattare al seno *è più difficile* di quanto pensi la maggior parte delle future mamme. Seconda cosa, non è per tutti. Come dissi a Lara, «si tratta di venire incontro non solo ai bisogni del bambino, ma anche ai tuoi». Quando una madre che non vuole allattare al seno o che non si è presa il tempo per riflettere sui pro e i contro riceve delle pressioni in questo senso, è probabile che non sarà una passeggiata.

Il punto è che *possiamo scegliere*. Ci sono buoni motivi per optare per l'allattamento artificiale così come per quello naturale, dipende dalle persone; e in ogni caso la decisione non è meramente fisiologica, ma coinvolge le emozioni profonde di una donna. Per questo invito sempre le mamme a cercare di capire quali siano i loro veri sentimenti e che cosa ci sia in gioco, per il bene proprio e del bambino. Consiglio anche di frequentare un corso dove si possa *vedere* come avviene l'allattamento: trovate una mamma che stia allattando e ascoltate la sua posizione su questo tema; chiedete al vostro pediatra, contattate un'ostetrica o un centro per partorienti o ancora consultate le Pagine Gialle alla voce Medici pediatri.

Ricordate anche che i pediatri di solito propendono per uno dei due regimi. Perciò, mentre cercate di chiarirvi le idee in proposito, è meglio interpellarne più di uno, e scegliere il vostro solo dopo aver preso una decisione riguardo al tipo di allattamento. A Los Angeles, per esempio, conosco molti dottori che disapprovano quello artificiale, e alcuni di loro si rifiutano di seguire donne che non allattino al seno. Una madre che abbia scelto la strada dell'allattamento artificiale si sentirà perciò molto a disagio con un professionista del genere. Al contrario, se volete allattare naturalmente il vostro bambino e per caso scegliete un pediatra che conosce poco questo argomento, sarete altrettanto in difficoltà.

Sono molti i libri di puericultura che elencano vantaggi e svantaggi dei due metodi, ma vorrei cercare di affrontare la cosa da un altro punto di vista. Si tratta infatti di una decisione altamente emotiva, che sembra opporsi a un approccio troppo razionale: per questo elencherò i punti da tenere in considerazione e contemporaneamente vi dirò quello che penso di entrambe le soluzioni.

Il legame mamma-bambino. I fautori dell'allattamento al seno chiamano in causa il *legame* come ragione per cui le donne dovrebbero scegliere il metodo più naturale. Vi posso garantire che le mamme sentono un'intimità speciale quando il loro piccolo succhia al seno, ma anche quelle che allattano artificialmente si sentono vicine ai loro bimbi. Inoltre, non credo sia questo a cementare la relazione mamma-bambino: la vera vicinanza si crea quando arrivate a conoscere chi è davvero vostro figlio.

La salute del bambino. Molti studi proclamano a gran voce i benefici del latte materno (se la madre è sana e ben nutrita). In effetti, il latte umano è formato in gran parte da microfagi, cellule che uccidono batteri, funghi e virus, insieme ad altre sostanze nutritive. Di solito i fautori del metodo naturale elencano tutta una serie di malattie che il latte materno è in grado di prevenire, tra cui infezioni alle orecchie, alla gola, disturbi gastrointestinali e affezioni alle vie respiratorie superiori. Concordo sul fatto che il latte materno faccia indubbiamente bene ai bambini, ma non bisogna neppure esagerare. I risultati delle ricerche più diffuse rappresentano *probabilità statistiche*; anche i bambini allattati al seno possono contrarre queste malattie. Inoltre vi sono differenze significative nella composizione del latte umano di ora in ora, di mese in mese e da donna a donna, e oggigiorno il latte artificiale è più che mai perfezionato e ricco di sostanze nutritive. Se è vero che non offre a un neonato l'immunità naturale data dal latte materno, quello artificiale fornisce nella giusta quantità tutti i nutrimenti necessari alla crescita. (Vedi anche il box seguente: «Mode alimentari: seno o biberon?».)

Il recupero della madre dopo il parto. Dopo il parto, la neomamma che allatta al seno il proprio bambino può beneficiare di molti vantaggi. L'ormone che viene rilasciato durante questa attività – l'ossitocina – accelera l'espulsione della placenta e restringe i vasi sanguigni, cosa che riduce al minimo le perdite di sangue. Mentre la madre procede con l'allattamento, il rilascio ripetuto di questo ormone fa sì che l'utero ritorni più velocemente al suo assetto normale. Inoltre, è più facile smaltire i chili di troppo accumulati nel corso della gravidanza, poiché la produzione di latte brucia calorie. L'altro lato della medaglia è che una mamma che allatta deve *mantenere* dai due chili e mezzo ai quattro chili e mezzo in più per assicurare al bambino il nutrimento adeguato. Chi sceglie l'allattamento artificiale non ha tutti questi problemi. A prescindere poi dal modo in cui si allatta, può succedere che il seno sia infiammato e dolorante. Se le mamme che scelgono il biberon possono attraversare un periodo difficile quando si accorgono che il latte sta scomparendo, anche quelle che allattano naturalmente, a maggior ragione, possono avere problemi al seno (vedi pp. 144-145).

Effetti a lungo termine sulla salute della madre. Alcuni studi ipotizzano – senza provarlo – che allattare al seno offra alla donna una protezione contro il cancro al seno nel periodo precedente la menopausa, contro l'osteoporosi e il cancro alle ovaie.

L'immagine corporea della madre. Dopo l'arrivo del bambino, molte donne si lamentano: «Rivoglio indietro il mio fisico!». Non è solo questione di perdere i chili in eccesso, ma soprattutto un fatto di aspetto fisico: a volte infatti l'allattamento viene vissuto come una «rinuncia» al proprio corpo. Occorre dire che con l'allattamento il seno della maggior parte delle donne cambia effettivamente aspetto, ancor più di quanto non avvenga durante la gravidanza. Mentre si allatta, si verificano mutamenti fisiologici *irreversibili* che consentono al seno di produrre latte in modo più efficiente: i condotti cominciano a riempirsi di latte, e quando il bambino si attacca al seno le cavità lattifere si mettono a pulsare, comunicando al cervello la necessità di mantenere un flusso regolare (vedi il box «Come il vostro seno produce il latte», p. 133). Può succedere che mamme con i capezzoli piatti alla fine del periodo di allattamento si ritrovino con un seno «a prova di maglietta», e benché i capezzoli cambino ancora forma una volta finito di allattare, non torneranno *mai* come prima. È possibile che donne dal seno piccolo che hanno allattato per più di un anno diventino piatte come assi da stiro, mentre un seno grande può avere dei cedimenti. Perciò, se una donna è preoccupata del suo aspetto corporeo, allattare potrebbe *non* essere la cosa migliore. Si sentirà magari dare dell'«egoista» per aver preso questa decisione, ma chi siamo noi per farla sentire «sbagliata» e in colpa?

Un altro elemento da tenere in considerazione riguarda il fatto di sentirsi a proprio agio – dal punto di vista fisico ma anche emotivo – con l'idea di mettere il proprio seno in bocca a un bambino. Vi sono donne che non amano toccare o addirittura tenere in mano il proprio seno, o che non gradiscono che i capezzoli vengano stimolati. In questo caso, ci sono buone probabilità che si verifichino dei problemi con l'allattamento.

Difficoltà. Benché allattare sia per definizione una cosa «naturale», è necessario imparare la «tecnica» giusta, e ciò all'inizio è senz'altro più difficile che nutrire il bambino con il biberon. È importante quindi che le mamme facciano pratica nell'arte di allattare, addirittura prima dell'arrivo del bambino (vedi p. 133).

Convenienza. Si sente parlare molto spesso della convenienza dell'allattamento naturale. In parte è vero, soprattutto in piena notte: quando il piccolo piange, la mamma non fa altro che estrarre il seno, e se si ricorre esclusivamente al metodo naturale non ci saranno biberon e tetterelle da sterilizzare. Comunque la maggior parte delle donne fa uso di tiralatte, il che significa che deve prendersi il tempo di tirarsi il latte e avrà quindi lo stesso a che fare con qualche biberon. Dunque, se allattare al seno può essere conveniente a casa propria, molte donne hanno difficoltà a trovare spazio e tempo per fare uso del tiralatte quando sono al lavoro. Ancora, il latte materno è sempre alla giusta temperatura, ma a questo proposito c'è qualcosa che forse non sapete: *quello artificiale non ha bisogno di essere scaldato* (i bambini non sembrano avere preferenze), e almeno nella sua versione già pronta è quasi altrettanto conveniente rispetto al latte materno. Entrambi però richiedono precauzioni per essere ben conservati (vedi p. 140 per la conservazione del latte materno, p. 151 per quello artificiale).

Costi. Durante il primo anno di vita, il vostro bambino avrà bisogno in media di circa 435 litri di latte, circa 1,2 litri al giorno (meno, ovviamente, quando è appena nato). L'allattamento al seno è senz'altro l'alternativa più economica. Anche contando eventuali consulenze, lezioni, accessori vari e l'acquisto di un tiralatte, la spesa mensile si aggira intorno ai 70 euro, la metà delle uscite mensili medie se dovete ricorrere al latte artificiale. Potete trovare il latte artificiale in polvere (da mescolare all'acqua), concentrato (che richiede un'eguale quantità di acqua) o liquido pronto per l'uso (il più costoso). Senza calcolare la spesa per biberon e tettarelle, visto che molte mamme che allattano al seno ne fanno uso.

Mode alimentari: seno o biberon?

Oggi l'allattamento al seno va per la maggiore, ma ciò non significa che quello artificiale sia «cattivo». Nei decenni successivi al dopoguerra, infatti, negli Stati Uniti la maggior parte della gente pensava che il latte artificiale fosse migliore per i bambini, e solo un terzo delle madri allattava al seno. Oggi questo numero si aggira intorno al 60 per cento, benché meno della metà stia ancora allattando dopo sei mesi. Chi può dire come si evolveranno le cose? Mentre sto scrivendo questo libro, gli studiosi stanno sperimentando l'idea di modificare geneticamente le mucche per produrre latte materno umano. Se ciò accadrà, forse in futuro tutti chiederanno latte di mucca.

In effetti, un articolo del 1999 sul «Journal of Nutrition» suggerisce che «potrebbe essere possibile creare un latte artificiale in grado di soddisfare le necessità di singoli neonati meglio di quanto non possa fare quello materno».

Il ruolo del partner. Alcuni padri si sentono esclusi quando la donna sceglie di allattare al seno, ma la decisione deve comunque spettare a lei sola. In realtà la maggior parte delle donne – a prescindere dal modo in cui decida di nutrire il bambino – *desidera* che il proprio partner sia coinvolto, e così dovrebbe essere. Ciò significa essere motivati e interessati, indipendentemente dal metodo scelto: il partner è in grado di partecipare sia che la madre decida di ricorrere al biberon sia che allatti al seno, purché essa abbia voglia di tirarsi il latte. In entrambi i casi, l'aiuto del padre si traduce in una pausa di cui la madre ha estremamente bisogno.

Due parole ai papà. Potreste desiderare che vostra moglie allatti al seno perché così ha fatto vostra madre o vostra sorella, o perché pensate che sia meglio; oppure potreste essere contrari alla cosa. Comunque sia, ricordate che vostra moglie è una persona, e che ha il diritto di fare delle scelte nella vita: questo è uno di quei momenti. Non vi amerà meno per il fatto di allattare al seno, e non sarà una cattiva madre se non vorrà farlo. Non sto dicendo che non dobbiate *discutere* insieme degli eventuali dubbi e preoccupazioni, ma alla fine sarà lei a prendere una decisione.

Controindicazioni per il bambino. Basandosi sui risultati di test del metabolismo, eseguiti ordinariamente sui neonati per scoprire una serie di malattie diverse, il vostro pediatra potrebbe consigliarvi di non allattare al seno. In effetti in alcuni casi possono essere indicati alcuni tipi di latte artificiale privi di lattosio. Allo stesso modo, se un bambino ha un alto livello di itterizia (causato da un eccesso di bilirubina, una sostanza giallognola normalmente smaltita dal fegato), alcuni ospedali insisteranno sul latte artificiale (vedi p. 156). Per quanto riguarda le allergie al latte artificiale, penso che gli americani abbiano la tendenza a preoccuparsi eccessivamente. Qualche mamma mi dirà che il suo bambino ha degli sfoghi o dell'aria nella pancia dovuti al latte artificiale, ma le stesse cose succedono ai bambini allattati al seno.

Controindicazioni per la madre. Ci sono donne che non possono allattare, perché hanno subìto un intervento chirurgico al seno (vedi box successivo), perché hanno un'infezione – come l'HIV – o perché fanno uso di sostanze che possono guastare il latte, come il litio o i principali tranquillanti. Inoltre, benché dagli studi effettuati risulti che fattori fisici quali la dimensione del seno e la forma dei capezzoli sono irrilevanti, ci sono donne che incontrano più problemi di altre ad avere un buon flusso di latte e a far attaccare il bambino al seno. La maggior parte di questi problemi può essere risolta (vedi pp. 144-146), ma alcune mamme potrebbero non avere la costanza necessaria.

Se effettivamente *è bene* che il bambino assuma una certa quantità di latte materno – specialmente nel corso del primo mese –, l'allattamento artificiale costituisce un'alternativa assolutamente accettabile (per qualcuno la migliore possibile) quando la madre fa una scelta diversa o per qualsiasi motivo *non può* allattare al seno. Può succedere, ad esempio, che una donna senta di non avere tempo per allattare, o che semplicemente non le piaccia l'idea. Se ha già altri figli, potrebbe temere che i bambini più grandi si ingelosiscano vedendola allattare il nuovo venuto, alterando così l'equilibrio familiare.

Comunque sia, quando una donna non vuole allattare al seno bisogna sostenerla evitando di giocare sul suo senso di colpa. Ricordiamoci anche di non usare la parola *dedizione* soltanto in relazione all'allattamento al seno: *qualsiasi* modalità di nutrimento richiede tanta dedizione.

Se avete subìto un intervento chirurgico al seno...

---

* Se si è trattato di un intervento di ricostruzione o di riduzione, cercate di sapere se il chirurgo ha inciso il capezzolo o lo sterno. Anche nel caso in cui i condotti lattiferi siano stati recisi, potrete allattare il vostro bambino, se userete un sistema supplementare per cui il piccolo succhierà dal capezzolo e contemporaneamente da un tubicino che gli fornisce nutrimento extra.

* Cercate un esperto di allattamento che vi aiuti a stabilire se il bambino si attacca al seno correttamente e che, se necessario, vi mostri come procedere con un sistema di nutrimento supplementare.

* Pesate il vostro bambino ogni settimana per almeno sei settimane, per essere sicuri che aumenti in modo adeguato.

...e tutte allattarono felici e contente

Chi comincia bene è a metà dell'opera (per i dettagli sul primo pasto, vedi p. 133 se allattate al seno e p. 151 se usate il latte artificiale). La cosa importante è creare un ambiente apposito in casa – che sia la cameretta del bimbo o una zona tranquilla e lontana dal trambusto familiare –, riservato unicamente al momento dei pasti. Prendetevi tempo, rispettate il vostro bambino che ha diritto a mangiare in pace. Evitate di stare al telefono o di parlare con Nelly dall'altra parte dello steccato mentre il piccolo ha il biberon o il seno in bocca. Nutrire un neonato è un processo interattivo: anche *voi* dovete prestare attenzione, è il modo in cui entrambi fate conoscenza reciproca. Inoltre, man mano che cresce, il bambino diventerà più sensibile alle distrazioni – suoni, visioni – che potrebbero rovinare la sua poppata.

Le mamme spesso mi chiedono: «Faccio bene a parlare al bambino mentre succhia?». Assolutamente sì, purché lo facciate in maniera calma e gentile. Pensate a una conversazione a lume di candela: usate toni molto bassi, niente di brusco, e cercate di essere incoraggianti: «Su, prendine ancora: devi mangiare un po' di più». Spesso faccio dei versetti tipo «gu-gu», oppure accarezzo la testa del piccolo: non è solo un modo di interagire con lui, ma anche di tenerlo sveglio. Se chiude gli occhi e smette di succhiare per un attimo, gli dico: «Ehi, ci sei?», «Forza, non si dorme sul lavoro: dopo tutto è questo l'*unico* compito che hai!».

Tipologie alimentari

Il carattere influenza anche il modo in cui un bambino mangia. Di solito i bambini «*angelici*» e «*da manuale*» sono buoni mangiatori, e così anche quelli *vivaci*.

I bambini «*sensibili*» invece spesso si innervosiscono, specialmente se allattati al seno: non amano molto la flessibilità, perciò se iniziate a dargli da mangiare in una posizione, deve restare sempre quella. Non potete parlare a voce alta, cambiare posizione o trasferirvi in un'altra stanza durante i pasti.

I bambini «*scontrosi*» sono impazienti: se li allattate al seno, non amano aspettare che arrivi il flusso di latte e spesso danno dei begli strattoni. Di solito si trovano bene con il biberon, purché abbia una tettarella a fori larghi (per altri dettagli sulle tettarelle vedi p. 153).

Un consiglio. *Quando il vostro bambino si assopisce durante i pasti, provate una di queste tecniche per rimettere in moto il riflesso di suzione: con un movimento circolare del pollice grattate leggermente il palmo della manina; grattategli la schiena o le ascelle; o ancora fate «camminare» le vostre dita lungo la sua spina dorsale, un sistema che io chiamo «camminare sulla trave». Non mettete mai un fazzoletto umido sulla sua fronte per tenerlo sveglio, e non fategli il solletico ai piedi, come suggeriscono alcuni: sarebbe come se io venissi sotto il tavolo a dirvi: «Non hai mangiato tutto il pollo, quindi ti faccio il solletico per farti continuare». Se nessuna di queste strategie funziona, lascerei dormire il bambino per una mezz'oretta. Se si addormenta di frequente mentre mangia e diventa difficile svegliarlo, chiedete consiglio al vostro pediatra.*

Come ho esposto chiaramente nel secondo capitolo, a prescindere dal regime nutrizionale scelto non sostengo *mai* l'allattamento a richiesta. Oltre a ritrovarsi per le mani un bambino esigente, spesso succede che i genitori, non ancora sintonizzati sui diversi suoni del piccolo, pensino che il pianto equivalga sempre alla fame. È questo il motivo per cui oggi ci sono tanti bambini ipernutriti, ai quali vengono poi diagnosticate le cosiddette «coliche» (vedi p. 321 e sg.). Al contrario, se stabilite una routine E.A.S.Y. per il vostro piccolo, lo allattate al seno ogni due ore e mezzo, tre, oppure gli date il biberon ogni tre ore, e sapete che quando piange in questo intervallo di tempo è di certo per altri motivi.

Nei paragrafi che seguono affronto prima nel dettaglio il tema dell'allattamento al seno (pp. 132-151), di quello artificiale (pp. 151-154) e della combinazione dei due (pp. 155-161). Prima, però, ecco alcuni punti che valgono in tutti i casi.

La posizione da tenere durante la poppata. Che allattiate il vostro bambino al seno o con il biberon, è bene farlo accoccolare comodamente nell'incavo delle vostre braccia, più o meno all'altezza del seno (anche se gli date il biberon), in modo che la sua testa sia leggermente sollevata, il corpo in linea retta e il piccolo non abbia bisogno di allungare il collo per attaccarsi al seno o prendere il biberon. Il braccino più interno dovrebbe essere ripiegato accanto al corpo o intorno al vostro fianco. Fate attenzione a non inclinarlo in modo che la testa sia più bassa rispetto al corpo, perché ciò potrebbe rendergli difficile la deglutizione. Se usate il biberon, il bambino andrebbe posto supino; se invece lo allattate al seno, dovrebbe essere leggermente rivolto verso di voi, con il viso sul capezzolo.

Il singhiozzo. Tutti i bambini hanno il singhiozzo, a volte dopo mangiato, a volte dopo aver fatto il sonnellino. Si suppone che le cause siano lo stomaco pieno o l'aver mangiato troppo in fretta, proprio come succede alle persone adulte che inghiottono il cibo senza masticare. In questi casi il diaframma perde il suo ritmo. Non c'è molto che possiate fare, tranne ricordarvi che il singhiozzo scompare altrettanto velocemente di come è arrivato.

Il ruttino. Tutti i bambini inghiottono aria, sia che vengano nutriti al seno sia col biberon. È facile sentire questo rumore, simile a un piccolo sussulto o al verso che si fa quando si ingoia. L'aria si accumula nello stomaco del bambino sotto forma di piccola bolla, facendolo sentire pieno prima di esserlo davvero: è questo il motivo per cui è necessario far fare il ruttino ai bambini. Di solito suggerisco di farlo addirittura prima di attaccarli al seno o di dar loro il biberon, poiché è possibile che inghiottano aria anche dormendo, e poi di tentare di nuovo dopo la poppata. Se il piccolo smette di poppare e diventa nervoso, potrebbe avere un po' di aria nella pancia: in questo caso, un ruttino di metà pasto risolverebbe la situazione.

Ci sono due modi per far fare il ruttino ai bambini: uno è quello di farli sedere in grembo, picchiettandogli dolcemente sulla schiena e tenendogli il mento con la mano; l'altro, che personalmente preferisco, è quello di prenderli su in modo che le loro braccia siano rilassate e abbandonate sulle vostre spalle. Le gambe devono essere distese, in modo che l'aria possa uscire sia dall'alto sia dal basso. Con un movimento dal basso verso l'alto, massaggiate leggermente il fianco sinistro, all'altezza dello stomaco (più in basso rischiate di massaggiare i reni). Per alcuni bambini questo è sufficiente, mentre altri hanno bisogno di qualche pacca delicata.

Se dopo cinque minuti non c'è stato alcun ruttino, si può presumere che il bambino non avesse aria nello stomaco. Se mettendolo giù comincia ad agitarsi, riprendetelo con dolcezza... ed ecco che avrete un ruttino meraviglioso. A volte succede che una bolla d'aria si sposti oltre lo stomaco, entrando nell'intestino e causando grande disagio: ve ne accorgete dal fatto che il bambino porta le gambe allo stomaco e inizia a piangere, mentre tutto il corpo si tende. Può succedere che lo sentiate emettere aria, e a quel punto il suo corpo tornerà a rilassarsi. (Per altri consigli sull'aria nella pancia vedi p. 325).

Apporto calorico e crescita ponderale. A prescindere dal metodo scelto, molte neomamme spesso si preoccupano e mi chiedono: «Ma il mio bambino mangerà abbastanza?». Quelle che usano il biberon *possono vedere* la quantità di latte ingerita, mentre alcune, anche allattando al seno, sanno di produrre latte perché riescono a percepire la sensazione di prurito e di pressione che a volte accompagna l'arrivo del flusso. Ma se una donna non ha questa sensibilità – e molte non ce l'hanno –, il mio suggerimento è: «Puoi vedere che il bambino sta succhiando, ma puoi anche sentire il rumore della deglutizione». (Chi non fosse ancora convinto può anche fare una «scorta», come suggerisco nel box di p. 140) In ogni caso, se dopo aver mangiato il piccolo è soddisfatto, significa che avete prodotto la giusta quantità di latte.

Un'altra cosa che ricordo sempre ai genitori è che «quello che entra deve anche uscire». Il vostro neonato produrrà da sei a nove pannolini bagnati nel corso delle ventiquattr'ore: l'urina sarà di colore giallo chiaro fino a quasi trasparente. Avrà anche da due a cinque movimenti intestinali: le feci, simili alla senape per consistenza, possono variare dal giallo al marrone rossiccio.

Un consiglio. *Se usate pannolini usa e getta, è probabile che assorbano così bene che è difficile capire quando il bambino fa pipì e di che colore essa sia. Per i primi dieci giorni in particolare, mettete un fazzoletto di tessuto nel pannolino per poter determinare se urina regolarmente e con quale frequenza.*

Comunque, il miglior indicatore di crescita è l'aumento di peso corporeo, anche se normalmente i neonati perdono fino al 10 per cento del peso alla nascita nei primi giorni di vita. Mentre nell'utero venivano costantemente nutriti dalla placenta, ora devono imparare a farlo da soli, e ciò richiede un po' di tempo. Di solito, però, per la maggior parte i neonati a termine, se adeguatamente riforniti di liquidi e di calorie, ritornano al peso originario entro sette, dieci giorni di vita. Alcuni impiegano più tempo, ma se il vostro bambino non ha ripreso il suo peso dopo due settimane è bene farlo visitare da un pediatra, in quanto i neonati che non lo recuperano dopo tre settimane di vita sono clinicamente considerati «a rischio di crescita».

Un consiglio. *I bambini di peso inferiore ai 2,7 chili circa non sono in grado di reggere la perdita di un 10 per cento del loro peso. In questi casi sopperite con il latte artificiale finché non avrete la montata lattea.*

Il normale tasso di crescita ponderale è tra i 120 e i 210 grammi la settimana, ma prima di farne un'ossessione ricordate che i neonati allattati al seno tendono a essere più magri e aumentano di peso un po' più lentamente di quelli che assumono latte artificiale. Alcune madri particolarmente ansiose comprano o affittano una bilancia: personalmente, purché consultiate regolarmente il vostro pediatra, ritengo sufficiente pesare il bambino una volta alla settimana per il primo mese, e in seguito una volta al mese. Se invece possedete una bilancia, ricordate che il peso cambia di giorno in giorno, perciò evitate di pesare il piccolo più spesso di ogni quattro, cinque giorni.

Le regole base dell'allattamento naturale

Su questo argomento esiste una vera e propria letteratura; se avete già deciso di allattare al seno il vostro bambino, scommetto che sul vostro scaffale c'è *più di un libro* al riguardo. Come in tutti i casi in cui occorre acquisire una capacità, le parole chiave sono pazienza e pratica. Leggete, frequentate corsi o entrate in un gruppo che aiuta le donne nell'allattamento. Ecco le cose che, a mio parere, dovete fare (oltre a studiare il modo in cui il vostro corpo produce latte).

Come il vostro seno produce il latte

Immediatamente dopo la nascita del bambino, il vostro seno secerne la *prolattina*, un ormone che avvia e mantiene la produzione del latte. La prolattina e l'ormone dell'*ossitocina* vengono rilasciati ogni volta che il bambino succhia dal seno. L'*areola*, ovvero la zona scura che circonda i capezzoli, è sufficientemente dura da consentire al piccolo di attaccarsi nel modo giusto e abbastanza morbida da permettergli di comprimerla facilmente. Mentre il bambino succhia, i *seni lattiferi* – le sporgenze presenti all'interno dell'areola – inviano un segnale al cervello: «Produci latte!». Durante la suzione i *seni lattiferi* pulsano, attivando così i *dotti lattiferi*, che collegano il capezzolo agli *alveoli*, le piccole sacche presenti nel seno che contengono il latte. Questa leggera pressione ha l'effetto di una pompa, che fa scendere il latte dagli alveoli fino ai dotti lattiferi e poi al capezzolo, che come un imbuto lo riversa nella bocca del bambino.

Fate pratica durante la gravidanza. La prima (e spesso unica) causa di problemi nell'allattamento è la difficoltà del bambino ad attaccarsi correttamente al seno. Per questo cerco di anticipare la cosa con le mamme con cui lavoro, incontrandole circa quattro, sei settimane prima del termine. In questa occasione spiego come avviene la produzione di latte e mostro loro dove posizionare due piccoli cerotti rotondi sul seno, circa due centimetri e mezzo sopra e sotto il capezzolo, proprio nei punti in cui dovranno tenerlo con le mani mentre allattano. In questo modo imparano a posizionare le dita correttamente. Provate anche voi, e fate pratica.

Ricordate che i bambini non succhiano automaticamente il latte dai capezzoli, ma che questo viene prodotto grazie allo stimolo causato dalla suzione: quindi maggiore è lo stimolo, maggiore sarà la quantità di latte prodotto, e per questo è necessario mettere il piccolo nella giusta posizione in modo che si attacchi bene al capezzolo. Fatto ciò, allattare *sarà* una cosa del tutto naturale, altrimenti le cavità lattifere non invieranno l'impulso al cervello e nessuno degli ormoni necessari alla produzione di latte verrà rilasciato. Di conseguenza, non ci sarà latte, e sia la mamma che il bambino ne soffriranno.

Un consiglio. *Per far sì che il bambino si attacchi al seno nel modo giusto, le sue labbra dovrebbero circondare il capezzolo e l'areola. Per quanto riguarda la posizione giusta, tenetegli il corpo in posizione eretta, affinché allunghi leggermente il collo in modo che naso e mento tocchino il seno: così avrà il naso libero senza che voi dobbiate tenere il seno con le mani.*

Allattate il vostro bambino il più presto possibile dopo la nascita. La prima poppata è importante, ma non per il motivo che potreste pensare. Non è detto che il piccolo abbia necessariamente fame, ma la prima volta che si attaccherà al seno in maniera corretta rimarrà impressa nella sua memoria e lo aiuterà anche in seguito a trovare la posizione giusta. Se appena è possibile, fate entrare in sala parto un'infermiera, un'esperta di allattamento, una buona amica o vostra madre (purché abbia allattato al seno) per aiutarvi la prima volta. Se una donna ha avuto un parto vaginale, cerco sempre di far attaccare il bambino al seno lì, in sala parto: più si ritarda, infatti, più le cose possono essere difficili. In quelle prime due ore il bambino è più sveglio, mentre nei due o tre giorni che seguono entra in una specie di stato di shock – effetto ritardato del passaggio nel canale del parto –, in cui sonno e pasti saranno probabilmente irregolari. Per questo, in caso di taglio cesareo, quando la prima poppata non avviene per tre ore buone dopo la nascita, mamma e bambino sono un po' incerti: in questi casi, occorre semplicemente avere un po' più di tempo e di pazienza. (Non è il caso di svegliare il bambino per la poppata quando è così piccolo, a meno che non avesse un peso molto basso alla nascita, sotto i due chili e mezzo circa.)

Per i primi due o tre giorni produrrete il colostro, la «barretta energetica» del latte materno: è una sostanza densa e giallognola, più simile al miele che al latte, ed è ricchissima di proteine. In questa fase, in cui il vostro latte è formato quasi esclusivamente da colostro, allatterete per quindici minuti da una parte e per quindici dall'altra; quando comincerà la produzione di latte vero e proprio, passerete all'allattamento da una parte sola.

L'allattamento al seno: i primi quattro giorni

Quando un bambino al momento della nascita pesa più di 2 chili e 700 grammi circa, di solito fornisco alle mamme questa tabella per aiutarle nelle prime poppate.

	Seno sinistro	Seno destro
1° giorno: allattate tutto il giorno, ogni volta che il bimbo lo chiede	5 minuti	5 minuti
2° giorno: allattate ogni 2 ore	10 minuti	10 minuti
3° giorno: allattate ogni 2 ore e 1/2	15 minuti	15 minuti
4° giorno: iniziate ad allattare da una parte sola e impostate il programma E.A.S.Y.	40 minuti al massimo, ogni 2 ore e 1/2, 3 ore, cambiando seno a ogni poppata	

Imparate a conoscere il vostro latte e il modo in cui viene prodotto. Assaggiatelo: in questo modo, quando ne farete scorta saprete se è inacidito. Fate anche attenzione alla sensazione che avete quando il seno è pieno: poco prima della fuoriuscita del latte di solito si avverte come un senso di leggero prurito e di afflusso. Vi sono donne in cui il latte fuoriesce quasi contemporaneamente a questa sensazione, e ciò significa che hanno un flusso molto rapido: in questo caso può succedere che, nei primi minuti della poppata, il bambino sputi un po' di latte per non soffocare. Per ovviare a questo inconveniente, mettete un dito sul capezzolo come per fermare un'emorragia da una piccola ferita. Non preoccupatevi se non sentite arrivare il flusso, poiché ogni donna ha una sensibilità diversa. Se, al contrario, avete un flusso lento, il bambino potrebbe apparire frustrato e continuare ad attaccarsi e a staccarsi dal capezzolo nel tentativo di stimolare la fuoriuscita del latte. Uno dei motivi del flusso lento potrebbe essere la tensione: cercate di rilassarvi di più, magari ascoltando una audiocassetta prima di allattare. Se ciò non funzionasse, «imbeccate» il seno con un tiralatte manuale finché non vedete scorrere il latte, e poi attaccate il bambino. Quest'operazione potrebbe richiedere circa tre minuti, ma almeno vi evita di innervosire il piccolo.

Non cambiate parte. In America molte infermiere, dottori ed esperti in allattamento consigliano alle donne di cambiare parte dopo dieci minuti, in modo che il bambino possa succhiare da entrambi i seni a ogni poppata. Basta dare un'occhiata al box che segue – in cui si definiscono le tre componenti del latte materno – per capire che questa pratica non porta beneficio al piccolo.

Soprattutto nelle prime settimane di vita, dobbiamo essere sicuri che assuma il «secondo» latte: cambiando seno dopo dieci minuti il piccolo assorbirà al massimo il «primo» e, cosa assai peggiore, col tempo il vostro corpo capirà che non è più necessario produrre il «secondo» latte.

Se invece terrete il bambino attaccato sempre dalla stessa parte nel corso di una poppata, la sua «dieta» sarà molto più equilibrata perché comprenderà tutti e tre i tipi di latte. Il vostro corpo, poi, si abituerà subito a questo sistema: dopo tutto è così che *devono* allattare le madri di gemelli, e non sarebbe stupido se nel bel mezzo di una poppata dovessero cambiare parte? A essere sinceri, è altrettanto inutile se lo fa la mamma di un figlio unico.

Come è composto il latte materno?

Se lasciaste una bottiglia di latte materno fuori dal frigorı~~~, un'ora, questo si scomporrebbe in tre elementi. Osservando il contenuto dall'alto verso il basso, vedreste che il latte si fa sempre più denso: è la stessa consistenza che ha quando allattate il vostro bambino.

Latte «dissetante» (per i primi 5-10 minuti della suzione): è un po' come il latte scremato, una sorta di «brodo» che soddisfa la sete del bambino. È ricco di ossitocina – lo stesso ormone rilasciato durante l'atto sessuale – che agisce sia sulla madre sia sul bambino: la prima si rilassa, e prova delle sensazioni simili a quelle successive all'orgasmo, mentre il secondo si assopisce. Questa componente del latte materno, inoltre, ha la più alta concentrazione di lattosio.

Primo latte (comincia a comparire dopo 5-8 minuti dall'inizio del pasto): ha più la consistenza del latte normale e un alto tasso di proteine, utili allo sviluppo delle ossa e del cervello.

Secondo latte (comincia a comparire dopo 15-18 minuti): è denso e cremoso, e contiene tutto il buon grasso; è un po' il «dessert» che fa aumentare di peso il vostro bambino.

Un consiglio. *Dopo ogni poppata usate un contrassegno per marcare il seno che utilizzerete in quella successiva. Potreste anche avvertire una sensazione di pienezza nel seno che non è stato vuotato.*

Quando mi capita di lavorare con una mamma fin dal primo giorno, già nel terzo o quarto le consiglio di allattare da una parte sola. Spesso, però, finisco per ricevere telefonate disperate perché il pediatra o qualche altro consulente esperto in allattamento consiglia di cambiare seno. Di solito questo accade quando il bambino ha tra le due e le otto settimane di vita. Maria, ad esempio, madre di un neonato di tre settimane, mi disse: «Mio figlio mangia ogni ora-ora e mezzo al massimo: io non ce la faccio». Il suo pediatra non era preoccupato, diceva che il piccolo Justin cresceva un po' lentamente ma, alla fine, era comunque aumentato di peso. Certo che non era preoccupato, non era lui a dover allattare Justin *ogni* ora! Parlai a Maria della possibilità di allattare da una parte sola, e poiché il suo corpo era ormai abituato nell'altro modo, fu necessario cambiare gradualmente la routine di Justin. A ogni poppata Maria attaccava Justin da un lato per soli cinque minuti, e per il resto del tempo ci concentravamo sull'altro lato. Procedendo in questo modo a ogni poppata, in tre giorni riuscimmo a diminuire la pressione sul seno che non sarebbe stato usato, prevenendo il rischio di congestione mammaria (vedi p. 144). Cosa altrettanto importante, il cervello di Maria riceveva questo messaggio: «Non abbiamo bisogno dell'altro seno per ora». Il latte in esso contenuto veniva riassorbito dall'organismo di Maria, dove veniva conservato per la successiva poppata di Justin, tre ore dopo. Al quarto giorno Maria era in grado di allattare da una parte sola.

La leggenda dei cavoli

Spesso alle donne che allattano si raccomanda di evitare alimenti quali i cavoli, il cioccolato, l'aglio e altri sapori «forti» che potrebbero «penetrare» nel latte materno. Sciocchezze! Una dieta normale e variata non ha alcun effetto sul latte materno. A questo proposito mi vengono in mente le donne indiane, la cui dieta ricca di spezie metterebbe alla prova lo stomaco di molti americani *adulti*: be', né loro né i loro bambini sembrano risentirne.

Non sono i cavoli o cibi simili a provocare le coliche nei neonati: ciò succede perché hanno inghiottito troppa aria, non hanno fatto il ruttino o perché hanno un apparato digerente ancora immaturo.

Può succedere che un bambino sia sensibile a qualche alimento presente nella dieta della madre, di solito le proteine contenute nel latte di mucca, nella soia, nel frumento, nel pesce, nel grano, nelle uova e nelle noci. Se pensate che sia questo il caso del vostro piccolo, eliminate l'alimento in questione dalla vostra dieta per due o tre settimane e poi reinseritelo.

Ricordate che anche l'esercizio fisico ha effetti sul vostro latte, a causa dell'acido lattico prodotto dai muscoli sotto sforzo: ciò potrebbe provocare dolori di pancia al bambino. Perciò, dopo aver fatto movimento aspettate sempre un'ora prima di allattare.

Non guardate l'orologio. Allattare non è mai una questione di tempo o di grammi: è un'occasione unica per diventare consapevoli di voi stesse e del vostro bambino. Di solito i bambini allattati al seno mangiano più spesso degli altri, perché il latte materno è più facilmente digeribile: perciò se avete un neonato di due o tre mesi che poppa per quaranta minuti, nel giro di tre ore il suo organismo avrà già assimilato tutto il latte assunto. (Vedi il box seguente per avere un punto di riferimento sulla durata delle poppate.)

Un consiglio. *Dopo aver allattato, pulitevi sempre i capezzoli con una spugna pulita. I residui di latte possono costituire terreno fertile per i batteri e provocare la candidiasi sul seno e nella bocca del bambino. Evitate di usare il sapone, perché seccherebbe i capezzoli.*

Quanto dura una poppata?

A meno che non usiate un tiralatte per misurare la quantità prodotta (vedi il «consiglio» successivo), è difficile sapere l'esatta dose assunta dal vostro bambino. Benché io sia *contraria* all'idea di guardare l'orologio, molte mamme mi chiedono quanto tempo occorra più o meno per ogni poppata. Man mano che crescono, i bambini imparano a mangiare meglio e più velocemente. Ecco una stima approssimativa della durata di un pasto e della quantità di latte che il piccolo dovrebbe assumere:

4-8 settimane	fino a 40 minuti (60-150 grammi)
8-12 settimane	fino a 30 minuti (120-180 grammi)
3-6 mesi	fino a 20 minuti (150-240 grammi)

Un consiglio. *Se siete preoccupate di rimanere senza latte, per due o tre giorni fate quel che io chiamo una «raccolta», termine mutuato dalle mie origini contadine. Una volta al giorno, quindici minuti prima della poppata, tiratevi il latte e misurate la quantità prodotta. Se considerate che un bambino può estrarne almeno trenta grammi in più succhiando dal seno, avrete un'idea sufficientemente precisa di quanto latte assume ogni volta.*

Come fare scorta di latte materno

Una volta ho visitato una mamma assolutamente disperata perché i quasi quattro litri di latte che si era tolta col tiralatte e aveva messo nel freezer erano andati a male per tre quarti a causa di un black-out di corrente. Stupita, le domandai: «Tesoro, stai forse cercando di stabilire un nuovo record mondiale? Perché ti sei spremuta tutto quel latte in una volta?». Certo, tirarsi il latte in modo da averne una certa quantità in caso di bisogno è un'idea eccellente, ma non bisogna esagerare. Ecco alcuni punti da ricordare:

* Il latte materno appena spremuto va messo subito in frigorifero e conservato per settantadue ore al massimo.

* È possibile congelare il latte materno per sei mesi, ma tenete presente che per quell'epoca le necessità alimentari del vostro bambino saranno diverse: un neonato di un mese ha bisogno di essere nutrito in un modo diverso rispetto a un bambino di sei. Il miracolo del latte materno è che esso cambia man mano che il piccolo cresce. Perciò, per essere sicure che le calorie contenute nel latte congelato corrispondano al fabbisogno del vostro bambino, mettetene da parte non più di dodici sacche da 120 grammi, usandole a rotazione ogni quattro settimane. Consumate prima il latte più vecchio.

* Il latte materno può essere conservato in biberon sterilizzati o in apposite sacche di plastica (la plastica normale potrebbe contaminare il latte con i componenti chimici in essa contenuti). In entrambi i casi, mettete delle etichette con il giorno e l'ora in cui lo avete prodotto. Per evitare sprechi conservate il latte in contenitori da 60 e da 120 grammi.

* Ricordate che il latte materno è un fluido umano: lavatevi sempre le mani e riducete al minimo il contatto. Se potete, spremetelo direttamente nelle sacche da mettere in freezer.

* Scongelate il latte materno mettendo il contenitore sigillato in una bacinella di acqua tiepida per circa trenta minuti. Non usate mai il forno a microonde: cambierebbe la composizione del latte, demolendo le proteine. Agitate il contenitore per mescolare l'eventuale grasso salito in alto durante lo scongelamento. Una volta scongelato, somministratelo subito o mettetelo in frigorifero per ventiquattr'ore al massimo. È possibile combinare latte materno fresco con quello scongelato, ma quest'ultimo non va mai ricongelato.

Difendete il vostro diritto di allattare come più vi piace. In America non troverete praticamente nessuno che non vi consigli di allattare prima da un lato e poi dall'altro: qualunque decisione prendiate in questo senso, portatela fino in fondo.

Trovate un mentore. Una volta la tecnica dell'allattamento veniva tramandata di madre in figlia, ma, a causa della diffusione del latte artificiale tra la fine degli anni Quaranta e la fine dei Sessanta, un'intera generazione di potenziali allattatrici naturali decise di passare al biberon. Come risultato, oggi molte giovani mamme non possono chiedere aiuto alle proprie madri, perché queste hanno usato il latte artificiale e, cosa ancor più triste, ricevono informazioni spesso contrastanti. In ospedale, ad esempio, succede che un'infermiera suggerisca di tenere il bambino in un certo modo, mentre quella del turno successivo darà un altro consiglio. Questa confusione può non solo avere degli effetti sulla quantità di latte che una donna produce, ma, soprattutto, può compromettere la sua capacità di allattare. È questo il motivo per cui ho messo insieme dei gruppi di supporto per le mamme che allattano al seno. Non esiste infatti aiuto migliore per superare gli ostacoli iniziali di un'altra donna che ha fatto da poco la stessa esperienza. Se non avete nessuno a cui rivolgervi, cercate una consulente in questo campo che lavori nelle vicinanze, in grado di fornirvi misure preventive e di essere a portata di telefono per qualsiasi problema.

Un consiglio. *Scegliete il vostro mentore con saggezza. Dev'essere una persona dotata di grande pazienza e di senso dell'umorismo, e che nutra dei sentimenti positivi nei confronti dell'allattamento naturale. Prendete con beneficio d'inventario le eventuali informazioni negative o le storie provenienti da chissà dove: a questo proposito mi viene in mente la povera Gretchen, che mi disse di non voler allattare perché «il bambino della mia amica le ha mangiato il capezzolo».*

Piccola guida all'uso del tiralatte

L'uso di un tiralatte non va inteso come sostitutivo dell'allattamento, ma piuttosto come una pratica che può integrare e intensificare quest'esperienza. Tirare il latte vi permette di svuotare il seno, in modo che il vostro bambino possa avere latte materno anche se voi non siete fisicamente presenti per allattarlo. In questo modo si previene anche l'insorgere di problemi come la congestione mammaria (vedi p. 144). Fate in modo che un'esperta vi mostri come usare correttamente il tiralatte.

Di che tipo? Se il vostro bambino è prematuro, ve ne occorrerà uno di quelli elettrici. Se invece pensate di assentarvi solo occasionalmente, sarà sufficiente un modello azionabile con la mano o col piede. In ogni caso, imparate a spremervi il latte manualmente in caso di mancanza di corrente.

Comprare o noleggiare? Compratelo se avete in mente di tornare a lavorare o di allattare per un anno; noleggiatelo se pensate di allattare per meno di sei mesi. I tiralatte da noleggiare vengono sempre revisionati e perciò possono essere usati da più persone purché ognuno si compri i propri accessori. Quelli da acquistare vanno invece usati da una sola persona.

Quali modelli? Comprate o noleggiate un tiralatte con il motore regolabile in velocità e potenza. State alla larga da quelli che vi chiedono di aggiustare manualmente il ciclo della pompa.

Quando? In genere il seno ci mette un'ora a riempirsi di nuovo dopo una poppata. Per aumentare la vostra produzione di latte, per due giorni tiratevi il latte per una decina di minuti dopo aver allattato. Una volta tornate al lavoro, se non potete farlo nell'ora in cui di solito allattate, cercate almeno di mantenere la stessa durata: ad esempio quindici minuti all'ora di pranzo.

Dove? Evitate di eseguire questa operazione nel bagno dell'ufficio: è poco igienico. Chiudete la porta della vostra stanza o cercate un altro posto tranquillo. Una volta una mamma mi disse che al lavoro avevano istituito una «stanza del tiralatte», che veniva tenuta scrupolosamente pulita per le madri che allattavano.

Tenete un diario delle poppate. Una volta superati i primi giorni e cominciato l'allattamento da una parte sola, suggerisco sempre di appuntarvi l'orario dei pasti del vostro bambino, la loro durata, quale seno avete utilizzato e altri dettagli utili. Qui sotto troverete un campione dello schema che di solito fornisco alle mie mamme: sentitevi libere di riadattarlo secondo le vostre esigenze. Ho compilato le prime due righe a mo' di esempio.

ra	Seno	Durata poppata	Senti deglutire?	N. pannolini bagnati (dall'ultimo pasto)	N. e colore delle feci (dall'ultimo pasto)	Aggiunta: acqua/ latte artificiale?	Quantità di latte	Altro
.00	❏ S ❏ D	35 min.	❏ Sì ❏ No	1	1 gialla molle	nessuna	30 g	un po' nervoso dopo mangiato
15	❏ S ❏ D	35 min.	❏ Sì ❏ No	1	0	nessuna	45 g	svegliato durante la poppata
	❏ S ❏ D		❏ Sì ❏ No					
	❏ S ❏ D		❏ Sì ❏ No					
	❏ S ❏ D		❏ Sì ❏ No					
	❏ S ❏ D		❏ Sì ❏ No					
	❏ S ❏ D		❏ Sì ❏ No					

Osservate la mia «regola dei quaranta giorni». Vi sono donne che prendono il ritmo giusto con l'allattamento nel giro di pochi giorni, altre invece ci mettono un po' di più. Se siete fra queste ultime, non fatevi prendere dal panico: concedetevi quaranta giorni in cui non chiedere troppo a voi stesse. Certo, lo so che tutti (papà incluso) desiderano che l'allattamento proceda subito senza ostacoli, e che dopo due o tre giorni potreste diventare nervose e preoccupate. Ma per sentirvi davvero a vostro agio e quindi poter allattare nel modo giusto spesso ci vuole più tempo. Che saranno mai questi quaranta giorni, direte voi? È un periodo di circa sei settimane che di solito viene definito «post partum» (vedi a questo proposito anche il capitolo 7). Alcune donne avranno bisogno di questo lasso di tempo per imparare davvero ad allattare. Anche quando il bambino si attacca bene ai capezzoli, è possibile che insorgano dei problemi al seno (vedi il box successivo) o ancora che il piccolo non capisca subito come fare. Perciò date tempo a entrambi per tentare e anche per sbagliare.

Un consiglio. *Nel corso della giornata le calorie che assorbite sono necessarie al bambino ma anche al vostro organismo. Ecco perché è così importante mantenere il giusto apporto di cibo mentre si allatta: quindi niente diete lampo. Cercate di seguire una dieta sana, equilibrata, ricca di proteine e di carboidrati complessi, e dato che il vostro bambino prende dal vostro corpo anche i liquidi che gli servono, assicuratevi di bere sedici bicchieri d'acqua al giorno, due volte la quantità raccomandata normalmente.*

Guida pratica
ai problemi dell'allattamento naturale

Problema	Sintomi	Cosa fare
Congestione mammaria: il seno si riempie di liquido. Può essere latte, ma più spesso sono i liquidi in eccesso (sangue, linfa e acqua) che si concentrano nelle estremità, specie dopo un taglio cesareo.	Il seno è duro, rosso, gonfio; possono comparire sintomi simili a quelli che accompagnano l'influenza: febbre, brividi, sudori notturni. Il bimbo può faticare ad attaccarsi, rendendo dolenti i capezzoli.	Avvolgete il seno in un panno caldo e umido; muovete le braccia (come per lanciare una palla), cinque volte ogni due ore, prima di allattare, ruotate braccia e caviglie. Sentite il medico se dopo un giorno non ci sono miglioramenti.

Problema	Sintomi	Cosa fare
Dotto lattifero bloccato: il latte si coagula nel canale lattifero e diventa della consistenza del formaggio molle	Gonfiore localizzato al seno, doloroso al tatto.	Se trascurato, può trasformarsi in mastite (vedi sotto). Applicate qualcosa di caldo e strofinate il seno con piccoli movimenti circolari sulla zona gonfia, accarezzando il capezzolo. Immaginate di dover sciogliere qualcosa per trasformarlo in latte (anche se non lo vedrete fuoriuscire dai capezzoli).
Capezzoli doloranti	Possono essere screpolati, irritati, sensibili o arrossati; nei casi cronici si hanno vescichette, bruciature e piccole perdite di sangue, con dolore durante le poppate e tra una poppata e l'altra.	È una condizione normale nei primi giorni di allattamento, e scompare quando il bimbo inizia a succhiare ritmicamente. Se il disagio persiste, significa che il bambino non si attacca nel modo giusto. Chiedete aiuto a una esperta in questo campo.
Eccesso di ossitocina	La mamma tende ad assopirsi mentre allatta a causa della produzione dell'«ormone dell'amore», lo stesso rilasciato durante l'orgasmo.	Non esiste modo per prevenirlo, ma potrebbe essere una buona idea riposarsi di più tra una poppata e l'altra.

Problema	Sintomi	Cosa fare
Emicrania	Insorge durante o subito dopo l'allattamento, ed è il risultato del rilascio di ossitocina e prolattina da parte della ghiandola pituitaria.	Se persiste consultate un medico.
Esantema	Su tutto il corpo, simile all'orticaria.	Si tratta di una reazione allergica all'ossitocina. Consultate un medico.
Infezione da candida	Il seno è infiammato o avvertite una sensazione dolorosa; il bambino potrebbe sviluppare un esantema da pannolino con puntini rossi.	Chiamate il vostro medico. Potreste avere entrambi necessità di cure per far passare l'infezione; il bambino avrà bisogno di una crema per il sederino, ma non usatela sul seno: potrebbe ostruire le ghiandole.
Mastite: infiammazione della ghiandola mammaria.	Striature irregolari di colore rosso vivo sul seno; il seno è caldo; sintomi influenzali.	Consultate subito un medico.

I dilemmi dell'allattamento al seno: fame, voglia di succhiare o balzo di crescita?

È importante ricordare che i neonati hanno un bisogno fisico di succhiare per circa sedici ore al giorno. Le mamme che allattano al seno, soprattutto in certi casi, confondono questa necessità con il «grufolare» tipico di quando i bimbi hanno davvero fame (vedi p. 115). Quando Dale mi chiamò per un consiglio descrisse esattamente questo schema inconfondibile: «Sembra che Troy abbia sempre fame. Quando piange lo attacco al seno e lui succhia per circa tre minuti, poi si addormenta. Allora cerco di svegliarlo, perché ho paura che non mangi abbastanza». Stiamo parlando di un bambino che a tre settimane di vita pesava circa tre chili e mezzo, perciò era ovvio che non era un caso di malnutrizione. Ma anche se il piccolo aveva mangiato un'ora prima, Dale continuava a scambiare il riflesso di suzione per fame. Quando lui si addormentava al seno, lei faceva di tutto per svegliarlo senza però riuscire a dargli più di pochi sorsi di latte; a quel punto lo staccava, ma nel frattempo erano passati venti o trenta minuti, e lui aveva già fatto un ciclo di sonno (vedi p. 232). Nel momento in cui lo toglieva dal seno, lui stava probabilmente entrando nella fase REM, e quindi si svegliava. Disturbato, voleva succhiare ancora *per calmarsi, non perché avesse improvvisamente fame.* Quindi la mamma si sedeva, e il circolo ricominciava da capo.

In questo caso il problema – piuttosto comune in verità – era che Dale aveva involontariamente abituato Troy a fare degli «spuntini», e ora si trovava a combattere per una causa persa. Pensateci un minuto, è per questo che non date al vostro bambino di un anno, un anno e mezzo un dolcetto prima dei pasti: se ha sempre qualcosa in bocca finirà per non fare mai un pasto vero e proprio. Lo stesso vale per i neonati che vengono allattati ogni ora o ogni ora e mezzo. Ciò succede più raramente quando si usa il latte artificiale, perché le mamme possono *vedere* quanto latte assume il bambino. In entrambi i casi, comunque, se avete impostato una routine corretta che prevede un pasto ogni tre ore, saprete con certezza che il bambino avrà fatto una poppata completa e probabilmente non dovrete neppure svegliarlo mentre mangia, perché avrà fatto anche un riposo completo.

Usate il vostro buon senso

Benché io raccomandi caldamente di programmare con regolarità i pasti del bambino, ciò non significa che se dopo due ore piange davvero per fame non dobbiate allattarlo. In effetti, quando si verificano dei balzi di crescita, il piccolo potrebbe aver bisogno di mangiare un po' più spesso. L'importante è capire che se farà pasti completi a intervalli regolari mangerà meglio e quindi anche il suo intestino funzionerà meglio.

Allo stesso modo non voglio dire che, se una volta ogni tanto il vostro bambino ha bisogno di una dose extra di coccole o di latte perché sta crescendo più rapidamente, dovete trattenervi. Quello che non sopporto però è vedere neonati sconvolti perché i genitori non continuano a comportarsi come fanno all'inizio. Sono i *genitori* che trasmettono loro le cattive abitudini, non è colpa dei piccoli. Perciò, usate il vostro buon senso adesso per evitare traumi futuri al vostro bambino. (Per ulteriori dettagli su come interrompere le cattive abitudini, vedi capitolo 9.)

Prendiamo ora un'altra situazione che può confondere una mamma che allatta: i balzi di crescita. Supponiamo che il vostro bambino abbia sempre mangiato regolarmente ogni due ore e mezzo, tre ore e che improvvisamente il suo appetito sembri aumentato, come se volesse mangiare tutto il giorno. Può darsi che stia attraversando proprio una fase di crescita accelerata, un periodo che di solito capita ogni tre o quattro settimane e dura un giorno o due, in cui il fabbisogno alimentare aumenta. Se farete attenzione vedrete che questo appetito esagerato si ridimensiona dopo circa quarantott'ore, quando il bambino ritornerà ai ritmi impostati di E.A.S.Y.

In ogni caso, non pensate che il vostro latte stia diminuendo o scomparendo del tutto. Il bambino cresce, i suoi bisogni cambiano, e la sua voglia di succhiare è il modo in cui la natura comunica al vostro corpo questo messaggio: «Produci più latte!». Miracolosamente, l'organismo di una donna sana ne produrrà la quantità necessaria. In regime di allattamento artificiale, se il piccolo chiede più latte non farete altro che aumentargli la dose: lo stesso devono fare le mamme che allattano naturalmente, attaccando il piccolo dall'altro lato quando un seno è già stato svuotato (di solito ciò avviene intorno ai cinque chili di peso).

Se il bambino sembra avere più fame *solo di notte*, potrebbe essere non un balzo di crescita ma il segnale che non riceve abbastanza calorie e che quindi occorre ritoccare il programma E.A.S.Y. in questo senso: potrebbe essere il momento giusto per dargli delle poppate «ravvicinate» (vedi p. 230).

Un consiglio. *Al mattino, dopo una buona nottata di riposo, il vostro latte è più ricco di grassi. Se di notte il bambino sembra particolarmente affamato, tiratevi il latte al mattino presto e conservatelo per la poppata notturna. In questo modo il piccolo avrà le calorie extra di cui ha bisogno, voi e papà potrete godere di una pausa serale e, cosa più importante, scomparirà quella fastidiosa vocina che dice: «Avrò abbastanza latte per nutrire il mio bambino?».*

Tutti gli spauracchi dell'allattamento naturale

Cosa succede	Perché	Cosa fare
«Il bambino si dimena spesso mentre mangia.»	Nei neonati sotto sotto i quattro mesi potrebbe essere la spia della necessità di defecare: non è possibile farlo mentre si succhia!	Staccatelo dal seno, sdraiatelo in grembo, lasciate che si liberi l'intestino e poi ricominciate ad allattarlo.
«Il bambino spesso si addormenta durante la poppata.»	Potrebbe essere un eccesso di ossitocina. Oppure sta solo facendo uno spuntino senza molta fame.	Per svegliare un bimbo addormentato vedi i consigli di p. 128. Chiedetevi anche: «Segue un programma nei pasti?». È questo il modo migliore per capire se ha davvero fame. Se mangia ogni ora, si limita a fare degli spuntini invece di un pasto completo. Fategli seguire il metodo E.A.S.Y.
«Il bambino si attacca e si stacca dal seno.»	Potrebbe essere impazienza per un flusso lento. Se contrae anche le gambe, potrebbe essere aria nella pancia. Oppure potrebbe non avere fame.	Se ciò si ripete, è probabile che abbiate un flusso lento. «Aiutatevi» usando prima un tiralatte. Se è aria nella pancia, provate i rimedi descritti a p. 325. Se nessuno di questi funziona, può darsi che non abbia fame.

Cosa succede	Perché	Cosa fare
«Il bambino sembra aver dimenticato come attaccarsi al seno.»	Tutti i bambini, specie i maschi, a volte «dimenticano» l'obiettivo. Può anche voler dire che il piccolo è molto affamato.	Mettetegli in bocca il mignolino per qualche secondo, per dargli un obiettivo e ricordargli come si succhia. Poi riattaccatelo al seno. Se è molto affamato e voi sapete di avere un flusso lento, usate un tiralatte prima della poppata.

L'ABC dell'allattamento artificiale

Difendete il vostro diritto a nutrire il bambino con il latte artificiale. Non importa quali siano le vostre ragioni; se avete letto dei libri sull'argomento, vi siete informate e siete arrivate alla conclusione che volete allattare il vostro piccolo con il latte artificiale, va bene. Bernice, che aveva letto decisamente tutto ciò su cui poteva mettere le mani – comprese delle complesse relazioni mediche –, mi disse: «Se fossi stata una persona più sprovveduta, avrei avuto dei grossi sensi di colpa. Ma poiché mi ero informata così a fondo su questo argomento, e sapevo cose di cui neppure le puericultrici erano a conoscenza, hanno dovuto rispettare la mia decisione. Mi dispiace per quelle donne che non sono altrettanto forti». La vostra migliore difesa contro le «critiche da allattamento artificiale» – anche se non dovreste averne bisogno – sono i fatti.

Prima di scegliere un tipo di latte, leggete gli ingredienti. In commercio esistono molti tipi di latte artificiale, e tutti sono stati accuratamente testati e approvati dagli organismi sanitari. Fondamentalmente però il latte artificiale è costituito da latte di mucca o di soia. Personalmente preferisco quelli a base di latte di mucca, benché entrambi siano arricchiti con vitamine, ferro e altre sostanze nutritive: la differenza sta nel fatto che il grasso animale presente nel primo viene sostituito dall'olio vegetale. Benché il latte a base di soia non contenga alcuna proteina animale né lattosio – entrambi presumibilmente responsabili delle coliche e di alcune allergie –, di solito il mio consiglio è di provarne prima uno di mucca ipoallergenico. Non ci sono prove inconfutabili che la soia prevenga questi problemi, e inoltre il latte di mucca contiene sostanze nutritive assenti in quello di soia. Per quanto riguarda invece la paura di esantemi e coliche causati dal latte artificiale, ricordate che sono inconvenienti che si verificano anche nei bambini allattati naturalmente. Questi sintomi di solito *non* indicano una reazione al latte artificiale, anche se altri più evidenti – vomito o diarrea – potrebbero invece costituire un segnale in tal senso.

Come conservare il latte artificiale

Il latte artificiale, sia esso in polvere, concentrato o – per maggior comodità – in confezioni pronte per l'uso, viene datato dalle ditte produttrici e può essere conservato *intatto* fino alla data indicata. Una volta versato nel biberon tuttavia, e indipendentemente dalla forma scelta, non dura più di ventiquattr'ore. La maggior parte delle aziende *non* consiglia di congelarlo. Come per il latte materno, non usate mai il forno a microonde: non cambia la composizione del latte ma lo riscalda in modo disomogeneo e potrebbe quindi causare ustioni al bambino. Non riutilizzate mai un biberon lasciato a metà. Per evitare sprechi preparate solo biberon da 60 e da 120 grammi finché il bambino non avrà mostrato di voler mangiare di più.

Scegliete delle tettarelle che assomiglino il più possibile alla forma dei vostri capezzoli. Potete trovare tettarelle di ogni forma – piatte, lunghe, corte, bulbose –, con i relativi biberon. Per i neonati consiglio sempre quelli dotati di una valvola speciale che consente il flusso solo quando il bambino succhia forte, come succede col seno materno. Benché vi siano tettarelle che regolano il flusso più di altre, in tutti i biberon è la forza di gravità a determinarne l'intensità, non il bambino (vedi anche il box «La confusione tra capezzolo e tettarella: mito o realtà?», p. 156). Di regola suggerisco di usare i biberon con valvola finché il bambino ha tre o quattro settimane di vita, anche se sono leggermente più costosi. Nel secondo mese passate a una tettarella dal flusso lento, nel terzo a una di livello medio e dal quarto fino allo svezzamento sceglietene una dal flusso regolare. Se avete intenzione di allattare sia al seno sia col biberon, oltre che considerare il tipo di flusso è necessario scegliere una tettarella che assomigli il più possibile alla forma dei vostri capezzoli.

Quanto latte va nel biberon?

A differenza del latte materno, quello artificiale mantiene sempre la stessa composizione; ma ovviamente il bambino ha bisogno di assumerne quantità sempre maggiori.

Dalla nascita a tre settimane: 90 grammi ogni 3 ore

Da tre a sei settimane: 120 grammi ogni 3 ore

Da sei a dodici settimane: da 120 a 180 grammi (di solito ci si assesta su una quantità pari a 180 grammi intorno ai 3 mesi) ogni 4 ore

Da tre a sei mesi: fino a 240 grammi ogni 4 ore

Recentemente ho fatto visita a Irene, una mamma che allattava al seno e aveva intenzione di tornare a lavorare: malgrado un assortimento di ben otto diverse tettarelle, la piccola Dora le aveva rifiutate tutte. «Le morde o se le fa rotolare intorno alla bocca» si lamentava Irene, «e ogni pasto diventa un incubo.» Be', gli incubi dovevano essere parecchi, considerai, visto che in media Dora mangiava otto volte al giorno. Perciò dissi: «Lasciami guardare bene i tuoi capezzoli, e poi andremo a comprare le tettarelle giuste». E così facemmo. Alla fine trovammo una tettarella che era molto simile ai capezzoli di Irene. Nei giorni successivi Dora continuò a farla un po' disperare, ma certamente fu più semplice abituarla a una tettarella che somigliava al capezzolo della madre che non alle altre otto.

Quando acquistate biberon e tettarelle cercate di scegliere delle combinazioni con tappo a vite universale, in modo da poterle intercambiare se necessario: ne ho viste in giro alcune che sono molto gradevoli all'occhio e fanno ogni sorta di promesse, tipo «come il seno della mamma», «la naturale inclinazione», «previene le coliche». Prendete le pubblicità *cum grano salis* e vedete quale funziona meglio per il *vostro* bambino.

Procedete con delicatezza la prima volta che date il biberon al vostro bambino. La prima volta che date il biberon al vostro bambino strofinategli le labbra con la punta della tettarella e aspettate finché non risponde aprendo la bocca. Poi inseritela delicatamente mentre lui si attacca. *Non spingete mai la tettarella con forza nella sua bocca.*

Non confrontate il vostro sistema di allattamento con quello di una mamma che allatta naturalmente. Il latte artificiale viene digerito più lentamente di quello materno, il che significa che i bambini allattati con il biberon spesso fanno intervalli più lunghi di tre ore tra un pasto e l'altro.

La terza alternativa: seno e biberon

Data per assodata la mia imparzialità nei confronti della scelta seno o biberon, il consiglio che do ai genitori è che un po' di latte materno è sempre meglio che niente. Alcune mamme sono scioccate da quest'affermazione, specialmente quelle che hanno consultato medici o organizzazioni che sostengono la causa dell'allattamento naturale e pensano che questo sia una scelta totale e definitiva.

«Posso davvero scegliere entrambe le cose?» mi chiedono. «È possibile allattare al seno il mio bambino *e* dargli il biberon?» La mia risposta è sempre la stessa: «Certo che potete». Spiego anche che con «entrambe le cose» intendo che i bambini possono essere nutriti con latte materno e latte artificiale insieme, oppure esclusivamente con latte materno somministrato dal seno o dal biberon.

Certo, vi sono donne che non hanno dubbi sulle proprie preferenze fin dal principio: Bernice, che durante la gravidanza aveva svolto un'enorme quantità di ricerche, era sicura al cento per cento della sua decisione di nutrire Evan con il latte artificiale, tanto che chiese all'ostetrica di farle un'iniezione di ormoni per bloccare immediatamente la produzione di latte; Margaret, al contrario, era ugualmente certa della sua volontà di allattare al seno. Ma che dire di quelle mamme che si trovano nel mezzo? A volte, se la produzione di latte materno nei primissimi giorni è limitata, *si deve* ricorrere a quello artificiale. In altri casi *si sceglie* fin dall'inizio di nutrire il bambino al seno e col biberon per non limitare la propria libertà. Un terzo gruppo ancora inizia con un regime e cambia idea strada facendo: in questo caso, la maggior parte delle donne allatta prima al seno per poi aggiungere il latte artificiale, ma che ci crediate o no succede anche il contrario.

La confusione tra capezzolo e tettarella: mito o realtà?

Il rischio che il bambino «confonda» capezzolo e tettarella è stato più volte preso a motivo del fatto che *non* si debba ricorrere contemporaneamente al seno e al biberon. Penso che questa sia una leggenda. Ciò che può confonderlo infatti è il flusso, e a questo si pone facilmente rimedio. Quando un neonato succhia al seno usa muscoli della lingua diversi rispetto a quando succhia dal biberon; quindi, nel primo caso è possibile regolare la quantità di latte cambiando il modo di succhiare, mentre nel secondo il flusso è costante perché controllato dalla forza di gravità, non dal bambino. Se il piccolo tende a «mordere» la tettarella intasandola, la cosa migliore è usare un biberon che permette il passaggio del latte solo se il bambino succhia forte.

Quando un neonato ha meno di tre settimane è relativamente facile fargli accettare il biberon dopo che è stato allattato al seno o viceversa, per poi proseguire con entrambi i sistemi. In seguito, però, il cambiamento può risultare molto faticoso sia per il bambino sia per la madre (vedi box a p. 160). Perciò, se provate sentimenti molto ambivalenti all'idea di dare al vostro bambino solo il seno, ricordatevene e cercate di agire piuttosto prima che dopo.

Vediamo alcuni esempi di donne che hanno scelto di prendere il meglio delle due opzioni.

Carrie: quando occorre un'aggiunta. Specialmente dopo un taglio cesareo, può succedere che una donna non sia in grado di produrre il latte necessario al neonato nei primi giorni di vita. Una flebo di morfina infatti, somministrata normalmente dopo il parto, blocca l'attività dell'organismo, anche se spesso non ci si rende conto che il latte non fuoriesce. È quanto succede nei casi tragici in cui il piccolo succhia al seno della madre che però non si accorge della mancanza di latte: nelle settimane che seguono, il bimbo può soffrire di gravi forme di disidratazione e trovarsi addirittura in pericolo di vita per malnutrizione.

Per questo è così importante controllare urine e feci nei neonati e pesarli una volta alla settimana (vedi p. 131).

Sfortunatamente, molte mamme non sanno che può passare anche una settimana prima della montata lattea. Se questa manca, non importa che il piccolo sia ben posizionato o che si attacchi al seno correttamente: comunque non crescerà. In ospedale, quando l'infermiera informa che è necessario dare al bambino un'aggiunta di latte artificiale, molte mamme si oppongono: «Niente latte artificiale per il *mio* bambino!». Pensano infatti che ciò «rovinerà» il latte materno. La verità è che se non producete abbastanza latte non avete altra scelta.

Anche dopo aver introdotto il latte artificiale, raccomando alle mamme di attaccare comunque il bambino al seno, perché la suzione stimola l'attività delle cavità lattifere, cosa che non può fare un tiralatte. Mentre la suzione invia al cervello il messaggio di produrre latte, una pompa meccanica si limita a svuotare gli alveoli in cui è contenuto il latte. Perciò date pure il latte artificiale, ma continuate a tirarvi il latte ogni due ore per stimolare il flusso. Carrie, ad esempio, aveva partorito due gemelli con taglio cesareo e per i primi tre giorni non aveva latte. Poiché il livello di glucosio dei due neonati era basso, decidemmo di dar loro subito il latte artificiale. Carrie continuava ad attaccarli al seno – per venti minuti ogni due ore –, ma alla fine aggiungeva anche trenta grammi circa col biberon.

Inoltre, si tirava il latte subito dopo ogni poppata e anche un'ora più tardi. Al quarto giorno, Carrie cominciò a produrre latte e fu possibile ridurre il latte artificiale a soli quindici grammi. Badate bene, tutto ciò è estremamente faticoso per una mamma. Non c'è da meravigliarsi se, dopo quasi tre giorni di tiralatte, Carrie lo scagliò letteralmente dall'altra parte della stanza. Papà e io riuscimmo a mantenere la calma mentre lei si sfogava, e la vita continuò. Al quinto giorno, comunque, i gemelli erano allattati interamente al seno.

Freda: dare al bambino latte materno senza allattare al seno. Come ho già avuto modo di dire, vi sono donne che a causa delle attenzioni verso il proprio corpo – e soprattutto verso il proprio seno – rifiutano l'idea di allattare, anche se sono consapevoli dei vantaggi per il bambino dal punto di vista della salute. Freda, ad esempio, allattò il suo solo per pochi giorni, in modo da far partire il flusso; in seguito si tirò il latte finché il piccolo ebbe circa un mese, quando fu ormai chiaro che si stava esaurendo. Conosco anche il caso di una mamma «in affitto» che, dopo essersi tirata il latte con una pompa, lo spediva via corriere alla madre adottiva. Comunque, il solo tiralatte è in grado di sostenere la produzione di latte materno per non più di cinque settimane.

Kathryn: preoccupata per l'armonia familiare. Mentre era incinta del terzo figlio, Kathryn aveva deciso che lo avrebbe allattato naturalmente come aveva fatto per Shannon, sette anni, ed Erica, cinque. In ospedale Steven non aveva avuto problemi ad attaccarsi correttamente al seno, ma una volta a casa Kathryn fu sopraffatta: non c'era assolutamente tempo per allattare Steven al seno, così, seppur riluttante, passò al latte artificiale. Dopo circa due settimane, si rivolse a me come ultima spiaggia: desiderava tanto provare la stessa sensazione di intimità che aveva sentito mentre allattava le due figlie maggiori, ma tutti le dicevano che ormai era troppo tardi. In più, aveva potuto verificare quanto l'allattare Steven al seno rischiasse di turbare l'armonia familiare. «Quello che davvero voglio» mi confidò, «è allattarlo due volte al giorno: al mattino quando si sveglia e all'ora di pranzo, prima che le sue sorelle tornino da scuola.»

Spiegai a Kathryn che il seno è miracoloso: se attaccate il bambino solo due volte al giorno, produrrà solo la quantità di latte necessaria per quelle due poppate. Per far tornare il latte, Kathryn attaccava Steven due volte al giorno e contemporaneamente si tirava il latte con una pompa sei volte al giorno. All'inizio poi, anche se il piccolo succhiava dal seno, fu necessario somministrargli un po' di latte artificiale. Al quinto giorno notammo che dopo aver poppato sembrava più soddisfatto, e il latte stava effettivamente ricomparendo con l'aiuto della pompa. Nel caso di Kathryn, questa divenne inutile una volta che il latte era tornato. Alla fine, riuscì ad avere quel contatto intimo col bambino che tanto desiderava, ma in un modo che non influenzava negativamente il resto della famiglia.

Vera: si torna al lavoro. Se una donna sta progettando di tornare a lavorare, può tirarsi il latte con una pompa per poi conservarlo oppure introdurre il latte artificiale. Alcune mamme aspettano la settimana precedente il ritorno al lavoro per aggiungere un biberon una o due volte al giorno, ma se un bambino non è già abituato suggerisco di introdurlo tre settimane prima del rientro. Vera, ad esempio, che lavorava in un grande complesso industriale e non poteva permettersi di stare a casa, optò per l'allattamento al seno al mattino e alla sera quando tornava a casa, mentre durante il giorno il bambino veniva nutrito con latte artificiale (il marito era addetto al biberon notturno).

Scenari simili si aprono anche quando una donna desidera semplicemente avere più tempo per se stessa o quando viaggia molto per lavoro. Anche le mamme che lavorano da casa – pittrici, scrittrici, traduttrici etc. – potrebbero voler tirarsi il latte per permettere a qualcun altro di prendersi cura del bambino durante i pasti.

Un consiglio. *La stanchezza è il peggior nemico di una mamma che lavora, a prescindere dal modo in cui sceglie di nutrire il bambino. Uno dei sistemi per ridurre al minimo la fatica delle prime settimane dopo il rientro in ufficio è quello di cominciare di martedì invece che di lunedì.*

Jan: quando un intervento chirurgico impedisce di allattare al seno. In caso di malattia grave o di intervento chirurgico, è spesso fisicamente impossibile per una donna continuare ad allattare. Quando ciò accade, l'Organizzazione mondiale per la sanità suggerisce di chiedere ad altre madri di donare il proprio latte: ma lasciate che vi dica che si tratta di una bella fantasia e di nient'altro. Quando il bambino di Jan aveva un mese, lei seppe di dover affrontare un'operazione e che sarebbe stata lontana da lui almeno per i tre giorni della degenza in ospedale. Allora chiamai ventisei mamme che stavano allattando al seno, e tra tutte solo *una* era disposta a donare il suo latte, e non più di 250 grammi. Neanche stessi chiedendo oro colato invece di latte umano! Alla fine Jan fu in grado di tirarsi una quantità sufficiente del proprio latte, ma dovette dare al piccolo anche del latte artificiale e credetemi, questa esperienza non lo rese certo inferiore a tutti gli altri.

Come passare dal seno al biberon
(e viceversa)

Nel corso delle prime tre settimane di vita i neonati di solito passano facilmente dal seno al biberon e viceversa. Se però aspettate troppo è probabile che avrete dei momenti duri. Un neonato allattato al seno da principio tende a rifiutare il biberon, perché tutto quel che conosce e si aspetta è il corpo umano: facilmente giocherà con la tettarella facendosela rotolare in bocca e non saprà come succhiare o attaccarsi. Ma anche il caso contrario è vero: se un bambino non è abituato alla sensazione dei capezzoli della madre istintivamente non saprà come attaccarsi.

I bambini che prima erano allattati al seno spesso mettono in atto degli «scioperi» alimentari, rifiutando di mangiare durante il giorno. Quando la mamma torna a casa la sera, con tutta l'intenzione di dargli il seno per le poche poppate che restano prima di dormire, potrebbero pensarla diversamente e magari svegliarla in piena notte per recuperare la poppata perduta. Non importa che sia notte, loro non lo sanno: stiamo parlando di stomaco vuoto.

Che fare in questi casi? Per due giorni continuate a proporgli il biberon e non il seno (o viceversa nel caso che vogliate passare dall'allattamento artificiale a quello naturale). Ricordate che i bambini desiderano sempre tornare al sistema originario. Se il vostro è abituato al seno o al biberon, una volta che questo si è impresso nella sua memoria non c'è verso che lo rifiuti.

Attenzione: è una cosa difficile. Il bambino si sentirà frustrato e piangerà molto, cercando di dirvi: «Cosa diamine mi stai cacciando in bocca?». È anche probabile che tranguggi troppo in fretta e sputi mentre mangia perché non è in grado di regolare il flusso di liquido che fuoriesce da una tettarella di gomma. Ancora una volta, i biberon che permettono il passaggio lento del latte eliminano questo problema.

La domanda che ogni mamma si pone: ciuccio o non ciuccio?

I succhiotti esistono da secoli, e per molte buone ragioni. Praticamente l'unica parte del corpo che un neonato è in grado di controllare è la bocca, che usa per succhiare in modo da ottenere la stimolazione orale di cui ha bisogno. Una volta le madri usavano un pezzo di stoffa o addirittura un tappo di porcellana per soddisfare l'oralità dei propri bambini e quindi per calmarli.

Non c'è bisogno di considerare il ciuccio come qualcosa di negativo: la controversia dei nostri giorni a questo proposito è sorta a causa del suo abuso. Quando viene usato impropriamente, infatti, diventa ciò che io chiamo un «puntello», qualcosa da cui il bambino dipende per riuscire a calmarsi da solo. E, come ho già avuto modo di dire, quando i genitori usano il ciuccio per calmare i propri figli invece di fermarsi un istante ad ascoltare ciò di cui hanno davvero bisogno, in realtà non fanno altro che zittirli.

Mi piace ricorrere al ciuccio nei primi tre mesi di vita del bambino, per far sì che possa succhiare per il tempo necessario a calmarsi prima di dormire, o quando cerco di far perdere il pasto notturno (spiego i miei metodi a questo proposito nel capitolo 6, pp. 229-230). Dopo questa fase, comunque, i neonati acquisiscono un maggior controllo sulle mani e sono in grado di calmarsi da soli usando le dita o il pollice.

Le leggende riguardo ai succhiotti abbondano. Alcuni, ad esempio, credono che dare un succhiotto al bambino significhi inibirlo della capacità di succhiarsi il pollice. Stupidaggini! Vi garantisco che al momento buono si libererà del ciuccio per succhiarsi il pollice. La mia Sophie ha fatto esattamente così e ha continuato a succhiarsi il pollice per i sei anni successivi. In seguito, ha mantenuto questa abitudine prima di andare a letto, e posso assicurarvi che non ha i denti storti!

Prima di acquistare un succhiotto, applicate la stessa regola valida per le tettarelle: scegliete una forma a cui il bambino è abituato. Attualmente sul mercato ve ne sono circa una trentina di tipi diversi. Con questa varietà di scelta, care mamme, saprete di certo trovarne uno che assomigli ai vostri capezzoli o alla tettarella che usate per il biberon.

Elogio del pollice in bocca

Succhiarsi le dita delle mani è una forma importante di stimolazione orale e di comportamento autocalmante. Già nel ventre materno i bambini si succhiano il pollice, e una volta venuti alla luce cominciano a farlo – o a succhiarsi altre dita delle mani – di notte, spesso quando nessuno li vede. Il problema è che spesso a questo riguardo si ha un atteggiamento negativo che influenza la nostra percezione della cosa. Può darsi che da piccoli siate stati sgridati perché vi succhiavate il dito, magari un parente una volta vi ha schiaffeggiato la mano, definendola una «cattiva abitudine» o dicendo che voi (o qualcun altro) eravate «disgustosi» per averlo fatto. Ho sentito di genitori che mettevano i guanti ai bambini, che applicavano sulle dita una sostanza amara o che arrivavano a immobilizzargli le braccia, tutto per scoraggiare l'abitudine a succhiarsi il pollice.

Che vi piaccia o meno, il fatto è che i bambini succhiano ed è qualcosa che dovremmo incoraggiare. Cercate di essere obiettivi, ricordate che è una delle prime modalità con cui i neonati acquistano il controllo sul proprio corpo e sulle proprie emozioni. Quando scoprono di avere un pollice e che succhiandolo si sentono meglio, ciò dona loro un incredibile senso di potere e di realizzazione. Un ciuccio può svolgere la stessa funzione, ma è controllato da una persona adulta e si può perdere. Il pollice invece è sempre a portata di mano – perdonate il gioco di parole – e può essere tolto di bocca e ripreso come e quando il bambino vuole. Vi assicuro che anche il vostro piccolo smetterà di succhiarselo *quando si sentirà pronto*, proprio come ha fatto la mia Sophie.

Forza bimbi, è ora di svezzarsi!

Il termine «svezzamento» ha finito per indicare due cose diverse. Contrariamente a quanto molti pensano, infatti, non significa che il seno non produca più latte, ma piuttosto è una progressione naturale comune a tutti i mammiferi: il passaggio da una dieta liquida, sia essa a base di latte materno o artificiale, a cibi solidi. Spesso non è affatto necessario svezzare i bambini dal seno: con la graduale introduzione di cibi solidi essi assumono sempre meno latte perché vengono nutriti in altro modo. In effetti vi sono casi in cui il bambino – di sua spontanea volontà – comincia ad abbandonare il seno intorno agli otto mesi, e la madre si limita a dargli da mangiare col cucchiaino o usando una tazzina apposita. Altre volte, invece, i piccoli sono più tenaci. Trevor, un anno di vita, non era affatto intenzionato a smettere di poppare dal seno, benché entrambi i genitori fossero più che pronti. Dissi a sua madre, Eileen, di essere ferma nel dirgli: «Niente più tetta!» ogni volta che lui le tirava la maglietta, cosa che andò avanti per qualche giorno. Avevo avvisato sia lei sia il marito: «Ci saranno un paio di giorni in cui sarà un po' confuso e continuerà a cercare il seno. Dopo tutto, è stato allattato per più di un anno e non ha mai preso un biberon». Nel giro di pochi giorni, però, Trevor beveva volentieri dalla sua tazza. Un'altra mamma, Adrianna, aspettò due anni prima di dire al suo piccolino: «Niente più tetta!». Come succede spesso, non era una scelta del bambino, quanto piuttosto la sua riluttanza a rinunciare all'intimità data dall'allattamento al seno. (Alle pagine 329-331 fornisco maggiori dettagli sulla storia di Adrianna.)

La maggior parte dei pediatri consiglia di aspettare il sesto mese del bambino prima di iniziare a introdurre cibi solidi. Con l'eccezione di bambini molto grossi (dagli otto ai dieci chili circa al quarto mese) o di neonati sofferenti di riflusso esofageo – l'equivalente infantile del bruciore di stomaco –, sono d'accordo con loro. A partire dal sesto mese, il bambino ha bisogno del ferro in più presente nei cibi solidi, poiché la sua scorta naturale si è esaurita. Inoltre il riflesso di protrusione, che fa sì che il piccolo porti in fuori la lingua ogni volta che qualcosa (come il capezzolo o un cucchiaino) la tocca, scompare: in questo modo è in grado di ingoiare meglio alimenti molli. Infine, riesce a controllare con più facilità i movimenti della testa e del collo, a comunicare quando non è interessato a qualcosa o quando è stufo sdraiandosi sulla schiena e girando la testa.

Lo svezzamento può essere piuttosto semplice, purché seguiate queste tre regole fondamentali.

① * *Cominciate con un cibo solido.* Di solito preferisco le pere perché sono facilmente digeribili, ma se il pediatra vi consiglia diversamente – ad esempio la crema di riso –, seguite senza dubbio il suo parere. Proponete il nuovo alimento due volte al giorno, mattina e pomeriggio, per due settimane prima di introdurre un altro cibo solido.

② * *Introducete sempre il cibo nuovo al mattino.* In questo modo avrete tutta la giornata per capire se il bambino sviluppa una reazione allergica come esantemi, vomito o diarrea.

③ * *Non mescolate mai gli alimenti.* In questo modo saprete subito quale cibo può aver scatenato una reazione allergica.

Insegnate al bambino come comportarsi al seno

Intorno al quarto mese, i bambini cominciano a muovere le mani, girare la testa e il corpo. Mentre poppano, cercano di armeggiare con vestiti o gioielli, di afferrare il mento o il naso o perfino gli occhi della mamma se ci arrivano. Crescendo possono sviluppare altre «cattive» abitudini, che una volta iniziate sono difficili da cambiare. Perciò cominciate subito a insegnare al vostro bambino quelle che io chiamo «le buone maniere al seno». In ogni caso, il trucco è quello di essere ferme ma gentili, ricordandogli i limiti che avete stabilito. Cercate anche di allattare in un ambiente tranquillo, per limitare al massimo le distrazioni.

Se afferra vestiti o gioielli. Prendetegli la manina e allontanatela con delicatezza dal vostro corpo o da qualsiasi cosa stia toccando in quel momento, dicendo: «A mamma questo non piace».

Se si distrae troppo. La cosa peggiore è quando un bambino si distrae e cerca di girare la testa... col capezzolo della mamma in bocca. In questo caso *allontanatelo* dal seno dicendo: «A mamma questo non piace».

Se morde. Quando spuntano i primi dentini, quasi tutte le mamme vengono morse. Non dovrebbe succedere più di una volta, però. Non abbiate paura di reagire adeguatamente, allontanandolo e dicendo: «Ahi, fa male. Non mordere la mamma». Di solito questo è sufficiente, ma se non basta allontanatelo dal seno.

Se vi tira la maglietta. I bambini in età da primi passi che vengono ancora allattati spesso lo fanno quando vogliono essere tranquillizzati. Dite solo: «La mamma non vuole la maglietta su; non tirarla».

Nel box seguente, «Svezzamento: le prime dodici settimane», troverete un elenco dettagliato dei cibi da introdurre e in quali tempi. Quando il bambino ha raggiunto i nove mesi, è possibile aggiungere il brodo di pollo, usandolo per insaporire le creme di cereali, che da sole sanno di colla, o per diluire le verdure passate. Comunque, è meglio aspettare che il bambino abbia un anno per inserire nella dieta carne, uova o latte intero. L'ultima parola, però, spetta sempre al vostro pediatra.

Non forzate mai un bambino quando non vuole mangiare un certo alimento. Mangiare dev'essere un'esperienza piacevole per lui e per tutta la famiglia. Se siamo fortunati, le persone che si prendono cura di noi faranno in modo che possiamo riconoscere e apprezzare il sapore e la consistenza dei vari alimenti. Tutto ciò comincia nell'infanzia. L'amore per il cibo è uno dei regali più belli che possiate fare al vostro bambino. Non da ultimo, una dieta ben equilibrata gli darà l'energia necessaria ad affrontare la giornata, e come vedremo nel prossimo capitolo questo è un compito arduo per un bambino che sta crescendo.

Svezzamento: le prime dodici settimane

Settimana	Colazione	Pranzo	Cena
1 (6 mesi)	pera (2 cuc. da tè)	seno o biberon	pera (2 cuc. da tè)
2	pera (2 cuc. da tè)	seno o biberon	pera (2 cuc. da tè)
3	zucca (2 cuc. da tè)	seno o biberon	pera (2 cuc. da tè)
4	patate dolci (2 cuc. da tè)	zucchine (2 cuc. da tè)	pera (2 cucchiaini)
5 (7 mesi)	farina d'avena (4 cuc. da tè)	zucchine (4 cuc. da tè)	pera

N.B. Aumentate le quantità a seconda
dei bisogni del vostro bambino.

6	farina d'avena e pera (4 + 4 cuc. da tè)	zucchine (8 cuc. da tè)	farina d'avena e patate dolci (4 + 4 cuc. da tè)

N.B. Potete inserire più di un alimento a pasto.

Settimana	Colazione	Pranzo	Cena
7	pesca (8 cuc. da tè)	farina d'avena e zucchine (4 + 4 cuc. da tè)	farina d'avena e pera (4 + 4 cuc. da tè)
8 (8 mesi)	banana	N.B. Da questo momento in avanti potete mescolare a piacimento i cibi indicati, introducendo un nuovo alimento ogni settimana come mostrato a sinistra (8-12 cuc. da tè a pasto).	
9	carota		
10	piselli		
11	fagioli verdi		
12 (9 mesi)	mela		

N.B. Questo programma di dodici settimane è tarato sullo svezzamento di un bambino di sei mesi. Al mattino farete la poppata come al solito – al seno o col biberon –, e servirete la «colazione» due ore dopo. Il «pranzo» dovrebbe essere intorno a mezzogiorno e la «cena» nel tardo pomeriggio. Ricordate che ogni bambino è diverso: chiedete al pediatra ciò che è meglio per il vostro.

5

La «A» (*Activity*): sveglia!
(e un'occhiata al pannolino)

> «I neonati e i bambini piccoli pensano, osservano e ragionano. Esaminano ciò che vedono, traggono conclusioni, fanno esperimenti, risolvono problemi e cercano la verità. Certo, non lo fanno in modo cosciente, come degli scienziati. E i problemi per cui cercano una soluzione sono quelli di ogni giorno, su come è fatta la gente e gli oggetti e le parole, piuttosto che arcane questioni riguardanti stelle e atomi. Ma anche il bambino più piccolo conosce già molte cose sul mondo e si adopera attivamente per saperne di più.»
>
> Alison Gopnik, Andrew N. Meltzoff e
> Patricia K. Kuhl,
> *The Scientist in the Crib*

Le ore di veglia

Per i neonati ogni nuovo giorno è qualcosa di meraviglioso. Dal momento in cui escono dal ventre materno crescono in modo esponenziale, così come la loro capacità di esplorare e rimanere incantati da tutto ciò che li circonda. Pensateci un momento: quando il vostro piccolo aveva appena una settimana, era già sette volte più adulto del giorno in cui è nato; alla fine del primo mese era anni luce più avanti rispetto al suo primo giorno di vita e così via. Possiamo vedere questi cambiamenti perlopiù quando i neonati svolgono delle attività, intendendo con questo termine tutto ciò che fanno durante le ore di veglia e che stimoli uno o più dei loro sensi. (Mangiare è chiaramente un'attività, che stimola il senso del gusto del bambino, ma ho trattato questo argomento nel capitolo precedente.)

La percezione del bambino comincia a svilupparsi nel ventre materno. Gli scienziati, infatti, ritengono che i neonati riconoscano la voce della madre al momento della nascita per averla sentita – per quanto distorta – quando erano nell'utero. Una volta venuti al mondo, i cinque sensi continuano ad affinarsi in questo ordine: udito, tatto, vista, olfatto e gusto. Ora, può darsi che stare sdraiati su un fasciatoio mentre si viene cambiati, fare il bagnetto o venire massaggiati, fissare qualcosa che si muove o afferrare un animaletto di gomma non vi sembrino granché come attività. Ma è proprio attraverso queste cose che i neonati non solo affinano i loro sensi, ma cominciano anche ad apprendere chi sono e com'è il mondo che li circonda.

Negli ultimi anni molto è stato scritto sul modo in cui far rendere al massimo le potenzialità dei bambini; alcuni esperti consigliano di strutturare fin dalla nascita un ambiente tale da garantire loro il maggior vantaggio possibile. Mentre è assolutamente vero che i genitori sono i primi insegnanti, la mia preoccupazione è più quella di ispirare la curiosità naturale dei piccoli e di educarli che di dotarli di conoscenze: in altre parole, aiutarli a capire come funziona il mondo e a interagire con le persone.

A questo scopo, incoraggio i genitori a pensare a qualsiasi attività come a un'occasione per stimolare un senso di sicurezza e contemporaneamente di indipendenza: potrebbero sembrarvi due cose in contrasto tra loro, ma in realtà procedono di pari passo. Più un bambino – a qualsiasi età – si sente sicuro, più avrà voglia di avventurarsi all'esterno e di divertirsi senza bisogno di assistenza o di interferenze (tranne in caso di pericolo). Per questo motivo la «A» di E.A.S.Y. evidenzia proprio questo paradosso: *le attività aiutano a stabilire un legame col nostro bambino, ma allo stesso tempo danno l'occasione di offrire loro le prime lezioni di libertà.*

Si tratta di *fare* meno di quanto probabilmente pensiate. Ciò non vuol dire lasciarlo da solo, però, quanto piuttosto raggiungere un equilibrio tra fornire la guida e il supporto necessari e contemporaneamente rispettare il corso naturale dello sviluppo. In verità, quando un bambino è sveglio ascolta, sente, osserva, odora o assaggia qualcosa anche senza il vostro aiuto. Specialmente nei primi mesi, quando tutto è nuovo (e, per alcuni neonati, spaventoso), il vostro compito principale è quello di assicurarvi che ogni esperienza lo faccia sentire a suo agio e abbastanza sicuro da voler continuare a esplorare e crescere. Il modo giusto per farlo è quello di creare ciò che io chiamo un «cerchio di rispetto».

Come tracciare un «cerchio di rispetto»

Sia che lo prendiate dalla culla al mattino, che gli facciate il bagnetto o giochiate a cucù è di fondamentale importanza ricordarsi che il vostro bambino è una persona a sé, che merita la vostra totale attenzione e rispetto, ma che è anche in grado di agire indipendentemente. Vorrei che cercaste di visualizzare voi stessi mentre tracciate un cerchio intorno al vostro bambino, un limite immaginario che delinei il suo spazio privato. Non varcate mai questo limite senza chiedergli il permesso, senza dirgli perché volete entrare e spiegare che cosa vi accingete a fare. Potrebbe suonarvi macchinoso o sciocco, tuttavia ricordatevi che non si tratta solo di un bambino, ma anche di *una persona*. Se seguirete questi principi basilari – che spiegherò nei dettagli e illustrerò in questo capitolo – vi sarà facile e naturale mantenere il cerchio di rispetto in tutte le attività del vostro bambino.

* *State con il vostro bambino*. Rendetelo l'oggetto della vostra totale attenzione *in quel momento*. Si comincia con lo stabilire un legame, perciò concentratevi. Non parlate al telefono, lasciate perdere il bucato e cose poco importanti.

* *Deliziate i suoi sensi ma evitate di stimolarlo troppo*. La nostra cultura incoraggia gli eccessi e l'iperstimolazione, e i

genitori involontariamente contribuiscono al problema perché non valutano quanto siano delicati i sensi di un bambino o quanto i neonati assorbano davvero (vedi il box successivo). Non sto dicendo che dovreste smettere di cantare e suonare per loro, di mostrargli oggetti colorati o di comprargli giocattoli, ma è sempre meglio poco che tanto.

* *Fate in modo di creare un ambiente interessante, piacevole e sicuro.* Non è necessario spendere tanti soldi, usate il vostro buon senso (vedi pp. 183-196).

* *Stimolate la sua indipendenza.* Potrebbe suonare un'affermazione strana: come può un bambino essere indipendente? Certo, non può stare da solo nel senso vero e proprio, ma voi potete cominciare ad aiutarlo a raggiungere la confidenza necessaria per avventurarsi all'esterno, a esplorare e a giocare da solo. Perciò, quando il vostro bambino sta giocando, è sempre meglio osservare prima di interagire.

* *Ricordatevi di parlare con lui, e non a lui.* Un dialogo implica un processo a due vie: ogni volta che il bambino è impegnato in una qualche attività, voi osservate e ascoltate, aspettando la sua risposta. Se cerca di coinvolgervi è ovvio che dovete assecondarlo. Se «chiede» un cambio di scenario, altrettanto. Altrimenti, lasciatelo esplorare.

* *Impegnatelo e ispiratelo, ma lasciate che sia lui a decidere.* Non sistemate mai un bambino in una posizione in cui non possa stare (e da cui non possa togliersi) da solo. Non dategli giocattoli che esulano dal suo «triangolo di apprendimento» (altri dettagli alle pp. 183-192).

Dal momento in cui si sveglia al mattino fino a quando lo mettete a letto la sera, ricordatevi queste regole. Tutti, compreso il vostro bambino, meritano di avere uno spazio personale. Più avanti, guidandovi attraverso la sua giornata, vedrete il risultato di ognuno di questi principi.

Il vostro bambino sa più di quel che pensate

Soprattutto negli ultimi vent'anni circa, anche grazie al «miracolo» del videoregistratore, gli studiosi dell'infanzia hanno potuto scoprire quanto i bambini siano in grado di elaborare tutto ciò che li circonda. Se un tempo si pensava a un neonato come a una «tabula rasa», oggi sappiamo che viene al mondo con dei sensi acutissimi e una gamma di capacità che si accresce velocemente e che lo fa osservare, pensare e perfino ragionare. Osservando le espressioni del viso dei neonati, il loro linguaggio corporeo, il movimento degli occhi e il riflesso di suzione (i bambini tendono a succhiare di più quando sono eccitati) gli studiosi hanno trovato conferma delle loro incredibili abilità. Qui di seguito ho elencato alcune di queste scoperte scientifiche; ne troverete altre sparse un po' in tutto questo capitolo.

* *I neonati sono in grado di distinguere un'immagine dall'altra.* Già nel 1964, alcuni scienziati avevano scoperto che essi non continuavano a fissare per lungo tempo immagini ripetute, mentre quelle nuove catturavano la loro attenzione.

* *I neonati flirtano.* Fanno versetti, sorridono e gesticolano seguendo il ritmo dell'intonazione della vostra voce.

* *I neonati di tre mesi sono già in grado di formarsi delle aspettative.* In laboratorio, dopo aver osservato alcune serie di immagini, sapevano ricostruire le sequenze e muovevano in anticipo gli occhi verso l'immagine successiva, segnalando che la stavano aspettando.

* *I neonati ricordano.* È stato provato che la memoria esiste già nei neonati di cinque settimane. In una di queste ricerche, un gruppo di bambini che erano stati testati da piccoli – tra le sei e le quaranta settimane di vita – venne riportato nello stesso laboratorio a quasi tre anni: tutti, benché non usassero le parole per descrivere i loro ricordi dell'esperienza precedente, espressero familiarità con il compito che veniva loro richiesto (prendere degli oggetti alla luce e al buio).

Sveglia, piccolo! Sveglia!

Come vi sentireste se al mattino il vostro partner entrasse in camera da letto mentre state per lasciare il mondo dei sogni e vi tirasse via le coperte? Supponete poi che vi urlasse: «Forza, è ora di alzarsi!». Non ne sareste spaventati e infastiditi? I neonati provano la stessa cosa se i genitori non fanno in modo che la loro giornata cominci nel modo giusto.

Quando vi avvicinate al lettino e salutate il vostro bambino al mattino, cercate di essere gentili, sereni e premurosi. Di solito io entro nella stanza canticchiando una canzone contadina inglese, «*Good morning, good morning, we danced the whole night through, good morning!* [Buon giorno, buon giorno, abbiamo ballato tutta la notte, buon giorno!]». Scegliete qualsiasi motivo allegro, purché identifichi chiaramente questo momento della giornata. Oppure inventatevene uno, ad esempio – come ha fatto Beverly – usando la notissima melodia di *Happy Birthday* ma cambiando le parole in «*Good morning to you...*». Dopo aver cantato, generalmente dico: «Hey, Jeremy, hai dormito bene? È bello vederti. Devi essere affamato». Mentre mi chino per prenderlo, lo avviso: «Ora ti tiro su... Ecco: uno, due, tre, eccoci qua!». Più avanti nella giornata, magari dopo il sonnellino, aggiungo: «Scommetto che ti senti meglio dopo un bel riposino. Che stiracchiamento!». Anche in questo caso, però, prima di prenderlo in braccio avvisatelo, come avete fatto al mattino.

Certo, a prescindere da come *voi* lo accogliete al mattino, il vostro piccolo fagottino adorato ha le sue idee in proposito. Proprio come gli adulti, anche i bambini hanno atteggiamenti diversi nei confronti del risveglio: alcuni si alzano col sorriso sulle labbra, mentre altri sono imbronciati o addirittura piangono; alcuni sono subito pronti ad accogliere il nuovo giorno, mentre altri hanno bisogno di un po' di incoraggiamento.

Ecco un breve riassunto di ciò che potete aspettarvi dai diversi tipi.

Angelici. Tutti sorrisi e versetti, i bambini di questo tipo sembrano perennemente contenti di stare dove sono. A meno che siano particolarmente affamati o che abbiano il pannolino zuppo, giocano tranquilli nella loro culla finché qualcuno viene a prenderli. In altre parole, è raro che superino il primo allarme-sveglia.

Da manuale. Se non li prendete quando danno il primo allarme-sveglia, vi faranno sapere di essere svegli con piccoli rumori rabbiosi (il secondo allarme-sveglia) che significano: «Vieni qui». Se lo fate, dicendo anche: «Sono qui, non vado da nessuna parte», allora si tranquillizzano. Se invece non comparite, fanno suonare forte e chiaro il terzo allarme-sveglia.

I tre livelli di allarme-sveglia

Vi sono bambini che si svegliano e si divertono da soli, non superando mai la prima fase di allarme-sveglia: sono felici di starsene nella loro culla finché qualcuno viene a prelevarli. Altri invece passano velocemente tutte e tre le fasi, non importa quanto siate rapidi ed efficienti.

Allarme 1: è un suono stridente o nervoso, accompagnato da irrequietezza. Significa: «Hey? C'è nessuno? Perché non venite a prendermi?».

Allarme 2: è un pianto simile a un colpo di tosse nella parte inferiore della gola, che si ferma e poi ricomincia. Quando si ferma, significa che il bambino vi sta aspettando. Se non comparite, cerca di dirvi: «Hey, vieni qui!».

Allarme 3: è un pianto vero e proprio, accompagnato da movimenti delle braccia e delle gambe. «Vieni subito! Non sto scherzando!»

Sensibili. Questi piccolini si svegliano quasi sempre piangendo. Poiché hanno bisogno di essere rassicurati, spesso fanno suonare le tre sequenze di allarme-sveglia in rapida successione. Incapaci di tollerare il fatto di essere lasciati nella culla per più di cinque minuti, è facile che vadano in crisi se non comparite all'allarme-sveglia 1 o 2.

Vivaci. Sono tipi molto attivi ed energici, e spesso saltano la fase dell'allarme-sveglia 1 per passare direttamente al secondo. Si innervosiscono e si contorcono, emettendo dei piccoli gridolini simili a colpetti di tosse che, se a quel punto non comparite, si trasformano in pianto.

Scontrosi. Non amano essere bagnati o a disagio, quindi fanno scattare i tre allarmi piuttosto velocemente. Potete scordarvi di riuscire a strappargli un sorriso mattutino: che vi mettiate sulla testa o facciate i salti mortali, questi bambini non ve lo concederanno.

È interessante notare che il comportamento che i neonati hanno al risveglio spesso è lo stesso che avranno una volta adulti. Ricordate quando vi ho detto che la mia Sophie era così calma e di buon umore al mattino che spesso temevo avesse smesso di respirare? Be', ancora oggi al risveglio è una vera delizia, si sveglia senza problemi e balza dal letto. Sua sorella, invece, una bambina del tipo «vivace» che spesso si svegliava nervosa, ancora oggi ha bisogno di un po' di tempo per riemergere da una notte di sonno. A differenza di Sophie, che è subito in grado di fare conversazione, Sara preferisce parlare *lei* per prima, invece di essere travolta dal mio chiacchiericcio sui programmi della giornata.

Vestizione e cambio del pannolino

Spesso, quando tengo le mie lezioni ai genitori, chiedo loro di sdraiarsi per terra con gli occhi chiusi. Poi, senza preavviso, scelgo uno degli uomini e sollevo le sue gambe, portandogliele sopra la testa. Non c'è bisogno che vi dica che il papà prescelto è piuttosto spaventato. Quando gli altri si rendono conto del mio operato, pensano che sia una cosa buffa e tutti ci facciamo una bella risata. Ma poi spiego il motivo del mio strano comportamento: è così che si sente un neonato quando gli cambiate il pannolino senza avvisarlo né dargli spiegazioni. In realtà, avete invaso il suo «cerchio di rispetto». Se invece avessi detto a quel papà: «John, tra un attimo solleverò le tue gambe», lui non solo avrebbe potuto prepararsi al mio tocco, ma avrebbe anche percepito che i suoi sentimenti venivano presi in considerazione. Io riservo sempre la stessa attenzione anche ai bambini.

Gli studiosi hanno verificato che ci vogliono tre secondi perché il cervello dei bambini registri il vostro tocco. Per loro, quindi, avere le gambine sollevate, la parte inferiore del corpo nuda e il sederino strofinato è qualcosa di spaventoso, ancor più poi se dell'alcool freddo viene applicato sul cordone ombelicale. Altre ricerche, peraltro, hanno dimostrato che i bambini hanno un olfatto molto sviluppato: perfino i neonati allontanano il volto da uno strofinaccio di cotone imbevuto di alcool, e a una settimana di vita usano l'olfatto per riconoscere la madre. Mettete insieme tutto questo, e capirete che, ogni volta che il suo spazio viene invaso, il vostro bambino è profondamente consapevole che *qualcosa* sta succedendo, anche se magari non è in grado di esprimerlo chiaramente.

Il punto è che la maggior parte dei bambini piange quando si trova sul fasciatoio perché ciò che fate gli risulta sconosciuto e/o non gli piace, proprio per niente. Quello che davvero voglio dire è: che cosa vi aspettereste, visto che si trovano nella posizione più vulnerabile ed esposta, cioè con le gambe aperte? Come vi sentite *voi* quando siete nello studio del ginecologo con le gambe divaricate? Lo dico sempre al mio dottore: «Ho bisogno di sapere esattamente quel che stai facendo lì sotto». I bambini non sanno ancora le parole per *chiedere* di calmarci o di rispettare il loro confine, ma il loro pianto equivale a questo.

Pannolini: carta o tessuto?

Benché ci sia stato un ritorno dei pannolini in tessuto, la stragrande maggioranza dei genitori preferisce ancora quelli usa e getta. È una libera scelta, ma io consiglio quelli in tessuto perché sono più economici, più morbidi a contatto con la pancia del bambino e non danneggiano l'ambiente.

Alcuni bambini poi hanno reazioni allergiche ai granuli assorbenti contenuti nei pannolini di carta, che spesso vengono prese per esantemi: la differenza è che questi ultimi sono localizzati – di solito intorno all'ano –, mentre nel caso di allergie l'eruzione cutanea copre l'intera area del pannolino fino alla cintola.

Un altro problema dei pannolini usa e getta è che sono così assorbenti ed espletano talmente bene la loro funzione di trattenere l'urina che solo i bambini «scontrosi» sembrano accorgersi di essere bagnati. Se ci sono bambini di tre anni non ancora abituati al vasino, a volte la colpa è proprio di questi pannolini che non consentono di accorgersi quando si è bagnati.

Una precauzione da usare con quelli di tessuto: siate accorti nel controllare se sono bagnati, perché possono causare esantemi.

Quando una mamma mi dice: «Edward odia il fasciatoio», io rispondo: «Non odia il tavolo, tesoro, ma quello che *succede* lì sopra. Probabilmente devi rilassarti un attimo e parlare con lui». Inoltre, mentre cambiate il pannolino – come per qualsiasi attività – dovete concentrarvi su quanto state facendo. Per carità, evitate di tenere il telefono portatile pericolosamente pencolante tra l'orecchio e la spalla; cercate di vedere la cosa dal punto di vista del vostro bambino, immaginando il vostro aspetto mentre vi chinate su di lui (per non parlare del fatto che il telefono potrebbe colpirlo in testa): quello che gli state «dicendo» è: «Ti sto ignorando».

Quando cambio il pannolino ai bambini cerco sempre di mantenere un dialogo costante: mi chino su di loro, con il viso a circa 30-35 centimetri di distanza – tenendo la testa dritta, mai inclinata, perché così vedono meglio – e parlo per tutta la durata dell'operazione: «Ora ti cambio il pannolino. Sdraiamoci un attimo qui, così posso toglierti le mutandine». Continuo a parlare, in modo che sappiano cosa sto facendo. «Ora ti sto slacciando il body. Ecco fatto. Ooh, guarda che cose meravigliose ci sono qui. Adesso ti sollevo le gambine, così... Sto aprendo il pannolino... Oh, vedo che qui dentro c'è un piccolo pacchettino per me... Ora ti strofino un attimo.» Con le bambine faccio attenzione a pulirle dall'alto verso il basso, mentre ai maschietti metto un asciugamano sul pisellino per evitare spruzzi di pipì in piena faccia! Se cominciano a piangere, chiedo: «Sto andando troppo veloce? Ora rallento».

Un consiglio. *Quando il bambino è nudo, posate delicatamente la mano – o anche un pupazzo o un animaletto di gomma – sul suo petto: questo piccolo peso extra lo aiuterà a sentirsi meno esposto e vulnerabile.*

Devo anche dire che a volte occorre procedere un po' più *velocemente* quando il bimbo si trova sul fasciatoio: ho visto genitori impiegare venti minuti per cambiare un pannolino, ed è decisamente troppo. Infatti, se pensate che un neonato viene cambiato prima dei pasti, poppa per quaranta minuti, poi viene cambiato di nuovo dopo aver mangiato, il tempo necessario per queste operazioni raggiunge l'ora e venti minuti: questo influisce negativamente sul momento dedicato al gioco e all'attività, sia perché il piccolo ha meno tempo a disposizione sia per lo stress e la spossatezza (è molto facile che non ami essere cambiato).

Un consiglio. *Per le prime tre o quattro settimane, fate scorta di camicine da notte poco costose che si allaccino in alto e si aprano dal basso, in modo da avere comodo accesso al pannolino. All'inizio è facile che vi sia qualche fuoriuscita, e avere a portata di mano un po' di camicine in più può farvi risparmiare tempo e nervosismo.*

Potreste metterci anche qualche settimana, ma dovreste arrivare al traguardo dei cinque minuti per un cambio di pannolino. La chiave è avere tutto a portata di mano: barattoli di crema e salviettine aperti, pannolini spiegati e pronti a essere infilati sotto il sederino del bambino, il cestino dei rifiuti nelle vicinanze.

Un consiglio. *Quando mettete il piccolo sul fasciatoio per il primo cambio, sistemate sotto un pannolino pulito. Aprite quello sporco senza rimuoverlo prima di aver pulito l'area genitale e anale. Quando avete finito, toglietelo e quello pulito sarà già pronto nella giusta posizione.*

Se nessuno dei segreti del mestiere dovesse riuscire a calmare il vostro bambino, provate a cambiarlo in grembo: molti lo preferiscono, e oltre tutto vi risparmierete la fatica di stare piegati sul fasciatoio.

Troppi giochi, troppi stimoli

Okay, ragazzi, il vostro bambino ha fatto il suo primo pasto, ha un pannolino pulito addosso ed è ora di giocare. Ecco il punto che confonde molti genitori, i quali o minimizzano l'importanza del gioco – senza rendersi conto che il piccolo impara molto anche solo fissando qualcosa –, oppure vanno fuori di testa e si piazzano di fronte a lui per tutto il tempo blandendolo, mostrandogli giocattoli o facendogli dondolare davanti agli occhi oggetti di tutti i tipi. Nessuno dei due estremi va bene. A giudicare dai genitori che incontro, la maggior parte tende verso quest'ultimo – cioè verso un coinvolgimento eccessivo –, motivo per cui ricevo sempre telefonate tipo quella di Mae, mamma di Serena (tre settimane):

«Tracy, che succede a Serena?» si lamenta. Si sente il pianto disperato di un bambino, e in sottofondo la voce di Wendell, il papà assillato, che cerca invano di calmarla.

«Be'» rispondo, «dimmi che cos'è successo *prima* che iniziasse a piangere.»

«Stava solo giocando» spiega Mae con aria innocente.

«Che tipo di gioco?» Ricordate che stiamo parlando di una neonata di tre settimane, non di una bambina già in grado di camminare.

«L'abbiamo tenuta un po' nella sdraietta, ma poi è diventata nervosa e così l'abbiamo messa nel seggiolino.»

«E poi?»

«Neppure questo le piaceva, così l'abbiamo messa su una coperta e Wendell cercava di leggerle qualcosa» continuò. «Ora pensiamo che sia stanca, ma non vuole andare a dormire.»

Quello che Mae non dice – forse perché pensa sia irrilevante – è che la sdraietta fa anche dei suoni musicali, che il seggiolino vibra e che la coperta è parte di un insieme che comprende un oggetto a colori forti – rosso, bianco e nero – che si muove sulla testa della bambina. Come se non bastasse, papà tiene un libro illustrato proprio di fronte al suo visino.

Pensate che stia esagerando? No davvero, ragazzi. Ho visto scene del genere in moltissime delle case che ho visitato.

«Credo che la vostra signorina sia semplicemente troppo stimolata» dico gentilmente, cercando di spiegare loro che la povera piccola era stata esposta a una serie di input – dal suo punto di vista di neonata – che equivalgono a passare una giornata a Disneyland!

«Ma a lei piacciono i *suoi* giocattoli» protestano i genitori.

Visto che non sono il tipo che si mette a discutere, in questi casi propongo sempre la mia regola base: *mettete da parte tutto ciò che si muove, tintinna, tremola, dondola, trilla o vibra.* Consiglio di provare anche per due o tre giorni soltanto, per vedere se il bambino si calma (e di solito è così, a meno che non ci sia qualcos'altro che non va).

A che cosa è sensibile il vostro bambino?

Sentire (udito)	parlare
	mormorare
	cantare
	battito cardiaco
	musica
Vedere (vista)	carte bianche e nere
	materiale a strisce
	oggetti in movimento
	visi
	ambiente circostante
Toccare (tatto)	contatto con pelle, labbra, capelli
	essere stretti al seno
	massaggi
	acqua
	matasse/tessuti di cotone
Annusare (olfatto)	esseri umani
	odori di cucina
	profumo
	aromi
Assaggiare (gusto)	latte
	altri cibi
Movimenti	essere cullato
	essere portato in braccio
	essere dondolato
	essere trasportato
	(in passeggino, in macchina)

Purtroppo i genitori di Serena – come la maggior parte dei genitori moderni – sono vittime della nostra cultura. Con alcuni milioni di nuove nascite all'anno in Europa, gli articoli per l'infanzia hanno dato vita a vere e proprie industrie. Ogni anno vengono spesi miliardi di euro nel tentativo di convincerci che è necessario creare un «ambiente» adatto ai nostri bambini, e i genitori dedicano tempo ed energie a questo «compito». Infatti, pensano che se il figlio non viene costantemente intrattenuto sia in qualche modo trascurato per il fatto di non ricevere sufficienti «stimoli intellettuali». E se, per un miracolo, non sono di questo parere, lo fanno gli amici e i conoscenti: «Vuoi dire che non hai comprato a Serena il *baby bouncer* per la porta?» hanno domandato quelli di Mae e Wendell in tono accusatorio, come se la figlia potesse crescere deprivata per questo. Sono vere e proprie sciocchezze!

Certo che possiamo suonare e cantare per i nostri bambini; certo che possiamo mostrar loro oggetti dai colori vivaci e perfino comprargli dei giocattoli. Ma quando facciamo troppe cose insieme e offriamo loro troppe alternative, li *iperstimoliamo*. È già abbastanza difficile essere usciti dall'ambiente morbido e confortevole dell'utero – alcuni neonati devono aprirsi a fatica la strada attraverso lo stretto canale del parto, altri vengono letteralmente «strappati» dal ventre materno – per ritrovarsi nella violenta luce fluorescente della sala parto. Sul loro cammino incontrano ferri chirurgici, medicine e un gruppo di mani che li spingono, li pizzicano e li strofinano, di solito nel giro di pochi secondi dopo la nascita. Come ho sottolineato nel primo capitolo, ogni bambino è un caso a sé, ma quasi tutti devono sopportare una «tempesta» di questo genere. Per quelli più sensibili, la nascita stessa offre più stimoli di quanto siano in grado di sopportare.

Aggiungete i normali rumori e la vista di oggetti della vita domestica: tv, radio, cani o gatti, macchine che passano, aspirapolvere, tagliaerba e innumerevoli altri apparecchi. Calcolate infine la vostra voce, permeata da eventuali ansie, i versetti e i sussurri dei vostri genitori e suoceri o di altri visitatori e... wow! La situazione diventa difficile da gestire se avete una massa di nervi e di muscoli che non supera i quattro chili. E ora ci si mettono anche mamma e papà, che si piantano di fronte a voi chiedendovi di *gioca-*

re: è più che sufficiente per far piangere anche un bambino «angelico».

> **«Abituare i bambini ai rumori domestici»:**
> **un'altra leggenda**
>
> Ai genitori si dice spesso che è una buona idea abituare i bambini ai rumori forti. Io vi chiedo: vi piacerebbe se entrassi in camera vostra in piena notte, mentre state dormendo, con la musica a tutto volume? Sarebbe una mancanza di rispetto. Perché allora essere meno rispettosi nei confronti del vostro bambino?

Crescere all'interno del triangolo di apprendimento

Cosa intendo esattamente per «gioco»? Be', dipende da quello che il vostro bambino è in grado di *fare*. Ora, la maggior parte dei libri vi fornirà criteri per la scelta dei giocattoli legati alla fascia d'età, ma io sono contraria. Non è che simili tracce non siano utili, anzi è bene sapere che cosa è tipico delle varie fasi di crescita; in realtà è così che io organizzo le mie lezioni «La mamma e io», per i neonati fino a tre mesi, da tre a sei, da sei a nove e da nove a un anno. Il problema è che molti genitori non si rendono conto che tra bambini *normali* esistono differenze enormi quanto a capacità e consapevolezza. Lo vedo ogni giorno nei miei gruppi: invariabilmente, una delle madri – che ha letto da qualche parte che il suo bimbo di quattro mesi dovrebbe già girarsi su se stesso – all'improvviso si allarma. «Oh no, Tracy, vuol proprio dire che è lento» mi dice mentre il piccolo se ne sta assolutamente immobile. «Come posso insegnargli a girarsi?»

Io credo che in questi casi non bisogna assolutamente esercitare alcun tipo di pressione. Quello che dico sempre ai genitori è che il loro bambino è un *individuo*: le statistiche nei libri non possono tener conto delle peculiarità e delle differenze che esistono tra persona e persona. Questo tipo di riferimenti servono solo come *guida* generica; il vostro bimbo raggiungerà i vari stadi evolutivi con i suoi tempi.

Oltre tutto, i bambini non sono cani: non dovete «allenarli». Rispettare il vostro piccolo vuol dire permettergli di crescere senza forzarlo o entrare in crisi se non è come il figlio della vostra amica o non corrisponde alla descrizione di qualche manuale. Lasciate che sia lui a condurre il gioco, Madre Natura ha un piano logico e meraviglioso. Se girate il piccolo su se stesso prima che sia in grado di farlo da solo, non imparerà per questo a farlo più velocemente. In realtà non lo fa ancora perché non ha sviluppato le necessarie capacità fisiologiche: sospingendolo rischiate di rendergli la vita più stressante di quel che dovrebbe essere.

Perciò il mio suggerimento è che i genitori si mantengano sempre all'interno del «triangolo di apprendimento» del proprio bambino, ovvero gli presentino dei compiti fisici e mentali che egli possa eseguire – traendone piacere – *da solo*. Per esempio, quasi tutti i neonati che visito hanno in camera una scorta di sonagli: d'argento, di plastica, a forma di «O» e di paperelle o di campane. Bene, *nessun* sonaglio è indicato per un bambino così piccolo, perché non può ancora afferrarlo. I genitori finiscono per sventolarglielo in faccia, ma lui di certo non potrà giocarci. Ricordate la mia regola base: *quando il vostro bambino ha un giocattolo in mano, state a osservare invece di intervenire.*

Per sapere che cosa rientra nel suo triangolo di apprendimento, considerate le sue possibilità del momento, cioè quello che è *in grado* di *fare*. In altre parole, invece di guardare che cosa si dovrebbe fare a quell'età secondo questo o quel manuale, *osservatelo*. Se rimarrete all'interno di quest'area, il bambino acquisirà competenze in modo naturale, seguendo il proprio ritmo.

Dal primo giorno

È impossibile perfino per gli studiosi sapere il momento *preciso* in cui comincia la comprensione infantile, perciò a partire dalla nascita del vostro bambino dovreste:

* Spiegargli tutto quello che fate per lui.

* Parlargli delle vostre attività quotidiane.

* Mostrargli fotografie di famiglia e nominargli le persone.

* Indicare e individuare alcuni obiettivi («Vedi il cagnolino?», «Guarda, un altro bimbo come te»).

* Leggergli libri semplici e guardare le figure.

* Suonare musica e cantare per lui (vedi il box successivo per dettagli specifici).

Quando osserva e ascolta. Per le prime sei, otto settimane circa, il bambino è una creatura che ascolta e osserva, ma diventa sempre più attento e consapevole dell'ambiente circostante. Anche se il suo campo visivo va dai 20 ai 30 centimetri, è in grado di vedervi e potrebbe perfino regalarvi un sorriso o un versetto: in questo caso, prendetevi un attimo di tempo per rispondergli. I ricercatori hanno provato che alla nascita i neonati possono distinguere i volti e le voci umane da altre visioni o suoni, e che le preferiscono. Nel giro di pochi giorni, quindi, riconoscono i visi (e le voci) familiari e scelgono di guardare questi piuttosto che immagini sconosciute.

Quando il bambino non è occupato a guardarvi in volto, è possibile che fissi particolarmente volentieri delle linee. Come mai? Ai suoi occhi le linee rette appaiono in movimento, perché la retina non è ancora fissata. Non è necessario comprare un set di carte colorate per farlo divertire: con un pennarello nero tracciate delle linee rette su un cartoncino bianco. Questo gli fornirà un fuoco, importante per la sua visione ancora confusa e bidimensionale.

Se desiderate comprare un giocattolo per il nuovo arrivato, una scatola che ricrei i rumori del grembo materno da mettere nella culla è qualcosa che potete acquistare anche durante la gravidanza. Con un neonato, comunque, il mio consiglio è sempre quello di tenere nella culla uno o due giocattoli al massimo, da usare a rotazione quando vi accorgete che si è stufato di uno. Cercate di essere consapevoli dell'impatto dei colori su di lui: quelli primari sono stimolanti, mentre quelli pastello calmano. Sceglieteli a seconda del momento della giornata, evitando di mettergli vicino un cartoncino rosso e nero quando è pronto per un sonnellino.

Musica per diventare grandi

I bambini amano la musica, ma anche questa deve essere adeguata alla loro età. Alla fine delle mie lezioni «La mamma e io», faccio sempre ascoltare della musica in questo modo:

Fino a tre mesi: faccio sentire solo ninnenanne, musica soft e rilassante, niente del genere «filastrocche per bambini». Una delle raccolte che uso, *A Child's Gift of Lullabies*, è disponibile anche su CD e cassette. Se avete una bella voce, cantate assolutamente la «vostra» ninnananna.

Fino a sei mesi: faccio sentire solo *una* canzone alla fine delle lezioni, di solito una semplice filastrocca, come «Eensy Weensy Spider», «The Wheels on the Bus», «Baa Baa Black Sheep», «I'm a Little Teapot».

Fino a nove mesi: faccio ascoltare tre di queste filastrocche, ma una volta sola.

Fino a dodici mesi: aggiungo una canzone nuova – per un totale di quattro – e le faccio sentire ognuna due volte. Ora è anche possibile introdurre i gesti.

Quando acquisisce il controllo della testa e del collo. Una volta che il bambino è in grado di girare la testa – di solito nel corso del secondo mese di vita – e di muoverla da parte a parte, magari sollevandola anche un pochino – in genere con il terzo mese –, può controllare meglio anche il movimento degli occhi: potreste sorprenderlo mentre si guarda le manine. In laboratorio è stato dimostrato che anche i neonati di un mese sanno imitare le espressioni facciali: se un adulto tira fuori la lingua lo fa anche il bambino; se apre la bocca, lo stesso. È questo il momento buono per acquistare delle piccole giostrine mobili che si possono spostare dalla culla all'area gioco: so bene che è la prima cosa che la maggior parte dei genitori acquista, ma prima dei due mesi di vita costituisce soltanto un ornamento. I bambini amano girare la testa (spesso verso destra), quindi non posizionatele direttamente sulla loro linea visiva ma neppure più lontano di 30 centimetri circa. A quest'epoca – intorno alle otto settimane – il vostro bambino comincia a vedere in tre dimensioni, tiene una postura leggermente più eretta e ha quasi sempre le mani aperte, afferrandosele come per caso. È anche in grado di ricordare e prevedere con più precisione che cosa succederà in seguito. Infatti, a due mesi i neonati riconoscono e ricordano persone viste il giorno precedente. Presto comincerà a dimenarsi deliziato alla vostra vista e a seguire con gli occhi i vostri movimenti nella stanza.

Mentre le linee rette divertono fino a quattro settimane, a otto settimane i neonati sorridono ai disegni che raffigurano volti umani. Ora potete adattare i vostri cartoncini colorati disegnandovi sopra linee curve, cerchi e semplici figure come una casa o una faccia sorridente. È possibile anche mettere uno specchietto nella culla: quando il piccolo sorride, lo specchio gli rimanda il sorriso. Comunque, ricordate che anche se ama fissare le cose, non ha ancora la mobilità necessaria a spostarsi dall'oggetto una volta che questo non lo interessa più. Siate accorti: se comincia a diventare nervoso, sta cercando di dirvi: «Sono stufo»; accorrete prima di ritrovarvi tra le mani un bambino urlante.

Quando afferra gli oggetti. Qualsiasi cosa – compreso il proprio corpo – affascina un bambino che è in grado di afferrare gli oggetti, cosa che si verifica intorno ai tre mesi. E qualsiasi oggetto finisce in bocca. Ora il piccolo può anche sollevare il mento e fare dei piccoli gorgheggi. Il suo passatempo preferito siete voi, ma vanno bene anche altre cose semplici e reattive, che fanno rumore, come i sonaglini, o che sono piacevoli al tatto, come i pupazzetti di gomma. I neonati amano esplorare e si emozionano quando riescono a provocare una qualche reazione. Osservate il vostro bambino quando agita un sonaglino: i suoi occhi sono spalancati, perché comprende le relazioni di causa ed effetto. Tutto ciò che si muove, quindi, gli dà un grande senso di realizzazione. Adesso è molto più reattivo di quanto non fosse solo poco tempo fa – sarete deliziati dai suoi continui versetti – e d'ora in avanti non farà che migliorare. Sa anche come attirare la vostra attenzione quando è stufo: lascerà cadere il giocattolo, farà un verso simile a un colpo di tosse nella parte posteriore della gola o emetterà un piccolo gridolino innervosito.

Quando si gira su se stesso. La capacità di girarsi su un fianco, che si manifesta tra la fine del terzo e il quinto mese, è l'inizio della mobilità del bambino. Prima che ve ne accorgiate il vostro piccino comincerà a farlo su entrambi i lati, e il divertimento comincia. Continuerà ad amare i giocattoli che fanno rumore, ma potete anche dargli oggetti di uso comune come un cucchiaio. Questi semplici articoli saranno per lui fonte di continua delizia: osservatelo mentre tiene in mano un piatto di plastica, lo gira da una parte e dall'altra, lo spinge via e lo riafferra. È come uno scienziato in miniatura, che esplora continuamente. Un'altra cosa che lo diverte è giocare con piccole forme geometriche come cubi, sfere o triangoli; che ci crediate o meno, girandole e rigirandole cerca di capire come sono fatte e di sentire le differenze. Da alcune ricerche sappiamo che i bambini molto piccoli sono in grado di distinguere le forme geometriche con la bocca. Perfino a un mese di vita, in laboratorio sono stati visti abbinare immagini visive a sensazioni tattili; se poi veniva data loro una tettarella irregolare oppure liscia e subito dopo venivano mostrate fotografie di oggetti irregolari e lisci, è risultato che osservavano più a lungo l'oggetto che aveva la stessa forma di quello che avevano succhiato.

Quando sta seduto. I bambini non possono stare seduti finché il corpo non si sviluppa abbastanza in confronto alla testa (di solito intorno ai sei mesi); prima di questo momento sarebbero sbilanciati dal suo peso eccessivo. Quando sono in grado di stare seduti da soli, cominciano a sviluppare il senso della profondità: dopo tutto, il mondo ha un aspetto ben diverso visto da seduti e da proni. Ora il piccolo è anche capace di trasferire un oggetto da una mano all'altra, e può indicare ed esprimersi a gesti. La curiosità lo spingerà a muoversi verso le cose, anche se dal punto di vista fisico non è ancora in grado di farlo. *Lasciatelo esplorare per conto suo.* A questo punto ha il controllo della testa, delle braccia e del torace, ma gli manca quello delle gambe; così può succedere che si pieghi improvvisamente in avanti per raggiungere l'oggetto desiderato, finendo a pancia in giù a causa del peso ancora preponderante della testa. Le braccia e le gambe si muoveranno per aria, come se stesse volando. I genitori spesso si precipitano non appena il bambino manifesta il minimo accenno di nervosismo e, invece di aspettare e osservare, gli danno il giocattolo tanto agognato. Io dico: fermatevi! Non offritegli subito ciò che vuole, state indietro e piuttosto incoraggiatelo. Gli darete sicurezza in se stesso se lo premierete con un: «Ben fatto. Ci sei quasi riuscito». Con giudizio, però: ricordatevi che non state allenandolo per le Olimpiadi, ma solo mostrandogli sostegno in quanto genitori. Solo dopo che ha tentato di raggiungere il giocattolo desiderato, *potete* offrirglielo.

Cercate di usare giochi semplici che lo aiutino a migliorare un certo movimento, come un pupazzo nella scatola che salti fuori quando il bambino schiaccia il tasto giusto. I giocattoli di questo tipo sono i migliori, perché ai bambini piace rendersi conto di poter «provocare» delle conseguenze. In questa fase potreste essere tentati di comprargli molte cose, ma cercate di trattenervi; ricordatevi che pochi è meglio che tanti e che parecchie delle cose che vorreste prendere *non lo divertiranno*. In effetti, mi viene sempre un po' da ridere quando sento i genitori di bambini di questa età dire: «Mio figlio non ama questo gioco». Non si rendono conto che non è questione di amare o non amare, è che il bambino semplicemente non lo capisce ancora. Non sa come fargli *fare* qualcosa per lui.

Quando gattona. Nel momento in cui il vostro piccolo comincia davvero a gattonare – di solito tra gli otto e i dieci mesi –, è ora di sistemare la casa a prova di bambino (se ancora non l'avete fatto, vedi il box successivo), in modo da concedergli ampie opportunità di esplorare senza pericoli. È possibile che cerchi già di alzarsi in piedi da solo. Alcuni bambini cominciano a gattonare all'indietro o in circolo, perché le gambe sono pronte ma il corpo non è sufficientemente lungo o forte per sopportare il peso della testa; soprattutto, curiosità e sviluppo fisico vanno di pari passo. Prima il vostro bambino non aveva le abilità cognitive per elaborare forme complesse di pensiero, come: «Voglio quel giocattolo dall'altra parte della stanza, quindi devo arrivare là». Ora tutto questo comincia a verificarsi.

Una volta in grado di fissare l'attenzione su obiettivi diversi, il piccolo «gattonatore» sarà occupatissimo: non si accontenterà più di starsene seduto in grembo a voi, e anche se ha sempre bisogno di coccole, la sua prima necessità è quella di esplorare ed esprimere un po' della sua energia naturale. Escogiterà nuovi modi per fare rumore...

e per cacciarsi nei pasticci. I giocattoli migliori sono quelli che lo aiutano a soddisfare la sua capacità di *disfare*: tenderà a tirare fuori tutto e raramente rimetterà le cose a posto. In seguito, intorno ai dieci mesi, acquisirà la capacità di radunare gli oggetti e perfino di toglierli da terra per metterli nella scatola dei giochi. Probabilmente riuscirà anche a raccogliere qualcosa di piccolo – dato che le sue buone abilità motorie si stanno ulteriormente sviluppando – usando pollice e indice come una specie di tenaglia. Molto amati sono anche i giocattoli che rotolano e che il bambino può tirare facilmente a sé. È la fase in cui potrebbe sviluppare un particolare attaccamento verso un certo oggetto, come un animale di peluche o una copertina.

Un consiglio. *Accertatevi che tutti i giochi del vostro bambino siano lavabili, robusti e privi di spigoli taglienti o nastri che possono staccarsi ed essere ingoiati. Un oggetto è troppo piccolo per il bambino quando sta nel rotolo di cartone della carta igienica: potrebbe infilarglisi in gola o addirittura in un orecchio o nel naso.*

Ora potete aggiungere alle ninnenanne che cantate anche i movimenti, che il piccolo si divertirà a imitare: canzoni e filastrocche lo aiuteranno a migliorare il linguaggio e la coordinazione. In questa fase il gioco preferito sarà quello del «cucù», che gli insegna la permanenza degli oggetti: questo concetto è di fondamentale importanza, perché una volta afferratolo il bambino capirà che anche *voi* non sparite quando andate nella stanza accanto. Potete rinforzare quest'idea dicendo: «Arrivo subito». Nella scelta dei giochi cercate di usare varietà e di essere creative: un cucchiaio e un piatto o un pentolino sono l'ideale come tamburo, mentre uno scolapasta può essere un ottimo riparo per il gioco del «cucù».

Man mano che il vostro piccolo accresce il suo repertorio di possibilità fisiche e mentali, ricordate sempre che è un individuo: forse non farà esattamente le stesse cose del figlio di vostra sorella, magari farà di più o forse solo in modo diverso. Come tutti gli esseri umani, avrà le sue idiosincrasie e le sue preferenze ben precise. Osservatelo: cercate di capire chi sia da quello che fa invece di confrontarlo con un modello che avete in mente. Finché si sentirà sicuro, supportato e amato, diventerà una persona splendida e unica. Sarà in movimento costante, imparerà cose nuove ogni giorno e non mancherà mai di sorprendervi.

Una casa a prova di bambino?

Questo è un tema importante e anche complicato. È ovvio che tutti i genitori desiderano che i propri figli siano al riparo da pericoli quali avvelenamenti, scottature, annegamenti, ferite da taglio o cadute dalle scale; e allo stesso tempo vorrebbero proteggere la casa dalla curiosità potenzialmente «distruttiva» di un bambino. La domanda è: fino a che punto ci si deve spingere? Sfruttando le ansie dei genitori in questo senso è fiorita una vera e propria industria. Una madre mi ha detto di aver speso circa 4700 euro per sistemare la casa a prova di bambino: il presunto «professionista» aveva piazzato lucchetti su quasi tutti gli sportelli, inclusi quelli che il piccolo potrà raggiungere tra otto, dieci anni! Inoltre, l'aveva convinta a sistemare dei cancelletti in posti dove nessun bambino avrebbe mai potuto avventurarsi. Personalmente preferisco un approccio meno costoso (vedi il box successivo), come un'area gioco della grandezza – più che sufficiente – di tre metri per tre, delimitata da cuscini o paracolpi.

Inoltre, se rimuovete *troppo* dalla vostra casa gli toglierete la possibilità di esplorare, oltre che occasioni di imparare che cosa è giusto e che cosa è sbagliato. Lasciate che vi racconti una storia presa dalla mia vita personale.

Quando le mie figlie erano piccole, avevo sistemato la casa rimuovendo le sostanze pericolose, bloccando le porte nelle zone che non volevo fossero oggetto di esplorazione e prendendo altre precauzioni del caso. Allo stesso tempo, però, volevo insegnare loro che dovevano rispettare le *mie* cose. Su uno scaffale basso del soggiorno avevamo sistemato alcune statuine di Capodimonte; una volta che Sara fu in grado di gattonare, divenne curiosa di tutto, e un giorno toccò alle famose statuine. Invece di aspettare che ne prendesse in mano una, gliela mostrai dicendo: «Questa è di mamma. Puoi tenerla se ci sono io. Ma non è un giocattolo».

Sara, come la maggior parte dei bambini, per un po' mi mise alla prova. Puntava dritta verso le statuine, e quando stava per afferrarne una dicevo in un tono moderato ma fermo: «Uh-uh. Non si tocca. È di mamma: non è un giocattolo». Se insisteva, aggiungevo un secco «No!». Nel giro di tre giorni, le statuine venivano notate a malapena. Ho seguito lo stesso sistema con la sorella minore, Sophie.

Passiamo a pochi anni dopo, ed ecco il bimbo della mia amica venuto per giocare con Sophie. In casa sua tutti gli scaffali più bassi erano vuoti, perché la madre aveva rimosso ogni cosa che si trovava alla sua portata. Manco a dirlo, il piccolo aveva proprio l'intenzione di divertirsi con le mie statuine. Cercai di usare lo stesso approccio che avevo usato per le mie figlie, ma non c'era modo di fermarlo. Alla fine mi uscì un «No!» piuttosto secco. Sua madre mi guardò con orrore: «Noi non diciamo mai no a George».

«Be', tesoro» risposi io, «forse è ora che cominciate. Non posso fargli distruggere cose che le mie figlie hanno imparato a non toccare. Tra l'altro, la colpa non è di George, ma vostra, perché non gli avete insegnato che cosa è suo e che cosa è vostro.»

La morale di questa favola è molto semplice: se rimuovete tutti gli oggetti alla portata del vostro bambino, non imparerà mai a rispettare le cose belle e fragili che avete in casa, e di sicuro non saprà come comportarsi in casa d'altri. Inoltre, *voi* non vi offenderete – come ha fatto la mamma di George – quando un altro genitore ammonirà vostro figlio che qualcosa in casa sua è «off-limits».

Le regole base per una casa a prova di bambino

Il trucco sta nel guardare la vostra casa con gli occhi (e l'altezza) di un bambino. Mettetevi a quattro zampe e provate a gattonare! Ecco i pericoli che dovete prevenire.

* *Avvelenamenti.* Spostate tutti i detersivi e le sostanze pericolose dagli sportelli bassi della cucina e del bagno e metteteli in armadietti alti. Anche se porrete delle chiusure sulle antine degli sportelli, ve la sentite di correre il rischio che un trottolino un po' più forte o sveglio degli altri riesca ad aprirli? Acquistate un kit di pronto soccorso. Se pensate che il vostro bambino abbia ingerito qualche sostanza velenosa, chiamate subito il vostro medico o il 118 prima di fare qualsiasi cosa.

* *Inquinanti aerei.* Fate controllare che la vostra casa sia priva di radon, un gas radioattivo naturalmente emesso. Installate rilevatori di fumo e di monossido di carbonio, e ricordate di controllare regolarmente le batterie. Smettete di fumare ed esigete che nessuno lo faccia in casa vostra o in macchina.

* *Strangolamenti.* Tenete fuori dalla portata del bambino tutti i cordoni pendenti e i nastri delle tende, così come i fili elettrici, usando dei pioli o del nastro per mascherature per fissarli a un'altezza a prova di bambino.

* *Scosse elettriche.* Coprite tutte le prese di corrente e assicuratevi che ogni portalampada abbia la sua lampadina.

* *Annegamenti.* Non lasciate mai il bambino solo nella vasca da bagno. Mettete una chiusura anche sul water: la sua testa è ancora molto pesante, quindi potrebbe cadere dentro e annegare.

* *Scottature e ustioni.* Installate un dispositivo di sicurezza per i pomelli del forno. Mettete una copertura anche sul rubinetto della vasca: una sicura di plastica (disponibile in quasi tutti i negozi di ferramenta) o un tovagliolo avvolto intorno eviteranno che il bambino tocchi il rubinetto caldo o si ferisca seriamente battendo la testa. Fissate la temperatura dell'acqua a 50 °C per evitare ustioni.

* *Cadute dalle scale.* Una volta che il bambino diventa più attivo, se usate ancora il fasciatoio tenete su di lui una mano e due occhi ogni volta. Sistemate dei cancelletti alla base e alla sommità delle scale, ma non accontentatevi di questo: stategli sempre accanto quando impara a salire e scendere le scale. Sarà bravissimo nella prima cosa, ma non saprà come fare la seconda.

* *Incidenti in culla.* La U.S. Consumer Product Safety Commission richiede che le assicelle verticali della culla siano poste a una distanza di circa 7 centimetri e mezzo. Non usate culle prodotte prima del 1991 – anno in cui fu approvata questa norma – o una antica in cui le asticelle siano poste a distanza maggiore. I paracolpi – un'invenzione americana – sono stati per me uno shock la prima volta. Di solito consiglio ai genitori di metterli via, perché i bambini più attivi possono finirci sotto e rimanere bloccati o, peggio, soffocati.

Il mio suggerimento è sempre quello di allestire un'area apposita per i bambini. Se il vostro vi chiede di guardare un oggetto, accontentatelo. Fateglielo sentire, toccare: ma sempre in vostra presenza. È interessante notare che i bambini sono attratti dalle cose degli adulti perché di solito le nostre chincaglierie non fanno altro che starsene su uno scaffale. Una volta che si permette loro di tenerle in mano, ci sono buone possibilità che si stufino presto. Il loro occhio punterà un altro obiettivo... e via.

Un consiglio. *Bastano pochi giorni per insegnare a un bambino a non toccare certe cose, ma probabilmente dovrete ripetere l'operazione in diverse aree della casa e con oggetti differenti. Durante questa fase, potreste non aver voglia di correre i rischi che ho corso io: quindi sostituite i ninnoli più preziosi con qualcosa di più economico.*

Ricordate anche che il vostro piccolo penserà sicuramente che la fessura del videoregistratore è una meravigliosa cassetta per le lettere: cercherà di infilarci le dita, i biscotti o qualsiasi altra cosa. Invece di preoccuparvi, copritela. Potrebbe anche essere utile investire in una versione in miniatura degli apparecchi che lo affascinano di più: di solito i bambini adorano giocare con le manopole e i bottoni. Comprate un giocattolo che assomigli a un telecomando o a una radio, qualcosa che possa manipolare. Dopo tutto, il suo scopo non è distruggere la casa o l'arredamento: vuole solo fare quello che vede fare a voi.

Un po' di relax

Dopo una dura giornata di pappa, nanna e gioco il vostro bambino si merita un po' di riposo e di relax sotto forma di un bel bagnetto. In effetti, i neonati di due o tre settimane alla sera possono essere più nervosi del solito: diventando sempre più attivi e reattivi agli stimoli dell'ambiente che li circonda, hanno bisogno di riprendersi dagli eventi della giornata. Il bagnetto quindi può diventare la «A» che segue la poppata delle cinque o delle sei del pomeriggio, circa un quarto d'ora dopo aver fatto il ruttino. Certamente è possibile fare il bagno al vostro piccolo anche al mattino o in qualsiasi altro momento della giornata; ma la mia opinione è che l'orario ideale sia quello subito prima di andare a dormire, proprio perché è un eccellente sistema per rilassarlo. In ogni caso, il bagnetto costituisce una delle esperienze più uniche del rapporto genitore-bambino, ed è spesso il compito preferito dai papà.

Con l'eccezione di quelli «sensibili», che odiano il bagnetto per i primi tre mesi di vita, e di quelli «scontrosi», che lo tollerano a malapena, la maggior parte dei bambini lo adora: purché procediate con lentezza e seguiate passo per passo le istruzioni contenute nel paragrafo successivo: «Le dieci regole per un bagno perfetto».

Primi lavaggi e piccole medicazioni

---

* Cercate di avere a portata di mano tutto l'occorrente, pronto per l'uso: guanto di spugna, acqua calda, alcool, batuffoli di cotone, pomate e asciugamani.

* Tenete il bambino ben caldo: partendo dalla testa, lavate una parte del corpo per volta; asciugatela e andate avanti.

* Usate un piccolo guanto di spugna per pulire la zona inguinale; ricordatevi di procedere sempre dai genitali verso l'ano e mai viceversa.

* Per pulire gli occhi del bambino, usate un batuffolo di cotone per occhio, con movimenti che dall'angolo più vicino al naso vanno verso l'esterno.

* Per pulire il cordone ombelicale, usate una garza di cotone imbevuta di alcool. Iniziate subito dalla base. I neonati a volte piangono, anche se non gli fate male: sentono semplicemente freddo.

* Se il vostro maschietto è stato circonciso, tenete l'incisione umida e protetta dall'urina coprendola con una garzina o del cotone spalmati di vaselina. Non bagnate il pene con acqua prima che sia guarito.

Il primo bagnetto del vostro bambino dovrebbe avvenire circa due settimane dopo la nascita, quando il cordone ombelicale sarà ormai caduto e – per i maschietti – il pene sarà guarito dalla circoncisione. Prima di questo momento laverete il piccolo con una spugna. Comunque, fate in modo di vivere queste esperienze *dalla prospettiva del bambino*. Dovrebbe essere un'occasione di divertimento e di interazione, della durata di quindici o venti minuti almeno. Come quando lo vestite o gli cambiate il pannolino, cercate di essere rispettosi: ricordate quanto si sente vulnerabile e usate il buon senso, mettendo in pratica sempre la gentilezza.

Ad esempio, quando lo rivestite dopo il bagnetto, non insistete per fargli passare a forza una maglietta dalla testa, lottando per infilare le braccia nelle maniche. Fino agli otto mesi circa la sua testa è molto pesante – circa i due terzi dell'intero peso corporeo –, e quindi tende a cadere in avanti nel passaggio della maglietta. La stessa resistenza viene opposta al passaggio delle maniche: se cercate di sforzare le braccia del bambino, istintivamente le ritrarrà perché, essendo abituato a stare in posizione fetale, tende a tenerle vicino al corpo. Piuttosto, avvolgete la maglietta intorno al suo polso e *tirate la manica,* non il bambino.

Per evitare del tutto questi inutili sforzi, consiglio sempre ai genitori di non comprare magliette che si infilino dalla testa (se già ne avete alcune, vedi il box successivo), scegliendo quelle che si allacciano sul davanti o si chiudono dietro. Privilegiate sempre comodità e convenienza piuttosto che la moda del momento.

Se il vostro bambino dovesse piangere al momento del bagnetto – malgrado abbiate seguito le istruzioni che sto per darvi e che dovrebbero renderlo un'esperienza sicura, tranquilla e godibile – è probabile che ciò sia dovuto al suo carattere e alla sua sensibilità piuttosto che a qualcosa che avete fatto voi. Se la cosa diventa cronica, è meglio aspettare qualche giorno, per poi riprovare. Nel caso di bambini «sensibili», potrebbe essere necessario continuare a lavarli con la spugna per il primo mese o anche due, e non ci sarebbe nulla di male in questo. Dovete imparare a conoscere il vostro bambino: se quel che vi sta dicendo è: «Non mi piace quello che fai, non lo sopporto», dovete avere un po' di pazienza.

Il dilemma della maglietta

Io non lo consiglio, ma se avete già comprato per il vostro piccolino delle magliette che si infilano dalla testa, questo è il modo migliore per evitare una vera e propria battaglia:

* Sdraiate il bambino sulla schiena

* Arrotolate la maglietta e allargate l'apertura della testa. Partite da sotto il mento del bambino, fatela passare rapidamente sulla faccia e poi sulla nuca

* Fate passare prima le vostre dita attraverso le maniche e poi prendete la mano del bambino, tirandola dolcemente come se steste passando un filo nell'ago.

Le dieci regole per un bagno perfetto

Quelle che sto per esporvi sono le regole che do ai miei clienti quando fanno il bagnetto ai figli. Prima di cominciare, fate in modo di avere tutto l'occorrente a portata di mano, al fine di armeggiare il meno possibile quando tirate fuori il piccolo bagnato e scivoloso dalla vaschetta. Un'ultima cosa: so che qualcuno dice che è possibile lavare i bambini nel lavello della cucina, ma io preferisco usare le stanze allo scopo per cui sono state create e quindi opto senz'altro per il bagno.

Mentre leggete i punti che seguono, non dimenticate che, nell'eseguire le varie operazioni, dovete sempre parlare al vostro bambino. Continuate a farlo; ascoltate e osservate le sue risposte, spiegandogli ogni volta cosa state per fare.

1. *Create l'atmosfera.* Assicuratevi che la stanza sia ben riscaldata (circa 22-23 °C). Mettete della musica, anche pop purché sia dolce (aiuterà a rilassare anche voi).

Cosa occorre per il bagnetto

* Una vaschetta di plastica col fondo piatto (di solito consiglio di sistemarla su un ripiano del bagno piuttosto che sul pavimento, perché fa meno male alla schiena e spesso vi sono cassetti e scaffali dove tenere tutto l'occorrente a portata di mano)

* Brocca di acqua calda e pulita

* Sapone liquido per bambini

* Due asciugamani piccoli

* Un asciugamano grande o con cappuccio

* Vestiti e pannolini puliti pronti sul fasciatoio.

2. *Riempite la vaschetta per due terzi.* Versate una dose di sapone liquido per bambini direttamente nell'acqua. La temperatura dovrebbe aggirarsi attorno ai 37,5 °C, leggermente più calda di quella corporea. Provatela sull'interno del polso, mai con la mano; l'acqua dovrebbe essere tiepida ma non calda, perché la pelle dei bambini è più delicata della nostra.

3. *Prendete il bambino.* Mettete il palmo della mano destra sul petto del bambino, con tre dita sotto il suo avambraccio sinistro (il pollice e l'indice della mano destra rimangono sul suo petto). Cambiate mano se siete mancini. Fate passare la vostra sinistra dietro il collo e le spalle del piccolo, inclinando dolcemente il suo corpo in avanti in modo da trasferire il peso sulla vostra mano destra. Poi mettete la sinistra sotto il sederino e sollevatelo. Adesso si trova in posizione seduta, appoggiato sulla vostra mano destra, leggermente piegato in avanti e sostenuto dalla vostra mano sinistra.

Non mettete mai un bambino nella vaschetta di schiena: lo disoriente-reste, un po' come buttarsi all'indietro da un trampolino.

4. *Mettetelo nella vaschetta.* Abbassate lentamente il bambino fino a metterlo nella vaschetta in posizione seduta, prima i piedi poi il sederino. Trasferite la mano sinistra sulla sua nuca per sostenerlo. Molto lentamente, fatelo sdraiare nell'acqua. Ora avete la destra libera: usatela per mettergli una spugna umida sul petto per tenerlo caldo.

5. *Non versate il sapone direttamente sulla pelle del bambino.* Ricordatevi che avete già messo del sapone nell'acqua. Con le dita detergete il collo e la zona inguinale. Sollevategli leggermente le gambe, per pulire il sederino. Poi con un piccolo contenitore versategli l'acqua su tutto il corpo per rimuovere le tracce di sapone. Non ha ancora giocato con la sabbia ai giardinetti, ragazzi, quindi non è davvero sporco: in questa fase il bagnetto è più parte di una routine che non una questione di pulizia.

6. *Usate un guanto di spugna per lavargli i capelli.* Molto spesso i neonati non hanno quasi capelli, e anche se così non fosse non occorre fargli shampoo e messa in piega. Prendete il guanto di spugna e strofinate con delicatezza la testa. Versate acqua fresca per risciacquare, facendo attenzione che non gli vada negli occhi.

Non lasciate mai un bambino da solo nella vaschetta. Se per caso avete dimenticato il sapone, per questa volta usate solo acqua ricordandovi di preparare tutto per il prossimo bagnetto.

7. *Evitate di fargli andare l'acqua nelle orecchie.* Fate in modo che la mano che regge la testa non sia troppo immersa nell'acqua per proteggergli le le orecchie.

8. *Preparatevi per la fine del bagnetto.* Con la mano libera prendete l'apposito accappatoio con cappuccetto (o un asciugamano più grande senza cappuccio). Reggete il cappuccio (o l'angolo del telo più grande) con i denti, e sistematene i lembi sotto le vostre ascelle.

9. *Tirate fuori il bambino dalla vaschetta.* Riportate lentamente il bambino nella posizione seduta che aveva all'inizio. Il peso dovrebbe essere quasi del tutto sulla vostra mano destra che, con le dita aperte, sostiene il suo torace. Sollevatelo, con la schiena rivolta verso di voi, e sistemategli la testa nel centro del vostro petto, dove si trovano il cappuccio o l'angolo dell'asciugamano grande. Avvolgetene i lembi intorno al corpo del bambino e copritegli la testina col cappuccio o con l'angolo del telo.

10. *Sistematelo sul fasciatoio per vestirlo.* Per i primi tre mesi cercate di fargli il bagnetto ripetendo esattamente le stesse operazioni: in questo modo sarà più sicuro. Col tempo – a seconda della natura del bambino –, invece di metterlo subito in pigiama potrete arricchire questo momento di relax con un massaggio.

Il mezzo è il massaggio

Le più antiche ricerche sul massaggio infantile si erano concentrate sui bambini prematuri, dimostrando che una stimolazione controllata può accelerare lo sviluppo del cervello e del sistema nervoso, migliorare la circolazione e il tono muscolare e ridurre stress e nervosismo. La conclusione logica che seguì fu che questa pratica poteva far bene anche a quelli nati a termine. In effetti, il massaggio si è imposto come meraviglioso sistema per favorire la salute e la crescita infantile. Ricerche a parte, ho potuto constatare di persona che in questo modo i bambini imparano ad apprezzare il potere del tocco: quelli che sono stati massaggiati sembrano essere più a loro agio col proprio corpo man mano che crescono. Nel mio studio in California tengo un corso di massaggio infantile, ed è una delle attività più apprezzate. Dopo tutto, è una possibilità offerta ai genitori di conoscere il corpo del proprio figlio, di aiutarlo a rilassarsi e un'occasione per entrambi di sentirsi profondamente uniti e in armonia.

Pensate anche alla modalità con cui si sviluppano i sensi di un neonato: dopo quello dell'udito, presente già nel ventre materno, il successivo è il tatto. Alla nascita, un bambino sperimenta un cambiamento di stimoli dal punto di vista tattile e della temperatura. Il suo pianto ci dice: «Hey, lo sento». In effetti, le sensazioni precedono lo sviluppo delle emozioni, e il bambino sente il freddo, il caldo, il dolore e la fame prima di sapere che cosa realmente significhino.

Benché vi siano mamme che cominciano anche prima, il momento ideale per iniziare a massaggiare il vostro bambino è a tre mesi di vita. Partite lentamente, cercando di scegliere un orario in cui non siete di fretta o preoccupate, in modo da essere pienamente coinvolte in quanto state facendo. È un'operazione che non potete accelerare o fare pensando ad altro, e soprattutto non aspettatevi che la prima volta il piccolo se ne stia lì buono buono per un quarto d'ora: piuttosto, iniziate a massaggiarlo per tre minuti per poi allungare progressivamente i tempi. Di solito mi piace abbinare il massaggio al bagnetto serale, perché è estremamente rilassante sia per l'adulto sia per il bambino. Ma ogni momento in cui voi avete tempo è quello giusto.

Ovviamente, vi sono neonati che reagiscono meglio di altri ai massaggi: i bambini «angelici», «da manuale» e «vivaci» si abituano relativamente in fretta; con quelli «sensibili» e «scontrosi», invece, bisogna partire un po' più lentamente, perché ci mettono di più a adattarsi alla stimolazione. Col tempo, però, il massaggio può aumentare la loro soglia di tolleranza degli stimoli. Un bambino «sensibile» vi troverà sollievo alla sua natura delicata, mentre uno «scontroso» imparerà a rilassarsi. I massaggi possono anche servire a ridurre la tensione in caso di coliche, evitando di aumentare ulteriormente i disagi per i bambini che ne soffrono.

Uno dei miei più grandi successi nel campo dei massaggi è stato con Timothy, un bambino «sensibile» a tal punto che era difficile perfino cambiargli il pannolino. Piangeva ogni volta che sua madre o io cercavamo di metterlo nella vaschetta, tanto che dovemmo aspettare che compisse sei settimane prima di potergli fare un vero e proprio bagnetto. Questo atteggiamento indisponeva molto sua madre, Lana; il papà, Gregory, si era offerto di alleviare in qualche modo la fatica della moglie – infatti tutte le sere alle undici dava a Tim un biberon di latte materno –, ma durante il giorno era fuori casa per lavoro. Così suggerii che provasse a fare lui il bagnetto a quel piccolino tanto sensibile. Spesso propongo ai papà questo tipo di compiti, offrendo loro la possibilità di conoscere davvero i propri figli e – cosa altrettanto importante – di entrare in contatto con la propria parte «nutritiva».

Gregory cominciò lentamente e in seguito riuscì a mettere Timothy nella vaschetta da bagno. Allora gli assegnai un'altra «missione»: quella di massaggiarlo.

Dapprima Gregory osservò attentamente mentre io seguivo i passaggi elencati nel box successivo. Procedevamo molto gradualmente, cercando di abituare Tim prima al mio tocco e poi a quello di suo padre.

Ora ha quasi un anno e, malgrado sia ancora un bimbo «sensibile», ha fatto molta strada. La sua crescente capacità di sopportare le stimolazioni è almeno in parte il risultato del bagnetto serale e del massaggio di suo padre. Certo, avrebbe avuto gli stessi benefici se fosse stata sua madre a farlo, ma dopo un'intera giornata con un bambino «sensibile» Lana aveva bisogno di una pausa per ricaricarsi. Inoltre, i bambini devono avere questi momenti di intimità con il padre, che gli danno un altro tipo di consapevolezza di sé. Mentre Lana sperimentava la vicinanza

data dall'allattamento al seno, Gregory rafforzava un attaccamento simile attraverso le coccole e il contatto della
pelle.

Come eseguire un massaggio

Potete usare sia il pavimento sia il fasciatoio; scegliete una posizione che sia comoda anche per voi. Vi serviranno anche:

* Un cuscino

* Un materassino impermeabile

* Due asciugamani morbidi

* Olio per bambini, vegetale o appositamente formulato per i
massaggi infantili (non usate mai un olio profumato da aromatera-
pia, che sarebbe troppo forte per la pelle del bambino e troppo
pungente per il suo olfatto).

I dieci punti da seguire per avere
un bambino più rilassato

Come ho già fatto per il bagnetto, vi propongo dieci punti
sul tema dei massaggi. Assicuratevi di avere a portata di
mano tutto l'occorrente elencato nel box precedente. Ricordatevi di agire lentamente, dicendo al vostro bambino
che cosa state per fare *prima* di toccarlo e spiegando ogni
passo man mano che procedete. Se in qualsiasi momento
il piccolo sembra a disagio – non è necessario che pianga,
ve lo comunicherà contorcendosi –, è il caso di interrompere il massaggio. Non aspettatevi che al primo tentativo
se ne stia tranquillamente sdraiato a farsi massaggiare su
tutto il corpo: dovrete piuttosto costruire la sua tolleranza
pochi minuti per volta. Cominciate con alcuni movimenti,
della durata di due o tre minuti, e dopo parecchie settima-

ne – o anche di più – mirate al traguardo dei quindici, venti minuti.

1. *Assicuratevi che l'ambiente sia favorevole.* La stanza deve essere ben riscaldata – intorno ai 22-23 °C – e senza correnti d'aria. Mettete della musica dolce. Il «piano da massaggio» consisterà in un materassino impermeabile sistemato sopra un cuscino; sopra ancora mettete un asciugamano molto morbido.

2. *Preparatevi per questa esperienza.* Chiedete a voi stessi: «Sono davvero in grado di stare con il mio bambino qui e ora, o c'è un momento migliore?». Se siete sicuri di potervici dedicare completamente, lavatevi le mani e fate un paio di respiri profondi per rilassarvi. Fate sdraiare il bambino, parlandogli e spiegandogli la situazione: «Faremo un piccolo massaggio al tuo corpo». Mentre date queste spiegazioni, prendete una piccola quantità d'olio (uno o due cucchiaini) e sfregatevi velocemente le palme per riscaldarlo.

3. *Chiedete il permesso di iniziare.* Comincerete dai piedi del bambino salendo fino alla testa. Ancora prima di toccarlo, però, spiegategli: «Ora ti solleverò il piedino. Strofinerò solo la pianta».

4. *Prima le gambe e i piedi.* Sul piedino usate un movimento «pollice dopo pollice»: un pollice lo massaggia verso l'alto facendo il turno con l'altro, che si muove nella stessa direzione. Strofinate delicatamente la pianta dei piedi, dal tallone fino alla punta. Esercitate una pressione su tutta la pianta. Schiacciate leggermente le punte. Potete anche cantare la canzoncina *Siam tre piccoli porcellin...* mentre lo fate. Continuate a massaggiare mentre salite verso le caviglie: ora eseguite dei piccoli movimenti circolari intorno alla caviglia. Procedendo lungo la gamba, fategli fare una «leggera torsione»: prendete con le mani la gamba del

bambino, e mentre muovete la mano che sta sopra verso sinistra, quella sotto va verso destra, in modo da «torcere» dolcemente pelle e muscoli, favorendo la circolazione sanguigna. Fatelo con entrambe le gambe. Poi fate scivolare le mani sotto il sederino del bambino e massaggiategli le natiche, accarezzando le gambe fino a ritornare ai piedi.

5. *E ora la pancia.* Posate la mano sul pancino del piccolo ed eseguite leggeri movimenti circolari dall'interno verso l'esterno. Usando entrambi i pollici, massaggiate dolcemente dall'ombelico verso l'esterno. Fate «camminare» le vostre dita dalla pancia al petto.

6. *Petto.* Dite: «Ti voglio bene» ed eseguite un movimento «sole e luna» usando i due indici per tracciare un cerchio – il sole – che parte dalla sommità del petto del bambino e termina intorno all'ombelico. Ora salendo con la mano tracciate una «luna» (una lettera C al contrario) fino alla sommità del petto; poi fate la stessa cosa con la mano sinistra (una normale lettera C). Ripetete quest'operazione per pochi minuti. Infine eseguite un movimento a forma di cuore: con tutte le dita sul petto del bambino, proprio al centro dello sterno, tracciate dolcemente un cuore, che terminerà all'altezza dell'ombelico.

7. *Braccia e mani.* Massaggiate sotto le braccia. Eseguite il movimento di leggera torsione, poi il massaggio a mani aperte su entrambe le braccia. Muovete ogni dito con ritmo, cantando la canzoncina *Siam tre piccoli porcellin*.... Concludete con piccoli movimenti circolari intorno al polso.

8. *Viso.* Fate in modo di essere molto delicati con questa parte del corpo. Massaggiate fronte e sopracciglia, usando i pollici per la zona degli occhi. Scendete lungo il nasino, spostandovi attraverso le guance, dall'orecchio verso il labbro inferiore e superiore e viceversa. Fate piccoli movimenti circolari intorno alla mascella e dietro le orecchie.

Strofinate leggermente i lobi e sotto il mento. Ora girate il suo corpo con delicatezza.

9. *Testa e schiena.* Eseguite dei movimenti circolari sulla parte posteriore della testa del bambino e sulle spalle. Con un movimento di «andata e ritorno» strofinatelo in su e in giù. Tracciate piccoli cerchi intorno ai muscoli della schiena posti parallelamente alla colonna vertebrale. Lasciate che le vostre mani si muovano liberamente per tutta la lunghezza del corpo, dalla sommità della schiena fino al sederino e poi alle caviglie.

10. *Terminate il massaggio.* «Ora abbiamo finito, tesoro. Non ti senti molto meglio?»

Se seguirete questi dieci punti ogni volta, il vostro bambino non vedrà l'ora di ripetere l'esperienza. Ancora una volta, però, ricordatevi di rispettare la sua sensibilità. *Non continuate mai un massaggio se piange;* lasciate passare qualche settimana prima di riprovare, ma con una durata più limitata. Posso solo assicurarvi che se abituerete il vostro piccolo alla gioia di essere toccato, non solo ne beneficerà sul lungo periodo, ma si addormenterà anche più facilmente: è proprio questo l'argomento del nostro prossimo capitolo.

6

La «S» (*Sleep*):
dormire, forse piangere[*]

> «Avevo avuto un bambino da appena
> due settimane quando mi fu chiaro che
> non mi sarei mai più sentita riposata.
> Be', forse non proprio *mai più*. Avevo
> un filo di speranza che magari quando
> sarebbe andato al college avrei avuto
> un'intera notte di sonno. Ma ero dan-
> natamente sicura che ciò non sarebbe
> accaduto durante la sua infanzia.»
>
> Sandi Kahn Shelton, *Sleeping Through
> Night and Other Lies*

Bimbo che dorme, bimbo buono

Nei primissimi giorni di vita i bambini dormono più tempo di quanto ne impieghino per svolgere qualsiasi altra attività: qualcosa come ventitré ore al giorno per la prima
settimana! E questa, come direbbe Martha Steward, è una
buona cosa. Certo, il sonno è importante per qualsiasi essere umano, ma per i bambini significa tutto: quando un
neonato dorme, il suo cervello è impegnato a produrre
nuove cellule cerebrali, necessarie allo sviluppo mentale,
fisico ed emotivo. Infatti, i bambini ben riposati si sentono
proprio come noi dopo un buon sonno o un riposino ristoratore: attenti, concentrati e a proprio agio. Mangiano bene, giocano bene, hanno buona capacità di resistenza e interagiscono bene con le persone che hanno intorno.

Per contrasto, un bambino che non dorme a sufficienza
non ha le risorse neurologiche necessarie per funzionare

---

[*] Si ispira a un verso di Shakespeare: «dormire, forse sognare» [*N.d.T.*].

in maniera efficiente: è probabile che diventi irritabile e scoordinato, che non presti attenzione al seno della madre o al biberon, che non abbia le energie necessarie a esplorare il mondo circostante. La cosa peggiore, però, è che la stanchezza non farà che peggiorare il suo sonno, poiché le cattive abitudini in questo campo si perpetuano da sole. Ci sono bambini così stanchi da non riuscire a rilassarsi o a prendere sonno a meno di non essere completamente esausti. È triste vedere un neonato così piccolo talmente stravolto e turbato da aver bisogno di urlare fino ad addormentarsi per tenere lontano il mondo esterno. E quel che è peggio è che questo sonno tanto atteso è agitato e breve – a volte non più di venti minuti –, e quindi il bambino finisce per essere quasi sempre nervoso.

Tutto ciò potrebbe sembrare piuttosto ovvio. Eppure, quello che la maggior parte della gente non sa è che *i bambini hanno bisogno dell'aiuto dei genitori* per imparare a dormire nel modo giusto. Infatti, il motivo per cui i cosiddetti problemi del sonno sono così diffusi è che tanti genitori non si rendono conto che sono *loro*, non i figli, a dover supervisionare il momento della nanna.

Un altro fattore che rende le cose ancora più difficili è rappresentato dalle pressioni esterne. Quasi sempre la prima domanda che viene rivolta ai genitori di un bambino molto piccolo è: «Dorme già tutta la notte?». Se il bambino ha più di quattro mesi, potrebbe esserci una sottile variazione sul tema («È un dormiglione?»), ma il risultato per i poveri genitori – che spesso dormono poco anch'essi – è sempre lo stesso: sensi di colpa e tensione. Una mamma, scrivendo in un sito Internet dedicato ai rapporti genitori-figli, ammise che, dopo che tanti amici le avevano chiesto se il bambino si svegliasse e quante volte, si era decisa a stare alzata tutta la notte per osservarne il sonno.

Questo fenomeno è tipicamente americano: non ho mai visto nessun'altra cultura con una tale abbondanza di miti e mode relativi alle abitudini notturne dei bambini. Perciò, in questo capitolo desidero dividere con voi le mie idee in proposito, molte delle quali potrebbero contraddire quanto avete letto o sentito da altri. Cercherò di aiutarvi a imparare come individuare la fatica prima che diventi stanchezza eccessiva, e come comportarvi se avete perso questa preziosa opportunità. Vi insegnerò a far addormentare il vostro bambino e a correggere i problemi del sonno prima che diventino cronici.

Lontano dagli estremi:
il «sonno ragionevole»

Tutti hanno un'opinione sul modo migliore per addormentare un bambino e su che cosa fare quando non ci si riesce. Eviterò di addentrarmi negli usi di moda nei decenni passati, ma adesso nel 2000, mentre scrivo questo libro, ci sono due scuole di pensiero che conquistano l'interesse dei genitori (e dei mezzi di comunicazione). La prima comprende coloro che propendono per una pratica nota alternativamente come *co-sleeping*, sonno comune, lettone di famiglia o metodo Sears, dal nome dottor William Sears, il pediatra californiano che ha diffuso la teoria per cui si permette ai bambini di dormire nel lettone dei genitori finché non *chiedono* un letto proprio. La parte razionale di questo pensiero è che i bambini hanno bisogno di sviluppare associazioni positive col sonno (non potrei essere più d'accordo) e che il modo migliore per ottenere questo è tenerli in braccio, coccolarli, cullarli e massaggiarli finché non si addormentano (non potrei essere meno d'accordo). Sears, di gran lunga il sostenitore più caloroso di questo metodo, in un articolo del 1998 sulla rivista «Child» chiese a un giornalista: «Perché i genitori dovrebbero desiderare di mettere il proprio figlio tutto solo in una stanza buia, dentro una scatola con delle sbarre?».

Altri fautori della «filosofia del lettone» citano spesso pratiche in uso presso civiltà come quella di Bali, dove i bambini non toccano il suolo prima dei tre mesi di vita. (Inutile dire che *noi* non viviamo a Bali.)

La Lega del latte americana, poi, suggerisce che, se il piccolo ha avuto una giornata difficile, la mamma farebbe bene a tenerlo a letto con sé, per dargli quella dose extra di contatto e nutrimento affettivo di cui ha bisogno. Tutto ciò in nome del «legame» e del «senso di sicurezza», quindi nessuno ci vede nulla di male se mamma e papà rinunciano completamente al proprio tempo libero, alla propria privacy o al proprio bisogno di dormire. Per far funzionare questa pratica, Pat Yearian, un sostenitore del «lettone» citato in *The Womenly Art of Breastfeeding*, dice apertamente che i genitori di cattivo umore devono cambiare la *loro* prospettiva: «Se riuscirete a modificare il vostro atteggiamento mentale nel senso di una maggiore accettazione [del fatto che il vostro bambino *continuerà* a svegliarvi], vi troverete in grado di godere quei tranquilli momenti notturni in cui il vostro neonato ha bisogno di essere tenuto e nutrito, o in cui il vostro trottolino ha semplicemente bisogno di stare con qualcuno».

All'estremo opposto vi è l'approccio della «risposta ritardata», più spesso noto come *Ferberizing*, dal dottor Richard Ferber, direttore del Center for Pediatric Sleep Disorders al Children Hospital di Boston. Secondo questa teoria le cattive abitudini notturne vengono apprese e quindi possono essere rimosse (non potrei essere più d'accordo). A questo fine, il dottor Ferber raccomanda che i genitori mettano il bambino nella culla quando è ancora sveglio e gli insegnino a addormentarsi da solo (un altro punto sul quale concordo). Quando un bambino piange – dicendo in effetti: «Tirami fuori di qui» invece di rimettersi a dormire –, il dottor Ferber suggerisce di lasciarlo piangere per periodi sempre più lunghi: cinque minuti la prima notte, dieci la successiva, poi quindici e così via (e su questo punto il dottor Ferber e io ci dividiamo). Ferber viene citato dalla rivista «Child»: «Quando un ragazzo vuole giocare con qualcosa di pericoloso, noi gli diciamo di no e così facendo poniamo dei limiti che potrebbe non accettare... Insegnargli che avete delle regole notturne è la stessa cosa. È nel suo interesse dormire bene di notte».

È evidente che entrambe queste teorie hanno una parte di merito: gli esperti che le sostengono sono persone estremamente colte e hanno ottime credenziali. Si può facilmente comprendere come le idee sostenute da entrambe le parti vengano dibattute spesso e con veemenza sugli organi di stampa. Un esempio: nell'autunno del 1999, quando la U.S. Consumer Product Safety Commission mise in guardia i genitori sull'abitudine di dormire con i figli, ricordando che «dormire con il bambino o metterlo a dormire in un letto da grandi» comportava alti rischi di soffocamento o strangolamento, Peggy O'Mare, direttore della rivista «Mothering», denunciò questo ammonimento in un commosso articolo intitolato «Fuori dalla mia camera da letto!». Tra le altre cose, si chiedeva chi fossero quei sessantaquattro genitori che presumibilmente avevano schiacciato i propri bambini nel sonno: erano forse ubriachi? drogati? Allo stesso modo, quando la stampa o un esperto criticano la strategia della «risposta ritardata», perché insensibile ai bisogni del bambino se non addirittura crudele, una legione di genitori altrettanto zelanti insorge insistendo che questo sistema ha salvato loro la salute e il matrimonio (senza contare il fatto che il bambino dorme tutta la notte).

Può darsi che siate già schierati da una parte o dall'altra. Se uno di questi metodi ha funzionato per voi, per il vostro bambino, per il vostro stile di vita, allora continuate così. Il problema è che la gente che mi chiama per avere aiuto spesso li ha già provati entrambi. Lo scenario tipico prevede che uno dei genitori sia inizialmente attratto dall'idea del «lettone», riuscendo a «vendere» il suo punto di vista al partner: dopo tutto è un concetto romantico che per molte cose si rifà a tempi in cui tutto era più semplice: «dormire-col-bambino» fa un po' lo stesso effetto di «tornare-alla-natura», e anche la prospettiva delle poppate notturne sembra più sopportabile. Presa dal fanatismo iniziale, la coppia decide anche di non comprare la culla. In seguito però, dopo un paio di mesi, l'idillio finisce: mamma e papà, preoccupati di *non* schiacciare il bambino dormendo, perdono il sonno perché sono troppo attenti e ipersensibili a ogni più piccolo rumore emesso dal bambino nel pieno della notte (il quale potrebbe svegliarsi anche ogni due ore, sicuro che qualcuno gli presterà attenzione). Alcuni bambini hanno semplicemente bisogno di una carezza o di rannicchiarsi vicino ai genitori per riaddormentarsi; altri invece pensano che sia ora di giocare. La coppia potrebbe allora decidere di fare dei turni: una notte nel lettone e una nella camera degli ospiti, per cercare di recuperare il sonno perduto. Ma se non sono entrambi convinti al cento per cento, il partner più scettico comincerà a provare del risentimento. Di solito è a questo punto che la teoria di Ferber appare molto attraente.

Quindi mamma e papà si decidono a comprare una culla, e stabiliscono che è ora che il bambino dorma per conto suo. Ora, cercate di capire quale cambiamento monumentale sia questo per lui: «Mamma e papà mi hanno accolto per mesi nel lettone, coccolandomi, facendomi versetti e qualsiasi altra cosa potesse farmi felice e di colpo... bam! Vengo bandito, messo in una stanza in fondo al corridoio, un ambiente così strano in cui mi sento perso. Non penso alla "prigione" e non ho paura del buio, perché questi concetti non sono ancora presenti nella mia mente di bambino; però mi chiedo: "Dove sono andati tutti quanti? Dove sono i corpi caldi che di solito sono distesi accanto a me?". Allora piango, perché questo è il mio modo di chiedere: "Dove siete?". Piango e piango, ma nessuno viene. Alla fine, arrivano. Mi danno un buffetto, mi dicono di fare il bravo e di rimettermi a dormire. Ma nessuno mi ha insegnato a addormentarmi da solo. Sono semplicemente un bambino!».

Il mio parere è che le pratiche estreme spesso non funzionano, di certo non per i bambini che sono chiamata ad aiutare. Perciò preferisco avere fin dall'inizio un approccio di buon senso, una «via di mezzo», che ho chiamato «sonno ragionevole».

È possibile il «sonno ragionevole»?

Quello del «sonno ragionevole» è un approccio lontano da qualsiasi estremo. Vedrete che la mia filosofia ha assorbito alcuni aspetti delle due scuole di pensiero sopra esposte, ma credo che l'idea di lasciar piangere il bambino finisca per non tener conto dei suoi bisogni, mentre quella del «lettone» concede poco agio ai genitori. Quella del sonno ragionevole, invece, è una teoria che coinvolge la famiglia nel suo complesso, rispettando i bisogni *di tutti*. Secondo me, i bambini hanno bisogno di imparare a addormentarsi da soli; hanno bisogno di sentirsi tranquilli e al sicuro nella propria culla. D'altro canto, hanno anche bisogno del nostro conforto quando sono in difficoltà: non raggiungeremo il primo scopo se non terremo presente anche il secondo. Allo stesso tempo i genitori hanno diritto di avere un riposo adeguato, dei momenti per se stessi e per gli altri e una vita che non sia dedicata sempre e solo al bambino; eppure hanno anche bisogno di dedicare tempo, energie e concentrazione ai propri figli. Queste due necessità non sono in contraddizione tra loro. Per ottenere entrambe le cose, tenete a mente i punti che seguono e che costituiscono i puntelli del «sonno ragionevole». Nel corso di questo capitolo, mentre spiego come affrontare la «S» (*Sleep*) di E.A.S.Y., vedrete come ogni principio si traduca in una realtà concreta.

Tenete lo stesso atteggiamento fin dal principio. Se all'inizio siete attratti dall'idea di essere genitori molto presenti, pensateci bene. È così che volete vivere fra tre mesi, sei mesi o ancora più in là? Ricordate che ogni cosa che fate *insegna* qualcosa al vostro bambino: quindi, se lo fate addormentare tenendovelo in braccio o cullandolo per quaranta minuti, in realtà lo state istruendo. È come se gli diceste: «È così che ci si addormenta». Una volta intrapresa questa strada, fareste meglio a essere preparati a tenerlo in braccio e cullarlo per molto, molto tempo.

Autonomia non vuol dire abbandono. Quando dico alla madre o al padre di un neonato di un giorno: «Vogliamo aiutarlo a diventare autonomo», spesso mi guardano un po' perplessi. «Autonomo? Ma ha solo poche ore di vita.» Allora chiedo: «Be', *quando* volete cominciare?». È una domanda a cui nessuno può dare risposta, neppure gli scienziati, perché non sappiamo il momento preciso in cui un bambino comincia davvero a capire il mondo circostante o a sviluppare le capacità necessarie ad affrontare l'ambiente intorno a sé. Per questo io dico di iniziare subito. In ogni caso, sostenere l'autonomia del bambino non vuol dire lasciarlo piangere, ma piuttosto soddisfarne i bisogni, incluso quello di essere preso in braccio poiché, dopo tutto, in questo modo sta cercando di *dirvi* qualcosa. Ma significa anche rimetterlo giù non appena questo bisogno è stato soddisfatto.

Osservate senza intervenire. Se ricordate, vi ho già parlato di questa buona regola trattando il tema del gioco. Essa vale anche parlando del sonno. Ogni volta che si addormentano, i bambini attraversano un ciclo prevedibile (vedi p. 219). È necessario che i genitori lo capiscano, in modo da non precipitarsi subito dal piccolo al primo rumorino. Piuttosto che interrompere il suo flusso naturale, è meglio fare un passo indietro e lasciare che si riaddormenti da solo.

Non rendete il bambino dipendente da «aiuti» esterni. Con questa espressione intendo qualsiasi oggetto o comportamento senza il quale il bambino viene a trovarsi in una situazione di difficoltà. Non possiamo aspettarci che impari a addormentarsi da solo se lo abituiamo a credere che il petto di papà, una «passeggiata» di mezz'ora o il seno della mamma saranno sempre lì per tranquillizzarlo. Come ho detto nel capitolo 4, sono assolutamente favorevole all'uso del ciuccio (vedi p. 161 e, in questo capitolo, p. 224), ma non quando serve per rimbambire i bambini. Per prima cosa non è rispettoso mettere loro in bocca un succhiotto o una «tetta» per farli stare zitti; secondo, ogni volta che facciamo cose come tenerli in braccio, cullarli o coccolarli all'infinito per farli addormentare, finiamo per renderli dipendenti da un aiuto esterno, togliendo loro la possibilità di sviluppare strategie per calmarsi da soli e impedendogli di imparare a addormentarsi da solo.

Inoltre, un oggetto esterno è diverso da un oggetto transizionale – come un animale di peluche o una coperta – che *il bambino sceglie* e a cui si affeziona. La maggior parte dei bambini non lo fa fino ai sette, otto mesi, e prima questo tipo di attaccamento viene influenzato dai genitori. È ovvio che, se il vostro piccolo è confortato dalla presenza del suo giocattolo preferito, dovete permettergli di tenerlo. Sono contraria al fatto che *voi* gli diate qualcosa per calmarlo. Piuttosto, lasciate che sia lui a scoprire il suo modo di tranquillizzarsi.

A ognuno la sua nanna

Anche se l'addormentamento è un processo prevedibile formato da tre stadi (vedi il box seguente), è importante sapere come il vostro bambino si lascia andare. Se questo ciclo non viene interrotto dall'intervento di un adulto, i bambini «angelici» e «da manuale» si addormenteranno facilmente e da soli.

Con un tipo «sensibile», invece, vista la sua facilità ad andare in crisi occorre essere molto attenti; se non vi accorgete in tempo della sua stanchezza, si innervosisce e diventa per lui molto difficile calmarsi.

Un bambino «vivace» tende ad agitarsi molto; potrebbe essere necessario interrompere gli stimoli visivi. Quando è stanco può assumere un'espressione eccitata, con gli occhi spalancati come se le palpebre fossero tenute aperte con degli stecchini.

Infine, il tipo «scontroso» potrebbe fare qualche storia, ma di solito è contento di farsi un pisolino. (Vedi anche la descrizione delle diverse tipologie di bambino alle pp. 81-84.)

Create dei rituali della buona notte. Questi rituali devono ripetersi sempre allo stesso modo. Come vi ho già detto infinite volte, i bambini sono creature molto abitudinarie: amano sapere che cosa succederà dopo, e alcuni studi hanno provato che anche da molto piccoli, se abituati ad aspettarsi un determinato stimolo, sono in grado di prevedere che cosa accadrà in seguito.

Imparate a capire come si addormenta il vostro bambino. Uno dei maggiori difetti di qualsiasi «ricetta» per far dormire i bambini è che niente funziona per tutti. Perciò, anche se fornisco molte indicazioni ai genitori in questo campo – tra cui le tre fasi fisse che i bambini attraversano (vedi il box successivo) prima di addormentarsi –, il consiglio migliore che posso darvi è quello di conoscere il *vostro* bambino.

Il sistema più semplice è tenere un diario: cominciando dal mattino, annotate l'orario di sveglia e gli eventuali pisolini. Segnate l'ora in cui va a dormire e le sveglie notturne. Proseguite così per quattro giorni, un periodo di tempo sufficiente per avere un'indicazione della configurazione del sonno del vostro bambino anche se gli orari vi sembrano molto irregolari. Marcy, ad esempio, era sicura di non poter classificare i tempi dei sonnellini diurni del figlio Dylan, di otto mesi: «Non dorme mai alla stessa ora» mi disse. Ma dopo quattro giorni di «registrazione», si accorse che anche se gli orari erano leggermente variabili, Dylan faceva sempre un breve riposino tra le 9 e le 10 del mattino, poi dormiva per altri quaranta minuti tra le 12,30 e le 14 e verso le 17 diventava molto nervoso, addormentandosi per circa venti minuti. Questo aiutò Marcy a programmare la propria giornata e, soprattutto, a capire gli umori di suo figlio. Fu così in grado di seguire i ritmi naturali del bambino, assicurandogli il riposo di cui aveva bisogno al momento giusto. Ogni volta che diventava nervoso, Marcy era in grado di reagire con più efficienza perché conosceva gli orari in cui Dylan riposava.

I bam[...] si addormenta-
no. Di s[...] [...]inuti:

Fase 1: [...] do di *dire* «Sono
stanco», [...] [...]trando altri segni
di fatica (ve[...] [...]glio mettetelo a letto: se non lo fa[...] [...]ce di passare alla fase
successiva.

Fase 2: la zona. A questo [...]to, il bambino assume uno sguardo
fisso e concentrato su un [...]unto lontano – «lo sguardo delle sette
miglia», come lo chiamo io –, che dura per tre o quattro minuti. Gli
occhi sono aperti, ma non sta realmente guardando: è come perso
da qualche parte nella stratosfera.

→ METTERLO GIU'!

Fase 3: lasciarsi andare. Ora il bambino si comporta un po' come le
persone che si appisolano in treno: chiude gli occhi e la testa gli cade in avanti o di lato. Proprio quando sembra essersi addormentato, gli occhi si riaprono di colpo e la testa finisce all'indietro facendo sobbalzare tutto il corpo. Poi richiuderà gli occhi e ripeterà
questo schema altre tre, cinque volte prima di entrare finalmente
nel mondo dei sogni.

La strada per il mondo dei sogni

Vi ricordate che nel *Mago di Oz* Dorothy percorreva una
strada di mattoni gialli per trovare qualcuno che le mo-
strasse la via di casa? Alla fine, dopo una serie di incidenti
e momenti di paura, avrebbe trovato la saggezza interiore.
Essenzialmente è proprio quello che cerco di insegnare ai
genitori, ricordando che le buone abitudini in fatto di sonno cominciano da loro. Il sonno infatti è un processo appreso che viene promosso e rinforzato proprio dai genitori. Per questo devono *insegnare* ai propri figli come
addormentarsi. Ecco che cosa comporta la strada che porta al «sonno ragionevole».

Lastricate la via per il sonno. Poiché i bambini hanno tanto bisogno di cose prevedibili e imparano dalla ripetizione, è necessario che noi diciamo e facciamo sempre le stesse cose prima di un pisolino o della nanna vera e propria: in questo modo essi penseranno: «Oh, questo vuol dire che sto per andare a dormire». Ripetete lo stesso rituale nello stesso ordine. Dite: «Okay, tesoro, ora facciamo "notte-notte"», oppure «È ora di fare la nanna». Mentre lo portate nella sua cameretta, siate calmi e misurati. Controllate sempre che non debba essere cambiato, in modo che sia completamente a suo agio. Abbassate le veneziane e tirate le tende. Di solito dico sempre: «Ciao, signor Sole. Ci vediamo dopo il mio sonnellino». Se invece è sera e fuori è già scuro, dirò: «Buona notte, signora Luna». Non sono d'accordo nel far dormire i bambini in soggiorno o in cucina: sarebbe una mancanza di rispetto. Vi piacerebbe se il vostro letto venisse sistemato nel bel mezzo di un grande magazzino, con tutta la gente che si muove intorno? Immagino di no, e neppure al vostro piccolino.

Prestate attenzione ai segnali lungo la strada. Proprio come noi, i bambini sbadigliano quando cominciano a essere stanchi. Il motivo per cui gli esseri umani sbadigliano è che quando l'organismo si affatica non funziona più in modo efficiente: il normale afflusso di ossigeno procurato dai polmoni, dal cuore e dal sistema vascolare diminuisce leggermente. Lo sbadiglio diventa allora il sistema che l'organismo usa per ingoiare altro ossigeno (provate a sbadigliare per finta e vedrete che sarete costretti a inspirare profondamente). Il mio consiglio ai genitori è quello di intervenire – se possibile – al primo sbadiglio del bambino, o se non proprio al primo, al massimo al terzo. Se non vi accorgerete di questi segnali (vedi il box successivo), è possibile che il piccolo – soprattutto se è del tipo «sensibile» – vada rapidamente in crisi.

Un consiglio. *Sottolineate i benefici del riposo creando la giusta atmosfera. Se dite a un bambino: «Farai un pisolino» o «Ora devi riposare» in un tono che somiglia a «Stai per essere esiliato in Siberia», crescerà pensando che i pisolini sono qualcosa di brutto e che dormire equivale a perdersi tutto il divertimento.*

I segnali della nanna

Esattamente come gli adulti, quando sono stanchi i bambini sbadigliano e perdono la capacità di concentrazione. Man mano che crescono, l'organismo che cambia escogita nuovi modi per comunicarvi che è pronto per dormire.

Quando acquisiscono il controllo della testa. Mentre la stanchezza aumenta, i bambini ritraggono la testa dagli oggetti o dalle persone, come per chiudere fuori il mondo. Se li portate in braccio, affonderanno il viso nel vostro petto. Faranno anche dei movimenti involontari, agitando braccia e gambe.

Quando acquisiscono il controllo delle membra. Quando sono stanchi roteano gli occhi, si tirano le orecchie o si grattano il viso.

Quando cominciano ad acquisire la mobilità. Diventano visibilmente meno coordinati e perdono interesse nei giocattoli. Se tenuti in braccio inarcano la schiena inclinandosi all'indietro. Una volta nella culla, si muovono lentamente in un angolo spingendovi la testa, oppure rotolano nel lettino senza essere capaci di tornare indietro.

Quando gattonano e/o camminano. La coordinazione è la prima cosa che viene meno quando i bambini più grandicelli sono stanchi. Cadono se cercano di alzarsi; inciampano mentre camminano o vanno a sbattere facilmente. Ora hanno il pieno controllo del proprio corpo, perciò tendono ad attaccarsi agli adulti che cercano di metterli giù. Sono in grado di alzarsi in piedi nel lettino, ma spesso non sanno come riabbassarsi... senza cadere, cosa che succede spesso.

Calmate il bambino in vista della meta finale. Gli adulti amano leggere un libro o guardare un po' di televisione prima di dormire, per aiutarsi a «cambiare ritmo» dopo le attività della giornata. Lo stesso vale per i bambini. Prima della nanna, un bagnetto e – se hanno più di tre mesi – un massaggio li prepareranno per il sonno. Di solito metto sempre una ninnananna rilassante anche per il pisolino. Per circa cinque minuti mi siedo sulla sedia a dondolo o sul pavimento per dare loro una coccola extra. Se volete potete anche raccontare una storia, o sussurrare dolcemente qualcosa all'orecchio. Lo scopo, comunque, è quello di calmarli, non di farli addormentare: quindi interrompo le coccole quando vedo lo «sguardo delle sette miglia» – la *fase 2* – o se gli occhi cominciano a chiudersi, il segnale che siamo all'inizio della *fase 3*. (Non è mai troppo presto per iniziare con le storie della buona notte, ma evitate di introdurre libri prima dei sei mesi, quando il bambino può fissare meglio lo sguardo e riesce a stare seduto.)

Un consiglio. *Non invitate ospiti a casa quando mettete a letto il bambino. Non sarebbe leale: anche lui vorrebbe far parte della compagnia. Vede gente che non conosce e sa che sono venuti anche per lui: «Mmm... nuove facce da guardare, nuove facce che mi sorridono. Cosa? Mamma e papà pensano che io voglia perdermi tutto questo per dormire? Non ci penso neanche».*

Sistemate il bambino nella culla prima che raggiunga il mondo dei sogni. Molti credono che non si possa mettere un bambino nella culla a meno che non sia quasi addormentato: ciò è semplicemente falso. Il modo migliore per aiutarlo a sviluppare le capacità necessarie a addormentarsi da solo è quello di metterlo giù all'inizio della *fase 3*. C'è anche un'altra ragione: se il piccolo si addormenta nelle vostre braccia o in qualcosa che dondola per poi risvegliarsi nella sua culla, sarebbe come se io spingessi il vostro letto in giardino mentre state dormendo: al risveglio vi chiedereste: «Dove sono? Come sono arrivato qui?». Lo stesso vale per i bambini, tranne che non possono fare certe deduzioni. In compenso si sentono disorientati e perfino spaventati, e finiscono per non sentirsi a proprio agio e sicuri nel lettino.

Ogni volta che metto giù un bambino, uso le stesse parole: «Ora ti metto nel tuo lettino per un pisolino. Tu sai come ti sentirai bene dopo». Lo osservo attentamente: può darsi che protesti un po' prima di sistemarsi, soprattutto se ha il sobbalzo tipico della *fase 3*: a questo punto i genitori tendono a precipitarsi nella stanza. Alcuni bambini si tranquillizzano da soli, ma in caso contrario sarà sufficiente qualche colpetto dolce e ripetuto sulla schiena per rassicurare il piccolo che non è solo. Ricordate, però, di smettere non appena si è calmato: se continuate più del necessario comincerà ad associare questo gesto al momento della nanna e, quel che è peggio, ne *avrà bisogno* per addormentarsi.

Un consiglio. *Di solito suggerisco di mettere il bambino a dormire sulla schiena. Potete anche metterlo su un fianco sostenendolo con due asciugamani arrotolati o degli appositi cuscini in vendita nella maggior parte dei negozi specializzati. Per sua comodità, però, fate in modo che dorma su entrambi i lati.*

Se la strada per il mondo dei sogni è un po' a scossoni, usate un ciuccio per favorire il sonno. Di solito consiglio di ricorrere al ciuccio per i primi tre mesi di vita, ovvero nella fase in cui iniziamo a stabilire una routine per il bambino, in modo che la mamma non diventi un «ciuccio umano». Allo stesso tempo, però, raccomando sempre di essere moderati nell'uso, affinché il ciuccio non si trasformi in un aiuto insostituibile. Se lo adopererete correttamente, il bambino succhierà ferocemente per sei o sette minuti, poi rallenterà un pochino; in seguito lo sputerà da solo. Questo succede perché ha espulso l'energia che aveva bisogno di rilasciare con la suzione ed è pronto per il mondo dei sogni. A questo punto, qualche adulto ben intenzionato arriva e dice: «Oh, povero bimbo, ha perso il ciuccio» e cerca di rimetterglielo in bocca. Non fatelo! Se il piccolo ne avrà bisogno per continuare a dormire, ve lo farà sapere mormorando e agitandosi.

Uso e abuso del ciuccio:
la storia di Quincy

Come ho sottolineato nel capitolo 4, c'è un confine molto sottile tra l'uso del ciuccio e il suo abuso (vedi pp. 161-163). Quando un neonato ha sei o sette settimane, i genitori possono levarglielo (sempre che il piccolo non lo perda già spontaneamente durante il sonno). Se però un bambino di tre mesi o più si sveglia piangendo perché vuole il ciuccio, questo è un segnale che se ne è abusato. A questo proposito mi viene in mente la storia di Quincy, sei mesi. I genitori mi chiamarono perché si svegliava continuamente in piena notte, e solo il ciuccio riusciva a calmarlo. Indagando più a fondo scoprii proprio quel che mi aspettavo: quando Quincy sputava spontaneamente il ciuccio mentre dormiva, loro glielo rimettevano in bocca. Così era diventato dipendente da questa sensazione e l'assenza del ciuccio disturbava il suo sonno. Esposi il mio piano ai genitori: bisogna togliere il ciuccio. Quella notte, quando lo richiese piangendo, cercai di calmarlo accarezzandolo e dandogli qualche leggera pacca sulla schiena. La seconda notte lo stesso, ma impiegai meno tempo a tranquillizzarlo. Ci vollero solo tre notti, e a quel punto Quincy dormiva davvero meglio perché aveva potuto sviluppare la sua personale tecnica per calmarsi da sé: cominciò a succhiarsi la lingua. Certo, di notte faceva dei versetti un po' come quelli di Paperino, ma di giorno era un bambino molto più felice.

Se avrete seguito le istruzioni per percorrere la strada verso il mondo dei sogni ogni volta che è il momento di fare la nanna, la maggior parte dei bambini riuscirà a sviluppare un rapporto positivo con il sonno. Il ripetersi di questo rituale crea in loro un senso di sicurezza e di prevedibilità. Sarete sorpresi di quanto velocemente il vostro piccolo acquisirà le capacità necessarie a un «sonno ragionevole», finendo per considerarlo come un'esperienza ristoratrice e piacevole. È chiaro che ci saranno momenti in cui il bambino sarà troppo stanco, avrà le gengive infiammate o la febbre (vedi pp. 233-235): ma si tratta di eccezioni, e non della regola.

Ricordate anche che ci vogliono venti minuti perché si addormenti, perciò non cercate di accelerare i tempi; se lo fate rischiate di disturbare il naturale succedersi delle tre fasi di cui abbiamo parlato. Se ad esempio qualcosa interrompe la terza fase – un rumore forte, un cane che abbaia o una porta che sbatte –, ciò spingerà il bambino a svegliarsi e a non dormire, e voi dovrete ricominciare tutto da capo. La stessa cosa succede a noi adulti quando ci stiamo per addormentare e improvvisamente suona il telefono, rompendo il silenzio: se siamo contrariati o ipereccitati, facciamo fatica a riprendere sonno. I bambini si comportano allo stesso modo: si innervosiscono, il processo deve riprendere dal principio e potrebbero volerci altri venti minuti perché si lascino di nuovo andare.

Quando non cogliete l'attimo

All'inizio, quando non avete ancora molta confidenza con il bambino, con il suo pianto e il suo linguaggio corporeo, è ragionevole che facciate fatica a cogliere in tempo il terzo sbadiglio. Ciò potrebbe non essere rilevante se il piccolo è del tipo «angelico» o «da manuale»: di solito basta rassicurarlo un po' per rimetterlo in carreggiata alla svelta. Ma specialmente con quelli «sensibili» e a volte anche con quelli «vivaci» o «scontrosi» è bene avere qualche asso nella manica in caso non vi accorgiate della *fase 1*, perché a quel punto il bambino sarà molto vicino al livello massimo di stanchezza. Oppure, come accennavo prima, un rumore particolarmente forte può averlo disturbato, interrompendo il naturale processo dell'addormentamento; se si innervosisce molto, potrebbe aver bisogno del vostro aiuto.

I problemi del sonno si verificano quasi sempre perché...

... prima di andare a nanna è successa una di queste cose:

* Il bambino è stato allattato.

* Il bambino è stato tenuto in braccio mentre si cammina.

* Il bambino è stato cullato o coccolato.

* Il bambino è stato fatto addormentare sul petto di un adulto.

oppure...

* Quando il piccolo dorme i genitori si precipitano nella sua cameretta al minimo versetto. Probabilmente si riaddormenterebbe da solo se non ci fosse questa interferenza, per quanto le intenzioni dei genitori siano le migliori possibili. Inoltre, in questo modo il bambino si abitua a essere «salvato» da loro (a questo proposito vedi anche pp. 232-233).

Innanzi tutto, vi dirò che cosa *non* dovete fare in entrambi i casi: evitate di sobbalzare e di muovervi a scatti; non camminate tenendolo in braccio o cullandolo troppo violentemente. Ricordate che è già *iperstimolato*: piange perché ne ha abbastanza, e questo è il suo modo per chiudere fuori suoni e luci; non è certo il caso di aggiungere nulla a questa eccitazione. Inoltre è proprio questo il modo per dare avvio alle cattive abitudini: mamma o papà camminano col piccolo in braccio o lo cullano per farlo riaddormentare. Quando raggiungerà i sette chili, cercheranno di eliminare questi «vizi», e comprensibilmente il bambino protesterà piangendo. È il suo modo per dire loro: «Hey, ragazzi, non si fa così di solito: mi avete sempre cullato e preso in braccio».

Per evitare simili scenari (di cui parlerò nel capitolo 9), ecco che cosa potete fare per aiutare il vostro piccolo a calmarsı, chiudendo momentaneamente le porte al mondo esterno.

Avvolgetelo. Appena usciti dalla posizione fetale, i neonati non sono abituati agli spazi aperti, e non si rendono conto di avere braccia e gambe proprie. Quando sono troppo stanchi, quindi, è necessario immobilizzarli perché vedere le proprie membra in movimento li spaventa molto – pensano che qualcuno stia facendo *loro* qualcosa – *e* allo stesso tempo questa esperienza stimola ancor più i loro sensi già troppo impegnati. L'usanza di fasciare i bambini, uno dei sistemi più antichi per aiutarli a prendere sonno, potrebbe sembrare superata, ma perfino gli studi moderni ne confermano i benefici. Per fasciare un neonato correttamente, prendete una coperta quadrata e piegatela a triangolo; mettetevi sopra il piccolo con il collo all'altezza della piega; ponetegli un braccio sul petto a formare un angolo di quarantacinque gradi e fate passare un lembo della coperta sopra il suo corpo, in maniera che aderisca a esso ma non sia troppo stretta. Fate lo stesso con l'altro braccio. Il mio consiglio è di continuare a farlo per le prime sei settimane, ma dopo la terza – quando il bambino comincia a cercare di mettersi le mani in bocca – aiutatelo flettendogli le braccia e lasciandogli le mani libere e vicino al viso.

Rassicuratelo. Fateglì sapere che siete lì per aiutarlo: battetegli con delicatezza sulla schiena a un ritmo fisso e regolare, un po' come quello del cuore. Potete anche aggiungere un suono tipo *sh... sh... sh... sh*, che simula quello che il bambino sentiva nel ventre materno. Mantenete un tono di voce basso e tranquillizzante, sussurrandogli all'orecchio: «Va tutto bene» o «Stai solo per fare la nanna». Mentre lo mettete nella sua culla, continuate ad accarezzargli la schiena o a rassicurarlo con piccoli suoni: in questo modo la transizione sarà più dolce.

Eliminate gli stimoli visivi. La stimolazione visiva – luci, oggetti in movimento – aggredisce un bambino stanco, specialmente se è del tipo «sensibile». Ecco perché dobbiamo creare una penombra nella stanza prima di metterlo a dormire. A volte, però, questo non basta. Se il piccolo è nella sua culla, mettete una mano vicino ai suoi occhi – senza toccarli – in modo da eliminare gli stimoli visivi. Se invece lo tenete in braccio, state fermi in una zona semibuia o – se è davvero agitato – in una stanzetta in completa oscurità.

Non cedete. Quando un bambino è molto stanco i genitori vengono messi davvero alla prova. Ci vogliono una pazienza e una determinazione enormi, specialmente se gli abbiamo già dato qualche «cattiva» abitudine. Il piccolo piange; loro continuano ad accarezzarlo e a dargli piccole pacche sulla schiena; lui piange ancora più forte. I bambini iperstimolati tendono a continuare a piangere finché le loro urla acute – «Sono esausto!» – raggiungono l'apice. Poi si fermano per un attimo, e ricominciano da capo. Di solito vi sono tre apici di questo tipo prima che si calmino definitivamente. Quel che succede, però, è che al secondo apice i genitori gettano la spugna, tornando alle vecchie abitudini, qualunque esse siano: tenerlo in braccio, dargli il seno o cullarlo.

Il problema è che, se non terrete duro, il bambino continuerà ad aver bisogno di voi per addormentarsi. Non ci metterà molto a diventare dipendente da un aiuto esterno, di solito bastano poche volte al massimo perché la sua memoria è molto corta. Se avete cominciato con il piede sbagliato, ogni giorno che passa non farà che rinforzare questo comportamento negativo. In genere vengo consultata per problemi relativi al sonno quando il bambino ha già raggiunto i 7,5 chili e non è più tanto facile tenerlo in braccio. I problemi maggiori si manifestano intorno alle sei, otto settimane. Quando chiamano, dico sempre ai genitori: «Dovete capire che cosa sta succedendo e prendervi la responsabilità delle cattive abitudini che avete incentivato. Poi arriva la parte peggiore: avere la convinzione e la perseveranza necessarie ad aiutare il bambino a imparare un sistema nuovo e migliore». (Altri dettagli su come eliminare le cattive abitudini nel capitolo 9.)

Non mi stancherò mai di ripeterlo:

AUTONOMIA NON SIGNIFICA ABBANDONO!

Non lascio mai piangere un bambino. Al contrario, mi considero proprio la sua voce. Se non lo aiuto io, chi tradurrà i suoi bisogni? Allo stesso tempo, non consiglio di tenerlo in braccio o confortarlo dopo aver soddisfatto le sue esigenze. Nel momento in cui è calmo, mettetelo giù: in questo modo gli regalerete l'autonomia.

Dormire tutta la notte

Non posso scrivere un capitolo sul sonno dei bambini senza affrontare la questione di quando essi comincino a dormire tutta la notte. Nel paragrafo successivo troverete una tabella (p. 235) che indica che cosa potete aspettarvi *in linea generale* a seconda dei diversi stadi di sviluppo. Ma ricordate che sono *semplici indicazioni*, basate su probabilità statistiche. Solo i tipi «da manuale» vi si conformeranno esattamente (da qui la loro definizione). Non c'è niente di male se ciò non avviene: significa solo che lui o lei sono diversi.

Cominciamo la discussione ricordando che la giornata del vostro bambino è lunga ventiquattr'ore. Lui non conosce la differenza tra il giorno e la notte, perciò il concetto «dormire tutta la notte» gli è sconosciuto. È qualcosa che *voi* volete da lui (e di cui avete bisogno). Non è un fatto naturale; siete voi che gli insegnerete a farlo, mostrandogli che esiste una differenza tra il giorno e la notte. Ecco alcuni punti che non manco mai di sottolineare.

Ispiratevi al principio «fare un buco per tapparne un altro». Non c'è dubbio che se il vostro bambino segue il programma E.A.S.Y. raggiungerà più velocemente il traguardo di dormire tutta la notte, proprio perché è un metodo strutturato ma flessibile. Mi auguro anche che stiate tenendo conto dei suoi pasti e dei pisolini: in questo modo capirete meglio i suoi bisogni. Se, ad esempio, ha avuto una mattinata particolarmente nervosa e dorme una mezz'ora extra quando dovrebbe mangiare, lasciatelo fare (se seguiste un sistema più rigido dovreste invece svegliarlo). Usate però un po' di buon senso: durante il giorno, non lasciatelo dormire per più di tre ore – l'intervallo tra un pasto e l'altro –, perché altrimenti questo sottrarrà tempo al riposo notturno. Vi garantisco che qualsiasi bambino che abbia dormito sei ore durante il giorno non ne dormirà più di tre la notte. Se le cose vanno così, potete essere certi che per lui il giorno è diventato la notte. L'unico modo per riportarlo sui giusti binari è quello di svegliarlo, «rubando» così ore al giorno per «tappare» il buco di quelle notturne.

Rimpinzateli per bene. Potrebbe sembrarvi un'espressione un po' cruda, ma uno dei metodi per far dormire i bambini per tutta la notte è quello di riempire loro la pancia. A questo scopo, quando raggiungono le sei settimane di vita do due suggerimenti: ricorrere alle *poppate ravvicinate* – cioè allattarli ogni due ore nel periodo che precede la nanna – e dar loro il *latte della buona notte* subito prima di dormire. Ad esempio, allattate il vostro piccolo (o gli date il biberon) alle sei e alle otto della sera, e gli date il *latte della buona notte* alle dieci e mezzo, undici: con questa pratica, l'ultima poppata avviene quando lui si trova letteralmente nel mondo dei sogni. In altre parole lo prendete in braccio, gli appoggiate delicatamente il biberon o il seno sul labbro inferiore e gli permettete di mangiare facendo attenzione a non svegliarlo. Quando ha finito, non fategli fare neppure il ruttino; di solito i bambini sono così rilassati durante questi pasti che non inghiottono aria. Evitate di parlare; non cambiatelo a meno che non sia bagnato fradicio o pieno di cacca. Utilizzando queste due tecniche, la maggior parte dei neonati riesce a saltare il pasto notturno perché ha assorbito calorie sufficienti per cinque o sei ore.

Un consiglio. *Fate in modo che sia papà a dare al piccolo il «latte della buona notte». Di solito a quell'ora gli uomini sono a casa e la maggior parte di loro ama molto svolgere questo compito.*

Usate un ciuccio. Se non lo si usa a sproposito, un ciuccio può essere molto utile per aiutare il bambino a saltare il pasto della notte. Se il peso si aggira intorno ai 4,5 chili e il consumo di latte durante il giorno è di quasi un litro, suddiviso in sei, otto poppate – quattro o cinque durante il giorno e due o tre durante la notte –, non avrà bisogno del nutrimento extra derivante dalla poppata notturna. Se continua a svegliarsi è perché ha bisogno della stimolazione orale legata alla suzione: ecco allora che un uso moderato del ciuccio può essere molto utile. Se normalmente il vostro bambino impiega venti minuti per mangiare la notte, quando si sveglia provate a dargli il ciuccio; la prima volta è probabile che stia sveglio per tutto questo tempo con il ciuccio in bocca, prima di riaddormentarsi. La volta dopo potrebbe impiegare dieci minuti. La terza si agiterà un po' nella sua culla nell'ora in cui avrebbe dovuto mangiare. Se si sveglia, continuate a dargli il ciuccio. In altre parole, quello che state facendo è sostituire il seno o il biberon con la stimolazione orale data dal ciuccio. In seguito non si sveglierà neanche più.

È proprio quello che successe con il bambino di Julianna, Cody. Questi pesava 6,8 chili, e Julianna, dopo averlo osservato attentamente, si rese conto che il pasto delle tre di notte era soltanto un'abitudine: il piccolo si svegliava e succhiava dal biberon per dieci minuti, poi si rimetteva a dormire. Quando sua madre telefonò, mi chiese di passare soprattutto per vedere se la sua analisi era corretta (sapevo che lo era da quanto mi aveva detto), ma anche per aiutarla a fare in modo che non si svegliasse più a quell'ora della notte. Passai tre notti con la sua famiglia; la prima tirai fuori Cody dalla culla e invece del biberon gli diedi il ciuccio, che succhiò per dieci minuti esattamente come faceva col biberon; la notte successiva lo lasciai nella culla e gli diedi di nuovo il ciuccio, e questa volta lo tenne solo per tre minuti; la terza, fece qualche versetto inquieto un quarto d'ora dopo le tre, ma non si svegliò. Era fatta: da allora Cody dorme fino alle sei o alle sette del mattino.

Il sonno dei bambini

Quando dormono, i bambini, come gli adulti, attraversano alcuni cicli della durata approssimativa di quarantacinque minuti. Dapprima vi è una fase di sonno profondo e poi una fase REM, un sonno più leggero ricco di sogni, per poi tornare a uno stato di veglia. Questi cicli vengono a malapena notati da noi grandi (a meno che un sogno particolarmente vivido ci svegli): di solito ci giriamo e ci rimettiamo a dormire senza neppure renderci conto di esserci svegliati.

Alcuni bambini fanno esattamente la stessa cosa. È possibile sentire piccoli mugolii di irritazione, che io chiamo del «bambino fantasma». Se nessuno li disturba, ripartono tranquillamente per il mondo dei sogni.

Altri invece, una volta usciti dalla fase REM, non riescono a riaddormentarsi facilmente: spesso perché i genitori si precipitano nella stanza troppo in fretta fin dalla nascita («Oh! Sei sveglio!»), negando loro la possibilità di imparare a entrare e uscire con naturalezza da questi cicli di sonno.

Non precipitatevi. Il più delle volte i bambini hanno un sonno irregolare (vedi il box sopra); è questo il motivo per cui non è bene reagire immediatamente a ogni più piccolo rumore. Infatti, spesso dico ai genitori di liberarsi di quei maledetti «interfono» che esagerano qualsiasi minimo versetto o debole pianto, rendendoli degli allarmisti patologici! Come ho già avuto modo di dire in questo capitolo, occorre tracciare una linea di confine tra *rispondere* e *salvare*: un bambino i cui genitori rispondono cresce sicuro e non ha paura di avventurarsi all'esterno; se invece questi corrono perennemente in suo aiuto, il piccolo comincerà a dubitare delle sue capacità e non svilupperà mai la forza e le abilità necessarie a esplorare il suo mondo e a sentirsi a suo agio nell'ambiente circostante.

Normali disturbi del sonno

Consentitemi di chiudere questo capitolo dicendo che, nonostante quanto detto finora, i disturbi del sonno a volte sono inevitabili. Anche bambini che di solito dormono bene possono attraversare periodi di irrequietezza e perfino fare fatica a addormentarsi. Ecco un elenco dei disturbi del sonno che possono sopravvenire.

Quando si introducono cibi solidi. Può darsi che i bambini si sveglino con dell'aria nella pancia quando cominciano a ingerire cibi solidi. Consultatevi col vostro pediatra per vedere quali introdurre e quando. Chiedetegli quali sono gli alimenti che potrebbero causare aria nella pancia o allergie. Segnate accuratamente ogni nuovo alimento che introducete, in modo da poter offrire al pediatra la «storia alimentare» di vostro figlio se si presenta un problema.

Quando cominciano a muoversi nell'ambiente che li circonda. I bambini che hanno appena imparato a controllare i propri movimenti spesso provano un formicolio alle membra e alle giunture. Probabilmente avrete provato qualcosa di simile quando vi siete esercitati in palestra dopo un periodo di inattività. Anche dopo che le vostre membra sono ferme, il livello di energia e la circolazione sono ancora elevati. La stessa cosa capita ai bambini, che non sono abituati ai movimenti. Inoltre può succedere che, una volta in grado di muoversi nel lettino, si mettano in posizioni da cui poi non riescono a uscire e anche questo può disturbare il loro sonno. Altre volte poi si svegliano confusi, perché si ritrovano in una posizione diversa da quella di partenza. In questi casi entrate e rassicurate il piccolo, sussurrandogli ritmicamente: «Sh... sh... sh... sh... va tutto bene».

Quando attraversano un balzo di crescita. Durante questa fase (vedi pp. 147-148) può succedere che i bambini si sveglino affamati. Per una volta date loro da mangiare di notte, ma poi aumentate la quantità di cibo durante il giorno. Il balzo di crescita potrebbe durare un paio di giorni, ma aumentando le calorie di solito si risolvono anche i disturbi del sonno.

Quando mettono i denti. In questo caso il bambino sbava, ha le gengive gonfie e arrossate e può anche insorgere qualche linea di febbre. Uno dei rimedi casalinghi che preferisco è quello di bagnare l'angolo di una salvietta, metterla nel freezer e quando è congelata dargliela da succhiare. Personalmente non amo gli articoli da congelare che trovate nei negozi, perché non so che tipo di liquido contengano. In Inghilterra ci sono dei biscotti duri da dentizione che si sciolgono completamente: sono fantastici e assolutamente sicuri, e potete anche trovarli in molte farmacie europee.

Quando hanno il pannolino sporco. Una mamma che conosco le chiama «cacche potenti» e la maggior parte dei bambini in questi casi si sveglia. Anzi, a volte si spaventa davvero. Cambiate il pannolino in penombra e fate in modo che il piccolo non si svegli del tutto. Rassicuratelo e rimettetelo a dormire.

Un consiglio. *Quando il vostro bambino si sveglia nel pieno della notte, per qualsiasi motivo, evitate di essere troppo giocosi o amichevoli. Siate amorevoli, prendetevi cura dell'eventuale problema, ma fate attenzione a non mettergli in testa idee sbagliate: la notte successiva potrebbe svegliarsi per giocare.*

Una cosa che ricordo sempre ai genitori preoccupati per il sonno del loro bambino è che, qualunque sia il problema, non durerà in eterno. Se guardate il quadro generale, siete meno portati a essere catastrofici per qualche notte insonne. Certo, è una questione di fortuna: alcuni bambini *dormono* effettivamente meglio di altri. Ma a prescindere da questo, almeno *voi* dovreste fare in modo di avere il riposo sufficiente a resistere all'assalto. Nel prossimo capitolo, parlerò a lungo di questo e di molti altri sistemi per prendervi cura di voi stessi.

Di che cosa hanno bisogno - Che cosa potete aspettarvi

Età/tappe	Ore di sonno necessarie	Schema tipico
Neonati: non controllano nulla tranne gli occhi	16-20 al giorno	Pisolino un'ora ogni tre; nanna 5-6 ore di notte
1-3 mesi: sono più vigili e consapevoli di ciò che li circonda, possono muovere la testa	15-18 al giorno fino a 18 mesi	Tre pisolini di un'ora e mezza ciascuno; 8 ore la notte
4-6 mesi: acquisiscono la mobilità		Due pisolini da 2-3 ore ciascuno; 10-12 ore la notte
6-8 mesi: la mobilità aumenta; possono stare seduti e gattonare		Due pisolini da 1-2 ore ciascuno; 12 ore la notte
8-18 mesi: sono sempre in movimento		Due pisolini da 1-2 ore, o uno più lungo da 3 ore; 12 ore la notte

7

La «Y» (*You*): ora tocca a voi

«Svelte! Sdraiatevi, e fatelo ogni volta che prendete in mano questo libro. Il consiglio più difficile da mettere in atto in realtà è molto semplice: non state in piedi quando potete sedervi, non state sedute quando potete sdraiarvi e non state sdraiate quando potete dormire.»

Vicki Iovine, *The Girlfriend's Guide to Surviving the First Year of Motherhood*

«Pensate a voi stesse, qualche volta. Non date tutto ai bambini senza lasciare nulla a voi. Occorre che sappiate *chi siete voi*; dovete imparare molto su voi stesse, ascoltarvi e osservarvi crescere.»

Una delle millecento mamme che hanno risposto a un'indagine della National Family Opinion contenuta in *The Motherhood Report. How Women Feel About Being Mothers*

Il *mio* primo figlio

Le cose non si conoscono finché non ci si passa. Uno dei motivi per cui i genitori si fidano di me è che posso condividere con loro le mie prime esperienze come madre. Ricordo fin troppo bene i timori e le delusioni che ho provato con la mia primogenita, quando mi chiedevo se fossi davvero pronta e in grado di essere una buona madre. Devo dire che potevo contare su una fantastica rete di supporto sul campo: la mia cara nonna, che praticamente mi aveva allevato, mia madre e un gran numero di altri parenti, amici e vicini pronti a venire in aiuto. Ciononostante, quando arrivò il momento del parto fu davvero uno shock.

Mia madre e mia nonna, com'è naturale, esclamarono subito quanto fosse bella Sara, ma io non ero così sicura. Mi ricordo che la guardavo e pensavo: «Wow, è tutta rossa e piena di pieghe». Non era affatto come l'avevo immaginata. Questo ricordo è così vivido che ancora oggi, diciotto anni dopo, posso quasi tornare indietro nel tempo e sentire la mia delusione perché il labbro superiore di Sara non era perfetto come nelle fotografie di bambini che avevo visto. La sento ancora piangere come un agnellino e fissare il mio viso per un tempo che mi pareva eterno. Mia nonna si volse verso di me dicendo: «È cominciato il travaglio dell'amore, Tracy. Sarai una mamma fino al giorno in cui esalerai l'ultimo respiro». Queste parole furono come una secchiata di fredda acqua di mare: ero *una madre*. Di colpo, sentivo il bisogno di scappare o perlomeno di cancellare tutto.

I giorni seguenti mi parvero pieni di goffi tentativi e di molte lacrime e dolore. Le gambe mi dolevano per la scomoda posizione «a rana» tenuta durante il travaglio; le spalle erano doloranti perché l'ostetrica mi aveva premuto la testa sul petto mentre spingevo; gli occhi erano infiammati per la pressione esercitata durante le spinte e, cosa peggiore di tutte, il seno sembrava sul punto di esplodere. Ricordo che mia madre disse che dovevo cominciare subito ad allattare la bambina al seno, e la sola idea mi gettava nel terrore. Per fortuna mia nonna mi aiutò a trovare una posizione comoda, ma la verità era che *io* dovevo capire come affrontare le mille cose che era necessario sbrigare. Questo, unito al fatto di dover imparare a cambiare il pannolino a Sara, a confortarla, a *essere* davvero con lei, così come a trovare un momento per me stessa, occupava la maggior parte della mia giornata.

Diciotto anni dopo, quasi tutte le neomamme vivono questa stessa esperienza. (Ho il sospetto che non fosse diverso neppure diciotto anni prima.) Non è solo il trauma fisico, che da solo sarebbe sufficiente a debilitare anche la persona più forte; ma è la spossatezza, lo sconcertante cocktail di emozioni e il sentimento schiacciante di inadeguatezza che ti sopraffanno. E questo, miei cari, è *normale*. Non sto parlando di *depressione* post partum (tema che affronterò in seguito), ma semplicemente del tempo che la natura vi concede per riprendervi e per stare a casa, in modo da conoscere il vostro bambino. Il problema è che alcune donne a stento si concedono il tempo per mangiare una volta avuto il bambino, cosa che, oltre a non portare da nessuna parte, può anche essere pericolosa.

Storia di due donne

Per illustrarvi il mio punto di vista, permettetemi di raccontarvi la storia di due mamme con cui ho lavorato: Daphne e Connie. Entrambe sono donne con incarichi di rilievo, che si sono conquistate da sé lavorando per molti anni nelle rispettive attività. Entrambe oltre la trentina, hanno avuto parti naturali senza complicazioni, e l'ulteriore fortuna di dare alla luce bambini «angelici». La differenza tra le due è che Connie si è resa conto che l'arrivo del bambino avrebbe cambiato la sua vita, mentre Daphne testardamente ha continuato a credere di poter vivere come prima.

Connie. Connie, disegnatrice d'interni, aveva trentacinque anni quando nacque sua figlia. Essendo per natura una persona organizzata (probabilmente un 4 di punteggio nello spettro «istintivi»/«pianificatori»; vedi pp. 74-76), si era prefissa di completare la stanza della bambina per la fine del terzo trimestre di gravidanza, cosa che era riuscita a fare. Quando andai da lei per la visita preparto, le dissi: «Sembra che tu abbia fatto già tutto, manca solo la bambina». Sapendo che, con l'arrivo della piccola, non avrebbe avuto tempo o voglia di cucinare – attività a cui di solito si dedicava volentieri –, Connie aveva riempito il congelatore di cibi deliziosi, nutrienti e fatti in casa come minestre, pasticci, salse e altri piatti pronti da mettere in forno. Mentre si avvicinava al termine della gravidanza,

Connie cominciò a chiamare i suoi clienti per avvisarli che *qualcuno* sarebbe stato a disposizione se fosse stato necessario, ma che non sarebbe stata lei almeno per i due mesi successivi al parto. Lei e la bambina avrebbero avuto la precedenza. Il fatto interessante è che nessuno ebbe nulla da obiettare, anzi, tutti trovarono questo approccio «diretto» confortante e ammirevole.

Dato che Connie godeva di rapporti molto stretti e affettuosi con la sua famiglia, era sottinteso che dopo il parto ognuno avrebbe dato una mano, cosa che puntualmente si verificò. La madre e la nonna cucinavano e facevano commissioni; la sorella rispondeva abilmente alle telefonate di lavoro e andò perfino nell'ufficio di Connie per controllare di persona alcuni progetti.

La prima settimana dopo la nascita di Annabelle, Connie rimase a letto praticamente ogni giorno, studiando la sua piccolina e facendo conoscenza con lei. Riuscì a rallentare il suo ritmo normalmente frenetico e a concedersi tutto il tempo necessario per l'allattamento; accettò il fatto che doveva prendersi cura di se stessa. Quando sua madre ripartì, aveva il freezer pieno di cibi pronti, oltre a una pila di indirizzi di takeaway per quelle sere in cui anche solo accendere il forno sarebbe stato troppo faticoso.

Connie fu abile anche nel coinvolgere suo marito, Buzz. Mentre vi sono donne che controllano i propri mariti, dando loro istruzioni mentre cambiano il pannolino o, peggio, lamentandosi perché sbagliano, Connie sapeva che Buzz amava Annabelle almeno quanto la amava lei. Magari i pannolini erano allacciati un po' troppo larghi; e allora? Lei lo incoraggiava a essere *un genitore*. Si dividevano i compiti rispettando il proprio territorio. Il risultato fu che Buzz si sentiva più un partner che svolgeva bene il suo ruolo di padre che non un semplice «aiuto».

Il fatto di far seguire alla bambina una routine giornaliera programmata aiutò Connie a organizzare meglio anche il suo tempo. Comunque le mattinate volavano, come succede alla maggior parte delle neomamme: si svegliava, badava ad Annabelle, faceva una doccia, si vestiva ed era già ora di pranzo. Ma tutti i pomeriggi, tra le due e le cinque, Connie si stendeva sul letto. Non importava che dormisse, leggesse o radunasse semplicemente le idee: aveva bisogno di tempo per se stessa. Invece di privarsi di questa preziosa occasione, svolgeva solo i compiti indispensabili. Per quel che riguardava bigliettini da scrivere o telefonate da fare, di solito concludeva: «Possono aspettare».

Questo piano di riposo e di recupero psicofisico continuò anche in mia assenza. Si era organizzata anche in questo senso, come aveva fatto per tutto il resto. Parecchie settimane prima Connie aveva messo insieme un gruppo di buoni amici che si sarebbero dati il turno quotidianamente, tenendole la bambina dalle due alle cinque. Inoltre si era già mossa per trovare una tata per Annabelle quando avrebbe dovuto tornare in ufficio.

Quando la piccola compì i due mesi di vita, Connie cominciò a riprendere gradualmente contatto con il suo lavoro, dapprima passando solo qualche ora in ufficio per riprendere i rapporti con i clienti e assicurarsi che tutto procedesse come doveva. Invece di accettare nuovi progetti, decise di lavorare solo mezza giornata. Quando Annabelle aveva circa sei mesi e lei sentì di aver passato abbastanza tempo con la nuova tata da essere tranquilla della sua scelta, aumentò le ore di presenza in ufficio. Ma per allora Connie conosceva sua figlia, aveva fiducia nelle proprie capacità di essere una buona madre e si sentiva bene fisicamente: se non proprio la stessa di prima, almeno una sua versione riposata e sana.

Anche ora che ha ripreso a lavorare a tempo pieno, si fa un pisolino in ufficio tutti i pomeriggi. Di recente mi ha detto: «Tracy, la maternità è stata la cosa migliore per me perché, tra le altre ragioni, mi ha costretto a rallentare i ritmi».

Daphne. Magari Daphne, un avvocato di trentotto anni che lavorava nel mondo dello spettacolo a Hollywood, avesse seguito l'esempio di Connie! Non era passata neppure un'ora dal suo ritorno a casa dall'ospedale che era già al telefono. La casa era piena di gente che andava e veniva. Una bella stanza dotata di tutto il necessario era pronta per il bambino, ma niente era stato tolto dal suo involucro. Al secondo giorno, mi capitò di sentire Daphne che, al telefono, programmava un incontro di lavoro che avrebbe dovuto svolgersi nel suo salotto. Al terzo giorno, annunciò la sua intenzione di «tornare a lavorare».

Daphne aveva un'enorme cerchia di amici e di soci di lavoro, e nel giro di una settimana cominciò a organizzare pranzi, quasi per dimostrare che il fatto di aver avuto un bambino non condizionava affatto la sua vita. Era una specie di sfida: «Certo che posso uscire a pranzo. C'è qui Tracy e poi ho prenotato una bambinaia». Prendeva appuntamento con il suo istruttore in palestra e sbocconcellava quel che aveva nel piatto, ovviamente preoccupata per il suo aumento di peso. Voleva perfino usare lo *Stairmaster*, metafora perfetta del suo frenetico stile di vita in cui bisognava a tutti i costi dare la scalata al successo.

Era come se non si rendesse conto di avere un bambino. Era abbastanza logico, visto il suo ambiente e il suo mondo, un'industria in cui spesso la gente chiama «il mio bambino» un progetto di lavoro. Per Daphne, dare alla luce un bambino era semplicemente un altro progetto; o almeno così avrebbe voluto che fosse. Essere incinta – cosa che era risultata più difficile del previsto – corrispondeva alla fase «di sviluppo», e ora che il prodotto finale – il bambino – era finalmente arrivato, si sentiva pronta ad andare avanti.

Non c'è da sorprendersi quindi che sfruttasse qualsiasi occasione per uscire di casa. Se c'era una commissione da fare, non importa quanto mondana, si offriva volontaria. Non c'era volta in cui non dimenticasse (o evitasse di comprare apposta) uno o due articoli della lista che aveva fatto, cosa che le dava un'ulteriore scusa per uscire di nuovo.

In quei primi giorni, stare da Daphne era come vivere con un tornado. Provò ad allattare il bambino al seno, ma quando capì che doveva dedicare a questa operazione almeno quaranta minuti disse: «Penso di voler provare con il latte artificiale». Ora, voi sapete che io sostengo *qualsiasi* metodo si adatti allo stile di vita della madre, ma occorre tenere presente una serie di considerazioni (vedi il paragrafo «Una scelta consapevole», p. 119). In questo caso, l'unica preoccupazione di Daphne era di scegliere il sistema che lasciasse più tempo alla *sua giornata*. «Voglio tornare quella di prima» disse.

Nel frattempo, mandava messaggi contrastanti al povero marito, Dirk, un papà attento e pratico che era più che disponibile a prendere in mano la situazione. A volte accettava la sua partecipazione («Guardi tu Cary mentre non ci sono, vero?»); altre, invece, criticava il modo in cui teneva il bambino o lo vestiva. «Perché gli hai messo addosso *quella* roba?» chiedeva seccamente, studiando l'abbigliamento del piccolo. «Viene mia madre.» Non c'è da meravigliarsi se Dirk diventava sempre più arrabbiato e sempre meno coinvolto.

Tentai tutti i trucchi del mio repertorio per convincere Daphne a rallentare il ritmo. Dapprima, le confiscai il telefono, ma la cosa non funzionò perché ne aveva troppi, incluso un cellulare. Poi le ordinai di mettersi a letto tra le due e le cinque: «Venite a trovarmi» diceva agli amici, oppure fissava un appuntamento proprio in quelle ore. Una volta Dirk e io ci accordammo per nasconderle le chiavi della macchina: diventò pazza a cercarle. Quando alla fine confessammo il fattaccio, rifiutandoci di dargliele comunque, rispose in tono di sfida: «Bene, vorrà dire che andrò in ufficio a piedi».

Era un classico rifiuto di accettare la situazione, e avrebbe potuto continuare in questo modo se non fosse stato per la bambinaia prenotata da Daphne che non si era presentata (a quel punto io avrei dovuto rimanere ancora per soli due giorni). Improvvisamente, la realtà la colpì come una tonnellata di mattoni. Terribilmente stanca, divenne sempre più instabile finché alla fine crollò, tra i singhiozzi.

La aiutai a capire che per tutto questo tempo aveva cercato di coprire le sue insicurezze con l'iperattività. La rassicurai con dolcezza che sarebbe stata una buona madre, ma che ci sarebbe voluto del tempo. Poiché non aveva colto la possibilità di conoscere suo figlio o di imparare a capirne i bisogni, *si sentiva* incompetente, ma ciò non voleva dire che lo fosse davvero. In più era esausta, non essendosi presa il tempo per recuperare. «Non so fare niente» diceva piangendo tra le mie braccia, ammettendo finalmente la sua paura più profonda: «Come posso fallire in qualcosa che tutti sembrano fare così bene?».

Non è certo mia intenzione fare un cattivo ritratto di Daphne. Le sono stata vicino con tutto il cuore, e credetemi, ho vissuto tante volte questo problema. Molte mamme hanno una reazione di rifiuto, soprattutto quelle che lasciano una carriera in espansione e molto prestigiosa per diventare mamme o quelle che sono superorganizzate. Il ritmo della loro vita viene spezzato dall'arrivo del bambino, e vorrebbero credere che tutto sarà esattamente come prima. Piuttosto che sentire le emozioni legate ai primi tempi della maternità o confessare i propri timori, tendono a minimizzare questa esperienza. In effetti, quello che molte future mamme in carriera spesso chiedono è: «Quanto è difficile avere un bambino?», oppure: «Quanto è difficile allattare?». Una volta a casa, scoprono che anche se sono in grado di dirigere compagnie multimiliardarie e portare a termine progetti complessi nei consigli di amministrazione, la maternità presenta loro sfide che non immaginavano neppure. Per questo motivo parte del loro rifiuto si manifesta nella necessità di attaccarsi a qualcosa che conoscono e sanno fare bene. Una colazione di lavoro è un gioco da ragazzi rispetto a tutto quello che devono imparare quando vengono a casa con il bambino per la prima volta.

Le cose non vanno meglio quando una mamma cade nell'estremo opposto e vuole fare *tutto* da sola. Joan, ad esempio, mi rivolse delle domande e alla fine disse: «Voglio scoprirlo da sola». Provò... per due settimane, poi ricevetti una telefonata disperata. «Sono distrutta, litigo con mio marito, Barry, continuamente, e sento che non sto facendo un buon lavoro neppure come madre. È molto più difficile di quanto pensassi» ammise. Non era questione che fosse più difficile, spiegai; era solo più lavoro di quanto avesse previsto. La convinsi a fare un pisolino al pomeriggio, in modo che Barry avesse la possibilità di stare con sua figlia.

Scuse, scuse e ancora scuse!

Dal giorno in cui il vostro bambino viene al mondo, ogni giorno, chiedetevi: «Cosa ho fatto *per me* oggi?». Ecco alcune «scuse razionali» per cui le donne non si prendono tempo per se stesse, e le mie risposte.

«*Non posso lasciare il bambino solo.*» Fate venire un parente o un amico per un'ora.

«*Nessuno dei miei amici ha esperienza di bambini.*» Invitateli da voi e mostrate loro come fare.

«*Non ho tempo.*» Se seguirete i miei consigli, riuscirete a ricavarvelo. Probabilmente non sapete dare delle priorità. Mettete la segreteria telefonica invece di rispondere a tutte le chiamate.

«*Nessuno si prende cura del mio bambino come so fare io.*» Balle: non volete perdere il controllo. Tra l'altro, quando sarete completamente a pezzi, qualcuno *dovrà* farlo comunque.

«*Che succederà se io non ci sono?*» Le donne che hanno la tendenza a controllare tutto sono scioccate quando scoprono che le cose vanno avanti anche senza di loro.

«*Mi prenderò del tempo quando il bambino sarà un po' più grande.*» Se non lo fate ora, non vi sentirete importanti. Perderete la vostra identità di donne (e non solo di mamme).

Come concedervi una pausa

Senza dubbio, uno dei consigli più importanti che do ai neogenitori nelle prime settimane è quello di ricordare che sono padri e madri migliori di quanto non pensino. La maggior parte di loro non si rende conto che fare i genitori è un'arte che si apprende. Hanno letto tutti i libri e i reportage dei giornali, e *pensano* di sapere che cosa li aspetta. Poi arriva il bambino. Purtroppo, proprio quando sono all'inizio della curva di apprendimento si sentono peggio che mai. Ecco il motivo per cui, nel capitolo 4, ho suggerito alle madri che allattano di seguire la mia «regola dei quaranta giorni» (vedi p. 143); la verità però è che *tutte le neomamme hanno bisogno di tempo per riprendersi*. Oltre al trauma fisico della nascita, sono prese da una serie di dettagli imprevisti, più stanche di quanto immaginassero e sopraffatte da mille emozioni. Per quelle che allattano al seno, poi, la difficoltà di imparare e i problemi che possono insorgere (vedi pp. 144-146) non fanno che aumentare lo shock.

Perfino una donna come Gail, ex insegnante in una scuola materna e la maggiore di cinque fratelli, si meravigliò di quanto potessero pesare le cose da fare e la responsabilità di un neonato. Era lei che si era occupata dei fratelli minori, lei che correva regolarmente in soccorso degli amici che avevano appena avuto un figlio. Ma quando nacque Lily, Gail crollò. Perché? Prima di tutto, questa volta si trattava della *sua* bambina e del *suo* corpo; suo il dolore, suo l'indolenzimento, suo il bruciore quando faceva pipì. Inoltre, i suoi ormoni impazzavano: si esasperava perché il toast era un po' più scuro del solito, maltrattava sua madre perché aveva mosso una sedia e scoppiava in lacrime quando si accorgeva di non riuscire a fare le cose più semplici, come togliere il tappo a una bottiglia. «Non posso credere di non riuscire a farcela!» si lamentava.

È tutt'altro che la sola. Un'altra madre, Marcy, che mi accolse con un lungo elenco di domande, ricorda così i suoi primi giorni: «Era come un brutto film. Ero seduta al tavolo, nuda dalla vita in su perché i capezzoli mi facevano troppo male per poter indossare qualcosa. Erano pieni di tagli, e io piangevo mentre mia madre e mio marito mi guardavano orripilati. Riuscivo solo a dire: "Che rottura!"».

Le regole per rimettersi in sesto dopo il parto

Potrebbero sembrarvi elementari, mie care mamme, ma non sapete quante se ne dimenticano:

* *Mangiate*. Seguite una dieta equilibrata, di almeno 1500 calorie al giorno, 2000 se allattate al seno. Non controllate il vostro peso. Tenete scorte di cibo nel freezer o indirizzi di takeaway a portata di mano.

* *Dormite*. Fate un sonnellino ogni pomeriggio, anche più spesso se potete. Alternatevi con il papà.

* *Fate esercizio fisico*. Non usate attrezzi e non allenatevi per almeno sei settimane. Fate piuttosto lunghe passeggiate.

* *Trovate qualche momento per voi stesse*. Chiedete a vostro marito, a un parente o a un amico di darvi il cambio, in modo da essere davvero «in libera uscita».

* *Non fate promesse che non potete mantenere*. Dite a tutti che non sarete disponibili per almeno uno o due mesi. Se avete già preso troppi impegni, disdiceteli.

* *Stabilite delle priorità*. Cancellate dalla lista le cose non essenziali.

* *Pianificate*. Stendete un elenco di baby-sitter; programmate i menu; scrivete una lista in modo da fare spese solo una volta la settimana. Per riprendere attività precedenti la nascita del bambino, come un incontro di lettura settimanale, coordinatevi con vostro marito.

* *Accettate i vostri limiti*. Se siete stanche, stendetevi sul letto; se avete fame, mangiate; e se siete arrabbiate, lasciate la stanza!

* *Fatevi aiutare*. Nessuno può farcela da solo.

* *Passate un po' di tempo con il partner o con una buona amica*. Non dedicate ogni singolo minuto al neonato. Sarebbe poco realistico.

* *Viziatevi*. Più regolarmente che potete, concedetevi un massaggio (da qualcuno che abbia familiarità con il corpo nella fase post partum), una pulizia del viso, una manicure e/o una pedicure.

A mio parere, il modo migliore per rigenerarsi è il sonno. Dico sempre alle mamme di dormire tutti i pomeriggi tra le due e le cinque. Se non possono farlo, raccomando almeno tre sonnellini da un'ora nelle prime sei settimane, evitando di sprecare questo tempo prezioso al telefono o scrivendo bigliettini di ringraziamento. Non si può dare il cento per cento se avete alle spalle solo il cinquanta per cento del sonno necessario. Anche se siete aiutate, anche se non vi *sentite* stanche, avete questa enorme ferita dentro di voi. Se non riposate abbastanza, vi garantisco che dopo sei settimane vi sentirete come investite da un autobus. Ma non voglio essere l'unica a rispondervi: «Te l'avevo detto». Come già accennato, le donne ricevono un grosso aiuto quando possono parlare con buone amiche che ci sono già passate, così come con la propria madre: può esservi di grande conforto, ricordandovi che questo è un processo naturale. Per gli uomini, invece, parlare con gli altri papà potrebbe non essere altrettanto soddisfacente. Ho sentito da molti padri del mio gruppo che i neopapà tendono a competere l'uno con l'altro su chi ha la vita più *dura*. «Il bambino mi ha tenuto sveglio per metà della notte» uno dice all'altro. «Ah sì?» risponde l'amico. «Be', il mio per tutta la notte.»

Per entrambi i sessi, comunque, è essenziale rallentare il ritmo e concedersi spazio per eventuali errori e difficoltà. Connie, ad esempio, è riuscita a essere gentile e paziente con se stessa; ha riconosciuto l'importanza di programmare le cose e di essere aiutata; non si è precipitata in palestra. Piuttosto, ha fatto lunghe passeggiate, per aiutare la circolazione e uscire un po' di casa. Ma la cosa più importante è che Connie ha compreso che la vita con il bambino non sarebbe più stata la stessa. Non è una cosa brutta, è semplicemente diverso.

Un altro fattore che aiuta molto è procedere a piccoli passi. Anche se ci sono montagne di roba da lavare che incombono, non dovete fare tutto subito. Anche se sono arrivati molti regali, la gente capirà se non spedite subito un bigliettino di ringraziamento.

Perché la verità è che quando avete un bambino tutto *cambia* davvero: le vostre abitudini, le priorità, le relazioni. Le donne (e gli uomini) che non accettano questa realtà possono andare incontro a grosse difficoltà. Lucidità e senso della prospettiva: ecco che cosa significa un recupero dolce dopo il parto. I primi tre giorni durano solo tre giorni, il primo mese solo un mese. Avete iniziato un viaggio lungo e difficile, in cui ci saranno giorni buoni e giorni meno buoni: siate preparati ad affrontare entrambe le cose.

Tutti gli umori delle mamme

Di solito riesco a valutare la «temperatura emotiva» di una madre dal modo in cui mi accoglie sulla porta di casa. Francine, ad esempio, mi chiamò con il pretesto di un consulto riguardo all'allattamento, ma quando mi accolse con addosso una T-shirt sgualcita costellata di macchie di rigurgito biancastro, capii che l'allattamento non era l'unico dei suoi problemi. «Mi dispiace» si scusò immediatamente vedendo che i miei occhi esaminavano il suo abbigliamento. «Oggi è il primo giorno in cui ho avuto voglia di alzarmi, vestirmi e farmi una doccia: perché venivi tu.» Poi aggiunse, benché non ce ne fosse bisogno: «È una brutta giornata».

Poi mi confidò: «Tracy, mi sento come il dottor Jekyll e mister Hyde. Un minuto sono la madre migliore e più affettuosa del mondo col mio bambino di due settimane. Un attimo dopo, vorrei scappare di casa e non tornarci mai più perché non ce la faccio».

«Va tutto bene, tesoro» le dissi sorridendo. «Vuol solo dire che sei come tutte le neomamme.»

«Davvero?» mi chiese. «Stavo cominciando a pensare di avere qualcosa che non va.»

Rassicurai Francine, come devo fare spesso con chi ha appena avuto un figlio, che emotivamente le prime sei settimane sono come delle montagne russe, e che l'unica cosa che si può fare è allacciare le cinture e prepararsi per il viaggio. Visti gli sbalzi di umore, non c'è da stupirsi che molte donne pensino di avere una personalità multipla.

Ricordate: sono *sbalzi* di umore, per cui nel giro di una giornata, di sicuro di una settimana, potreste sentirvi come abitate da una serie di persone diverse, la cui voce vi risuona dentro.

«*Questo è abbastanza facile.*» In questi momenti vi sentite come la quintessenza della madre naturale: riuscite a capire tutto velocemente e senza problemi. Vi fidate del vostro giudizio, vi sentite sicure di voi stesse e non siete troppo sensibili alle mode del momento. Siete anche in grado di ridere di voi, sapendo che essere madri non è un compito che saprete svolgere sempre alla perfezione. Non avete timore di fare domande, e se lo fate ottenete facilmente le risposte o le adattate alla vostra situazione. Vi sentite in equilibrio.

«*Lo farò nel modo giusto?*» Questi sono momenti governati dall'ansia, in cui vi sentite incapaci e pessimiste. Può darsi che vi sembri di essere superficiali nel maneggiare il bambino, e che abbiate paura di romperlo. Il minimo contrattempo vi sconvolge: può succedere che vi preoccupiate anche di cose che non sono successe. In questa fase, magari quando i vostri ormoni stanno impazzando al massimo, immaginate il peggio.

«*Oh, così non va bene, proprio non va bene.*» In questi momenti rimuginate sull'esperienza del parto e sulla saga della maternità in corso; siete anche sicure che nessuno si sia mai sentito così infelice, altrimenti perché nascerebbero i bambini? La cosa che vi fa stare meglio è raccontare a tutti quanto sia stato doloroso il taglio cesareo, come il piccolo vi tenga sveglie di notte e che vostro marito non sta facendo quello che aveva promesso di fare. Se qualcuno vi offre aiuto, tendete a fare la parte delle martiri: «Va tutto bene, ce la farò».

«*Non c'è problema: sistemerò tutto.*» Le donne di successo che lasciano la carriera per diventare madri sono più propense ad avere momenti come questi. In tali casi, pensate di poter applicare le vostre capacità manageriali con il bambino, e potreste quindi essere sorprese, infastidite o arrabbiate se lui non collabora. State vivendo una fase di rifiuto della realtà, tesori miei, credendo che con un neonato la vita possa continuare esattamente come prima.

«*Ma il libro dice...*» Nei momenti di confusione e di dubbio, leggete qualsiasi cosa vi capiti a tiro per poi usarla con il vostro bambino. Nel tentativo di uscire dal caos, compilate elenchi senza fine e fate uso di lavagnette e di agendine. Se l'ordine e l'organizzazione sono da apprezzare, non è bene essere poco flessibili permettendo che la routine vi conduca invece di essere voi a condurre lei. Ad esempio, se la lezione «Mamma-bambino» comincia alle dieci e mezzo del mattino ed è una giornata difficile, è probabile che decidiate di saltarla per paura di complicare il vostro programma quotidiano.

Certo, sarebbe bello se la voce che dice: «Questo è abbastanza facile» fosse predominante e vi sentiste una mamma naturale ventiquattr'ore al giorno per sette giorni la settimana, ma vi assicuro che per la maggior parte delle donne non è così. La cosa migliore che potete fare è prendere nota di tutte queste voci, tenendo un diario dei vostri umori se pensate di non ricordarli, e poi imparare a gestire i cambiamenti. Se c'è una voce che insiste nell'urlarvi qualcosa, ad esempio che non ce la farete mai come mamma, potrebbe essere il momento di rivedere le cose.

«Baby blues» o depressione vera?

Lasciate che ve lo ripeta: un po' di negatività è *normale*. Nel decorso tipico del periodo post partum, una donna può avere vampate di calore, mal di testa e capogiri; può diventare apatica o incline al pianto; può avere sentimenti dubbiosi su se stessa ed essere ansiosa. Cosa provoca questo «baby blues»? I livelli di estrogeno e di progesterone calano drasticamente dopo qualche ora dal parto, così come quelli delle endorfine, che hanno contribuito a creare quel senso di gioia e benessere durante la gravidanza. Tutto ciò provoca violenti sbalzi di umore. Certo, non bisogna neppure dimenticare lo stress dato dalla nuova maternità. Inoltre, se siete soggette alla sindrome premestruale, significa che i vostri ormoni fanno regolarmente i pazzi, ed è probabile che succeda anche dopo il parto.

Questi giorni malinconici di solito arrivano a ondate, motivo per cui chiamo le forze che li attivano il vostro «tsunami interiore». Una di queste ondate può travolgere il vostro equilibrio e senso di benessere per un'ora, per un giorno o due, o può invece continuare a fasi alterne da tre mesi a un anno. Sono giorni che influenzano il modo in cui vedete ogni cosa, soprattutto il vostro bambino. Di solito queste voci nella vostra testa saltano fuori con frasi del tipo: «Cosa ho fatto?» o «Non ce la faccio (*completate voi la frase: a cambiare il pannolino, ad allattare, ad alzarmi in piena notte*)».

Un consiglio. *Se il bambino piange e voi siete sole con lui, ma non vi sentite di affrontare la situazione o peggio avvertite che la rabbia monta, mettetelo nella sua culla e lasciate la stanza. Nessun bambino è mai morto per il troppo piangere. Fate tre respiri profondi e poi tornate da lui. Se siete ancora agitate, telefonate a un parente, a un amico o a un vicino e chiedete aiuto.*

Quando uno «tsunami interiore» si abbatte sulle rive della vostra psiche, cercate di vedere le cose in prospettiva. Quel che vi succede è normale, assecondatelo: state a letto se vi fa sentire meglio, piangete, urlate al vostro partner chiedendo aiuto. Passerà.

Ma come sapere quando un po' di angoscia o di insicurezza si trasformano in qualcosa d'altro? La depressione post partum è un disagio mentale documentato: una malattia. Il suo insorgere viene spesso individuato nel terzo giorno dopo il parto, per continuare fino alla quarta settimana. Comunque, io (e con me molti psichiatri esperti di questa condizione) penso che questo lasso di tempo sia troppo breve. Alcuni dei sintomi, tra cui una tristezza profonda e persistente, pianto frequente e senso di disperazione, insonnia, apatia, ansia e attacchi di panico, irritabilità, ossessioni e pensieri spaventosi ricorrenti, inappetenza, scarsa autostima, mancanza di entusiasmo, distanza dal partner e dal bambino e desiderio di far male a se stessi o al bambino, possono emergere anche parecchi mesi dopo il parto. In ogni caso, tali sintomi – una manifestazione più grave del «baby blues» – andrebbero presi seriamente.

Si calcola che il 10-15 per cento delle neomamme soffra di depressione post partum; una su mille sperimenta una completa rottura con la realtà, detta anche «psicosi post partum». A parte i cambiamenti ormonali e lo stress derivante dalla maternità, gli scienziati sono ancora incerti sul motivo per cui alcune donne cadano in una grave depressione clinica dopo il parto. Un fattore di rischio documentato è una storia di squilibrio dal punto di vista chimico. Un terzo delle donne con una storia di depressione alle spalle la sperimentano anche dopo il parto; metà di quelle che ne soffrono dopo il primo figlio ci ricadono dopo quelli successivi.

Purtroppo, perfino alcuni dottori non sono coscienti del rischio. Come risultato, spesso le donne non hanno idea di che cosa stia loro succedendo quando arriva la depressione: un problema che potrebbe essere evitato con l'informazione e l'educazione. Yvette, ad esempio, prendeva del Prozac contro la depressione, ma quando rimase incinta smise di farlo. Non aveva idea di quanto sarebbe peggiorata la sua condizione dopo il parto. Invece di provare calore e compassione per il suo bambino, Yvette voleva chiudersi nel bagno ogni volta che lui piangeva. Quando si lamentava di «non sentirsi normale», nessuno le dava retta. «Oh, è solo quella roba del post partum» diceva sua madre, negando il fatto che Yvette si sentiva sempre peggio. «Riprenditi» la ammoniva sua sorella aggiungendo: «Ci siamo passate tutte». Perfino i suoi amici erano d'accordo: «Quello che stai passando è normale».

Yvette mi chiamò spiegandomi: «Devo raccogliere tutte le mie forze anche solo per portare fuori la spazzatura o fare una doccia. Non capisco che cosa non vada in me. Mio marito cerca di aiutarmi, Tracy, ma non lo faccio neppure parlare senza assalirlo, pover'uomo». Non presi alla leggera gli umori sempre più neri di Yvette, e mi preoccupai soprattutto quando mi disse come si sentiva quando il piccolo Bobby piangeva. «Quando piange, a volte gli urlo dietro: "Cosa c'è che non va? Cosa vuoi da me? Perché non stai zitto?". L'altro giorno mi sentivo così frustrata, e mi pareva di spingere la sua culla un po' troppo violentemente. È stato allora che ho capito che avevo bisogno di aiuto. A dire la verità, volevo gettarlo contro il muro. Ora posso capire perché la gente se la prende con i bambini.»

Certo, ci sono giorni in cui un bambino che sembra piangere in eterno fa saltare i nervi a chiunque, ma quello che sentiva Yvette andava ben al di là dei limiti della normalità. È stato corretto da parte del ginecologo consigliarle di sospendere la medicina durante la gravidanza, perché avrebbe potuto danneggiare il feto. Le donne che soffrono di depressione spesso quando sono incinte si sentono bene anche senza farmaci, perché l'alto livello di ormoni e di endorfine le tiene su. Sbagliato e pericoloso è stato invece che nessuno abbia avvisato Yvette di quello che avrebbe potuto succedere *dopo* il parto, quando le stesse sostanze chimiche che l'avevano tenuta a galla sarebbero drasticamente diminuite.

Come si vide, il parto causò un grave peggioramento delle condizioni di Yvette, e i sintomi della sua depressione ricomparvero decuplicati. Le consigliai di consultare subito il suo psichiatra. Una volta ripresa la medicina, il suo approccio alla vita mutò radicalmente e lei cominciò a sentirsi bene anche come mamma. A causa delle sostanze presenti nel suo organismo, non era più consigliabile che allattasse al seno, ma questo non fu un sacrificio troppo grande se paragonato alla calma e alla sicurezza riacquistate.

Se pensate di soffrire di depressione post partum, consultate il vostro medico o uno psichiatra. In America gli psichiatri spesso fanno riferimento al *Diagnostic and Statistical Manual* per stabilire se lo stato di un paziente corrisponde ai criteri dei vari tipi di depressione. Comunque, anche questa «bibbia» della professione medica – aggiornata dopo parecchi anni – non riconobbe la depressione post partum fino al 1994. La versione corrente, *DSM-IV*, contiene un paragrafo che spiega i sintomi dei vari tipi di «disturbi dell'umore» che hanno avuto «inizio con il parto». I medici utilizzano anche scale di valutazione di tipo psichiatrico per determinare la gravità di una depressione – una delle più diffuse è quella composta da ventitré elementi, detta «Scala della depressione di Hamilton» –, anche se tali strumenti non sono specificatamente pensati per diagnosticare quella post partum. Alcuni medici americani preferiscono quella detta «di Edimburgo», composta da dieci elementi e messa a punto vent'anni fa in Scozia. Quest'ultima è molto più semplice e si è rivelata esatta al 90 per cento quando si tratta di individuare le madri a rischio. Entrambe sono concepite per essere usate da professionisti e non come test da eseguire da soli; ma per darvi un'idea di cosa aspettarvi, vi ripropongo alcune domande prese da tutte e due (vedi il box seguente).

La maggior parte degli esperti concorda sul fatto che la depressione post partum sia meno diagnosticata rispetto alla sua diffusione reale. Due studenti di medicina della Mayo Medical School di Rochester, in Minnesota, lo hanno dimostrato intervistando le donne che avevano partorito nel 1997-1998. Mentre nel 1993 risultava che nella stessa contea solo il 3 per cento delle madri esaminate avevano avuto una diagnosi in tal senso, quando gli studenti chiesero a tutte le donne che si recavano in clinica per la prima visita dopo il parto di compilare il questionario di Edimburgo l'incidenza saliva al 12 per cento.

Esempi di domande prese dalle scale
per misurare la depressione

Dalla Scala di depressione di Hamilton:

Agitazione
0 = nessuna
1 = irrequietezza
2 = giocare con mani, capelli, ecc.
3 = continuare a muoversi, non riuscire
    a stare seduti
4 = torcersi le mani, mangiarsi le unghie,
    tirarsi i capelli, mordersi le labbra

Ansia psicologica
0 = nessuna difficoltà
1 = tensione e irritabilità
2 = preoccupazione per cose minori
3 = apprensione visibile in volto o nelle parole
4 = timori espressi senza esitazione

Dalla Scala di depressione
postnatale di Edimburgo:[*]

Sono stata travolta dagli eventi
0 = no, me la sono cavata
    bene come sempre
1 = no, perlopiù me la sono
    cavata abbastanza bene
2 = sì, a volte non me la sono
    cavata così bene come al solito
3 = sì, perlopiù non sono stata
    affatto in grado di cavarmela

Sono stata così infelice che avevo
difficoltà a dormire:
0 = no, affatto
1 = non molto spesso
2 = sì, a volte
3 = sì, quasi sempre

[*] Pubblicata col permesso del Royal College of Psychiatrists.

Se la malinconia tipica del periodo postnatale sembra protrarsi troppo, o se le giornate nere si susseguono senza miglioramenti, cercate subito l'aiuto di un professionista. Non c'è nulla di cui vergognarsi: la depressione è una condizione biologica. Non significa che non siete una buona madre, ma solo che avete una malattia, proprio come se aveste la febbre. Perciò, potete avere assistenza medica e supporto dalle donne che ci sono passate.

Le reazioni di papà

Ai padri viene spesso prestata poca attenzione durante il periodo post partum, perché la maggior parte di essa e delle energie in casa sono concentrate sulla mamma e sul nuovo arrivato. È naturale, certo, ma anche loro sono esseri umani. Alcune ricerche mostrano che molti papà presentano perfino segni di stress e di depressione. Anch'essi non possono fare a meno di reagire alla presenza del bambino, a tutte le attenzioni che il più giovane membro della famiglia riceve, agli umori della mamma, ai visitatori e alle persone sconosciute che girano per casa. In effetti, così come le mamme hanno umori molto variabili, ho notato che esistono delle «emozioni paterne» che si manifestano con l'arrivo del bambino.

«Lascia fare a me.» A volte, specialmente nelle prime settimane, i papà sono tipi davvero disponibili. Essendo totalmente coinvolti nella gravidanza e nel parto, sono *molto* presi dal bambino. Hanno voglia di imparare e desiderano sentirsi dire che hanno fatto un buon lavoro. Possiedono anche un buon istinto naturale col bambino, e gli si legge in faccia che amano stare con lui. Mamme, se il vostro partner si sente così, baciatevi i gomiti: se siete fortunate, durerà finché vostro figlio andrà all'università.

«*Non è compito mio.*» Questa è la reazione che ci aspetteremmo da quello che una volta era considerato il padre «tradizionale»: il tipo che preferisce non interferire. È chiaro che ama il suo bambino, ma non quando si tratta di cambiare il pannolino o fargli il bagnetto. Per come la vede lui, queste sono faccende da donna. È possibile che si butti nel lavoro subito dopo la nascita del bambino, o che sia sinceramente preoccupato di dover guadagnare di più per sostenere la famiglia che cresce. In entrambi i casi, ha una scusa in buona fede per non svolgere quel noioso e «sporco» lavoro che è occuparsi di un neonato. Col tempo potrebbe addolcirsi, specialmente quando il bambino comincia a diventare più interattivo. Ma vi garantisco che *non* si farà vedere se sottolineerete quello che *non* fa o se lo paragonerete ad altri papà («Il marito di Leila cambia i pannolini a Mackenzie»).

«*Oh, no... c'è qualcosa che non va.*» Questo papà è nervoso e rigido quando tiene in braccio il bambino per la prima volta. Magari ha frequentato tutti i corsi preparto e per genitori con la moglie, suggerendo di farne anche uno di rianimazione infantile, ma è comunque terrorizzato di compiere qualcosa di sbagliato. Quando fa il bagnetto al piccolo, ha paura che si scotti; dopo averlo messo a dormire si preoccupa della «sindrome della morte in culla». E quando a casa tutto è tranquillo, comincia a pensare di non potersi permettere di mandare il figlio all'università. Esperienze positive con il bambino di solito rafforzano la sua fiducia e aiutano a dissipare questi sentimenti. Anche un dolce incoraggiamento e l'approvazione della moglie possono essere d'aiuto.

«*Guarda questo bambino!*» Questo tipo di padre è fiero oltre misura. Non solo vuole che tutti vedano il suo «trofeo», ma è anche possibile che esageri il suo coinvolgimento. Potreste sentirlo raccontare a dei conoscenti in visita: «Di notte mi sveglio io», mentre alle sue spalle la moglie, esasperata, fa roteare gli occhi. Quando poi è al secondo matrimonio, se la prima volta era abbastanza poco coinvolto ora si sente l'esperto, e corregge spesso la moglie con commenti conclusivi tipo: «*Io* non lo facevo così». Mamme, concedetegli il giusto – soprattutto se sembra sapere ciò che fa – ma non lasciate che calpesti i vostri istinti migliori.

«*Quale bambino?*» Come ho avuto modo di dire, dopo l'arrivo del bambino alcune mamme negano la realtà. Be', mie care, anche i papà hanno la loro versione. Di recente sono stata in ospedale a trovare Nell, neppure tre ore dopo che aveva partorito, e innocentemente le ho chiesto: «Dov'è Tom?». Come se fosse la cosa più naturale del mondo, mi rispose: «Oh, è a casa. Voleva fare un po' di giardinaggio». Non è che Tom pensi che curare il bambino non rientri nei suoi compiti; piuttosto, non vuole accettare il fatto che ormai è arrivato e che la sua vita cambierà. Anche se percepisce il cambiamento, si rifugia nel conforto datogli da un'attività che sa già fare bene. Quello di cui ha bisogno è una buona dose di realtà, così come dell'incoraggiamento di Nell. Nel caso in cui perseverasse, o lei non gli concedesse spazio per partecipare, potrebbe diventare il tipo di padre che guarda la tv in salotto, dimentico del caos intorno a lui. La mamma, distrutta perché si sta destreggiando col telefono e contemporaneamente cerca di preparare la cena, gli chiede: «Tesoro, mi terresti il bambino?». Lui alza la testa e dice: «Huh?».

A prescindere dalla reazione iniziale, molti uomini cambiano, anche se spesso non nella direzione che vorrebbero le mogli. Quando queste mi chiedono: «Come posso farlo partecipare di più?», sono deluse nel sentire che non esiste una formula magica. Quello che ho visto nella mia esperienza è che gli uomini si coinvolgono a modo loro e con i loro tempi. Una persona molto operosa potrebbe essere meno attiva dopo la nascita del figlio, mentre un'altra refrattaria all'idea di educarlo potrebbe gettarsi a capofitto in questa impresa quando il piccolo comincia a sorridere, o a stare seduto, o a camminare, o a parlare. Comunque, la maggior parte dei padri se la cava meglio con compiti concreti che sente di poter svolgere al meglio.

«Non è giusto» protestò Angie quando suggerii che lasciasse scegliere a Phil i compiti che preferiva. «Io non posso scegliere cosa fare. Sono "di servizio", a prescindere da come mi sento.»

«È vero» riconobbi, «ma devi accettare l'uomo che hai accanto. E se Phil non farà il bagno al bambino, magari almeno laverà i piatti dopo cena.»

Anche in questo caso, il «segreto» è il rispetto. Se un uomo sente che i suoi bisogni e desideri sono riconosciuti, sarà più propenso a rispettare i vostri. Ma all'inizio dovete aspettarvi un po' di difficoltà, perché entrambi state sforzandovi di trovare il punto d'equilibrio.

Che ne è di *noi*?

Quando ci si ritrova in tre, cambia anche il rapporto tra i partner. In molti casi la realtà non corrisponde alla fantasia; di solito, però, sono i problemi *sotto la superficie* a impedire la comunicazione nella coppia. Ecco alcuni dei più comuni.

Il nervosismo dei principianti. Mamma si sente sovraccaricata. Papà non sa come aiutarla. Quando lo fa, lei è impaziente e se la prende con lui. Lui si ritira.

«Sbaglia a mettere il pannolino» si lamenta una mamma alle spalle del marito. «È perché sta ancora imparando, tesoro» le dico. «Dagli una possibilità.» La verità è che tutti in questa impresa sono dei principianti. Entrambi i genitori sono nella parte ripida della curva di apprendimento. Cerco di ricordare loro il primo appuntamento: non hanno dovuto *anch'essi* imparare a conoscersi? Col tempo, man mano che aumentava la familiarità, non è forse subentrata una comprensione più profonda? Lo stesso succederà con il nuovo bambino.

Mi piace assegnare ai papà dei compiti specifici – fare spese, il bagnetto, la poppata notturna –, in modo da farli sentire parte del processo. Dopo tutto, le mamme hanno bisogno di qualsiasi aiuto, anche piccolo. Spingo gli uomini a essere le orecchie e la memoria delle mogli, sia perché ci sono tante nuove informazioni da assimilare sia perché molte donne soffrono di amnesia post partum, una condizione temporanea ma molto fastidiosa. Oppure potrebbe esserci un'esigenza particolare che un padre può soddisfare: ad esempio, Lara (che avete incontrato nel capitolo 4) era una mamma che trovava particolarmente faticoso l'allattamento al seno. Il marito si sentiva del tutto inutile, come se non ci fosse nulla che potesse fare per aiutarla a superare questo periodo difficile. Comunque, quando mostrai a Duane come il bambino dovesse attaccarsi correttamente al seno, istruendolo a sostenere dolcemente Lara in caso avesse dei problemi (l'enfasi qui va sul *dolcemente*), sentì che stava davvero dando il suo contributo. Gli affidai anche la responsabilità di assicurarsi che la moglie assumesse i sedici bicchieri d'acqua al giorno di cui aveva bisogno.

Differenze di genere. Qualunque sia il conflitto che insorge tra mamma e papà nelle prime settimane dopo il parto, inevitabilmente ricordo loro che stanno affrontando questa sfida insieme, anche se probabilmente vedono le cose da punti di vista diversi. Come ho sottolineato nel capitolo 2, il papà tende a voler «sistemare le cose», mentre tutto quello che una mamma vuole è un orecchio disponibile, una spalla su cui piangere e due braccia forti che la stringano. Spesso i problemi di coppia hanno origine da questa differenza di genere, e io mi scopro a comportarmi come un'interprete, che spiega a Venere cosa vuol dire Marte e viceversa (vedi il box successivo). Le cose migliorano quando entrambi i partner imparano non solo a compiere quest'opera di «traduzione», ma anche a non prenderla *sul personale* se l'altro ha un'opinione diversa. La diversità

dovrebbe essere fonte di forza, perché fornisce un repertorio più vasto a cui attingere.

Lui ha detto/Lei ha detto

In qualsiasi relazione tra due genitori, ognuno vede le cose da
una prospettiva diversa. Spesso mi comporto come un negoziatore
delle Nazioni Unite, che riferisce a uno i messaggi dell'altro.

Le mamme vogliono che dica al loro partner:
* Quanto è doloroso il parto.
* Quanto sono stanche.
* Quanto si sentano affaticate dall'allattamento (per dimostrarlo,
una volta ho afferrato il capezzolo di un papà dicendo: «Lascia che
te lo tenga così per venti minuti»).
* Che piangono o gridano per via degli ormoni e non contro di lui.
* Che non sono in grado di spiegare *perché* piangono.

I papà vogliono che dica alla loro partner:
* Di smetterla di criticare qualunque cosa facciano.
* Che il bambino non è fatto di porcellana e non si rompe.
* Che stanno facendo del loro meglio.
* Che sono dispiaciuti quando respinge le loro teorie sul bambino.
* Che ora si sentono più sotto pressione nel provvedere alla nuo-
va famiglia.
* Che si sentono anche depressi e sopraffatti.

Cambio di vita. Con alcune coppie, l'ostacolo maggiore
consiste nell'imparare a modificare il modo di pianificare
le cose. Magari hanno molti parenti che li aiutano o bambinaie a disposizione, ma non sono in grado di programmare
il proprio tempo in modo da includere un terzo che dipende da loro, perché non l'hanno mai fatto prima. Michael e
Denise, una coppia sulla trentina che era stata sposata per
quattro anni prima di pensare a un bambino, erano davvero due persone importanti e piene di impegni. Lui era manager di alto livello in una grande azienda; oltre che uno
sportivo che giocava a tennis tre volte la settimana e a calcio nei week-end. Lei lavorava come *studio executive*, e spes-

so era impegnata dalle otto del mattino alle nove di sera, a parte la pausa che dedicava all'esercizio fisico quattro volte la settimana. Non c'è da sorprendersi che mangiassero quasi sempre al ristorante, insieme o separati.

La prima volta che ci incontrammo, Denise era al nono mese di gravidanza. Dopo aver sentito la descrizione della loro settimana tipo, dissi a entrambi: «Chiariamo subito un punto. Dovrete rinunciare ad alcune cose, ma non a tutte. Per riuscire a fare questa vita dopo la nascita del bambino, dovrete programmare i vari passi da compiere».

A tutti i papà!

Solo qualche parola di saggezza dedicata a coloro che *non hanno* partorito e non passano tutto il giorno a casa col nuovo arrivato.

Da fare

* Prendere una settimana o più di vacanza; se non potete permettervelo, risparmiate soldi per chiamare qualcuno che faccia i lavori di casa.

* Ascoltare anche se non avete la soluzione del problema.

* Offrire supporto amorevole e senza commenti.

* Accettare un «no» come risposta quando lei vi dice che *non* vuole il vostro aiuto.

* Fare spese, pulire la casa, fare il bucato e passare l'aspirapolvere senza che lei debba chiedervelo.

* Riconoscere che ha una buona ragione quando dice: «Non mi sento più io».

Da non fare

* Cercare di «sistemare» i suoi problemi emotivi o fisici: ascoltatela e basta.

* Fare il tifo per lei o trattarla con condiscendenza: ad esempio, darle pacche sulla schiena dicendo: «Hai fatto un bel lavoro», come fosse un cane.

* Entrare in cucina chiedendo a voce alta dove tiene qualcosa.

* Starle addosso e criticarla.

* Chiamare dal negozio sotto casa dove hanno finito il prosciutto crudo chiedendo: «Che cosa devo prendere?». Ingegnatevi da soli.

Bisogna dire che Michael e Denise accettarono di sedersi a tavolino e stendere una lista dei loro bisogni e desideri. A cosa potevano rinunciare per i primi mesi in cui si sarebbero abituati all'idea di essere genitori? Che cosa invece era assolutamente necessario alla loro salute emotiva? Denise decise di tornare a lavorare, anche se si era concessa un solo mese per riprendersi. Michael promise che avrebbe chiesto delle ferie extra alla sua azienda. All'inizio presero comunque un po' troppi impegni, ma è difficile per alcune coppie ridurre così drasticamente le proprie attività. Tuttavia, quando Denise realizzò quale impatto avesse avuto il parto sul suo intero essere, decise di stare a casa un altro mese.

Le regole per la manutenzione della coppia

---

* Fate in modo di passare un po' di tempo insieme: una passeggiata, una serata fuori, una scappata in gelateria.

* Programmate una vacanza senza bambini, anche se per un po' non potrete realizzarla.

* Nascondete dei messaggini-sorpresa per il vostro partner.

* Fate un regalo a sorpresa.

* Spedite una lettera d'amore in ufficio, dicendogli/le tutto ciò che adorate e apprezzate di lui/lei.

* Siate sempre gentili e rispettosi l'uno con l'altro.

Competizione. Questo è di gran lunga uno dei più grossi problemi che una coppia può avere. Prendete ad esempio George e Phyllis, entrambi sulla quarantina quando adottarono May Li, che aveva appena un mese. Facevano a gara per vedere chi riusciva a farle bere più latte dal biberon, chi sapeva calmarla meglio. Quando George cambiava la bambina, Phyllis diceva: «Hai messo il pannolino troppo largo. Faccio io». Quando Phyllis le faceva il bagnetto, George le impartiva istruzioni dalle retrovie: «Attenta alla testa. Occhio, le stai facendo andare il sapone negli occhi». Ognuno dei due aveva letto libri di puericultura, che poi citava all'altro parola per parola, non tanto nell'ottica di fare quello che era meglio per la piccola, quanto di dire: «Visto? Ho ragione io».

George e Phyllis mi chiamarono perché May Li urlava quasi di continuo.

A quel punto, i genitori erano convinti che avesse le coliche, ma non sapevano mettersi d'accordo sul da farsi. Quando l'uno faceva un tentativo, l'altro criticava. Per porre rimedio alla situazione, per prima cosa spiegai a questa coppia che cosa pensavo stesse accadendo in realtà, e non si trattava di coliche. May Li piangeva ininterrottamente perché nessuno ascoltava quello che cercava di dire. I genitori erano così occupati nella loro sfida reciproca che si dimenticavano di osservarla. Suggerii di far seguire alla bambina il metodo E.A.S.Y., e fornii a George e a Phyllis dei consigli su come rallentare il ritmo in modo da prestare davvero attenzione alla figlia (vedi capitolo 3). Ma la cosa più importante da fare con questo tipo di coppia era dividere equamente i compiti relativi alla bambina; così feci, dicendo loro: «Ora entrambi avete la vostra sfera d'azione: non dovete controllare, commentare o criticare quello che l'altro fa nella sua».

Qualunque sia la causa, se le difficoltà tra i partner dovessero persistere si riverserebbero in ogni area della vita di coppia. Si finisce per litigare sulle cose da fare, e perfino per rifiutarsi di coordinarsi e di cooperare. E, molto probabilmente, la vita sessuale – già sospesa da molte settimane, se non da mesi – sarà completamente messa da parte.

Il sesso: alle prese con lo stress della moglie

Parliamo dei temi contenuti nella vostra lista «Lui ha detto/Lei ha detto». Il sesso è *il* problema numero uno in quella di ogni papà, e di solito l'ultimo in quella della maggior parte delle mamme. Non c'è dubbio che la prima domanda che i papà fanno alle mamme quando tornano dalla visita di controllo dopo il periodo post partum è: «Possiamo fare sesso?».

Nel frattempo, la sola domanda fa ribollire le donne dentro, perché invece di chiedere come stanno *loro* o di ricoprirle di fiori, i mariti vogliono un'opinione imparziale sulla loro vita sessuale, come se *quello* potesse influenzarle. Se già erano poco intenzionate a fare sesso prima di questa domanda, figuriamoci dopo.

Così di solito fanno un respiro profondo e rispondono: «No, non ancora», lasciando intendere che il ginecologo ha detto che non sono ancora pronte, anche se in realtà sono loro a sentirsi così. Alcune donne prendono come scusa il fatto che il bambino dorme nel lettone; altre portano ad altezze inesplorate la vecchia frase «Ho mal di testa», che diventa «Sono esausta», «Mi fa male», «Non sopporto che tu veda il mio corpo in questo stato». Tutte queste affermazioni hanno un nocciolo di verità, ma una donna sessuofobica le usa come una corazza.

Nei gruppi che organizzo e durante le visite a casa, padri disperati mi chiedono aiuto. «Tracy, cosa posso fare? Ho paura che non faremo mai più l'amore.» Alcuni addirittura mi supplicano: «Tracy, parlale *tu*». Io cerco di sottolineare che in sei settimane non si possono fare miracoli: è questo il tempo necessario per il primo controllo ginecologico, oltre che per riprendersi da un'episiotomia o da un taglio cesareo. Ma ciò non significa che tutte le donne saranno tornate come prima in sei settimane, o che saranno emotivamente pronte per riprendere la loro vita sessuale.

Esercizi dopo il parto

Anche se ho detto che non avreste dovuto fare esercizio fisico per sei settimane dopo il parto, ce n'è uno che potete eseguire già dopo tre settimane, ed è questo: *contrai e trattieni, uno, due, tre!*

Gli esercizi per la zona pelvica, spesso chiamati anche «di Kegel» – dal nome del medico che identificò i tessuti fibrosi all'interno della vagina –, vanno eseguiti per rafforzare la muscolatura che supporta l'uretra, la vescica, l'utero e il retto oltre che, ovviamente, per tonificare la vagina. È come se steste urinando e poi cercaste di fermarvi: sono quelli i muscoli che tendete e rilassate. Suggerisco di fare questo esercizio tre volte al giorno.

All'inizio sarà una sfida: vi sembrerà di *non* avere muscoli in quella zona. Potreste anche sentire un po' di dolore. Cominciate lentamente, tenendo le ginocchia unite. Per controllare se state agendo sui muscoli giusti, inserite un dito in vagina e sentirete la stretta. Quando riuscirete meglio a individuare i muscoli giusti, provate con le gambe aperte.

Inoltre, il sesso dopo il parto cambia *davvero*. Faremmo un torto ai neogenitori se non li mettessimo in guardia a questo proposito. Gli uomini che vogliono riprendere subito a fare l'amore spesso non si rendono conto di quanto cambi il corpo di una donna che ha partorito: i seni sono dolenti; la vagina si è allargata, le labbra sono più grandi e il minor livello di ormoni può renderla secca. L'allattamento, poi, può complicare ulteriormente le cose. Se prima una donna provava piacere nell'essere stimolata sui capezzoli, ora potrebbe trovare la cosa dolorosa o addirittura ripugnante: il seno improvvisamente appartiene al suo bambino.

Considerando tutti questi cambiamenti, come potrebbe non essere diverso anche il modo di *sentire* il sesso? Anche la paura può avere un ruolo: alcune donne sono preoccupate di essere «troppo tese» per dare e provare piacere. Altre anticipano il dolore, e questo già basta a renderle nervose anche solo all'idea di fare l'amore. Quando, durante l'orgasmo, il latte fuoriesce dal seno, qualcuna potrebbe provare imbarazzo o temere che il partner trovi la cosa disgustosa.

E in effetti per alcuni uomini è così. A seconda dell'uomo e di come vedeva la moglie *prima* che fosse incinta, lui potrebbe avere problemi ad accettare il suo nuovo ruolo di madre, ed essere perfino restìo a toccarla. Alcuni uomini mi hanno confessato di essersi sentiti sconvolti dopo aver assistito la moglie in sala parto o dopo averla vista allattare per la prima volta.

Cosa deve fare allora una coppia? Non ci sono soluzioni istantanee, ma alcuni dei consigli che seguono spesso alleviano almeno la pressione su entrambe le parti.

Parlatene apertamente. Invece di lasciare che le emozioni ribolliscano sotto la superficie, ammettete i vostri reali sentimenti. (Se avete problemi a trovare le parole giuste, guardate il box a p. 270: qualcuna di quelle preoccupazioni «universali» potrebbe essere anche vostra.) Irene, ad esempio, un giorno mi chiamò in lacrime dal telefono della sua macchina: «Ho appena fatto il controllo dei quaranta giorni, e il dottore dice che posso riprendere la mia vita sessuale. Gil ha aspettato che ci desse via libera, e ora non posso deluderlo: è stato così bravo con il bambino. Cosa posso dirgli?».

«Tanto per cominciare, la verità» suggerii. Da precedenti conversazioni sapevo che Irene aveva avuto un travaglio particolarmente lungo e una larga episiotomia. «Prima di tutto, *tu* come ti senti?»

«Ho paura che fare l'amore sia doloroso. E onestamente, Tracy, non sopporto neppure l'idea che lui mi tocchi, specialmente da quelle parti.»

Irene fu davvero sollevata nell'udire che tante donne si sentivano allo stesso modo. «Devi dirgli quello che provi, tesoro» le dissi. «Non sono una sessuologa, ma l'idea che tu ti senta "in dovere" di fare l'amore non va bene.»

Ora, la parte interessante della storia è che Gil frequentava uno dei miei corsi «Papà e io», in cui il sesso è sempre un argomento scottante. Durante la settimana avevo spiegato che un uomo può e deve essere onesto sui suoi desideri, ma allo stesso tempo è necessario che comprenda il punto di vista della donna. Avevo anche aggiunto che c'è una grande differenza tra l'essere fisicamente pronte per riprendere la vita sessuale e il desiderarlo emotivamente. Gil si mostrò piuttosto comprensivo e disponibile all'idea di parlare con Irene riconoscendo i suoi sentimenti e, cosa più importante, di invitarla a cena non con uno scopo, ma per mostrarle quanto la apprezzasse, la amasse e desiderasse stare con lei. Questo vuol dire prendersi cura di qualcuno, e le donne lo trovano molto più erotico che non essere «convinte».

Considerate la vostra vita sessuale prima di diventare genitori. Questo punto venne enfatizzato un giorno in cui passai a visitare Midge, Keith e la loro bambina di tre mesi, Pamela, di cui mi ero occupata per le prime due settimane di vita.

Keith mi prese da parte mentre la moglie era in cucina a preparare il tè. «Tracy, Midge e io non abbiamo più fatto sesso da quando Pam è nata, e sto cominciando a diventare impaziente» mi confessò.

«Keith, lascia che ti chieda una cosa: facevate spesso l'amore prima che nascesse la bambina?»

«Non proprio.»

«Be', tesoro» gli risposi, «se la vostra vita sessuale non era così buona prima della nascita della piccola, non migliorerà certo dopo.»

Questa conversazione mi ricordò la vecchia storiella di quel tipo che chiede al dottore se potrà suonare il piano dopo l'intervento chirurgico che lo aspetta. «Certo» dice il dottore. «Wow, è fantastico» risponde l'uomo, «perché finora non ci sono mai riuscito.» Scherzi a parte, è necessario che una coppia abbia aspettative realistiche riguardo alla propria vita sessuale. È ragionevole che il tema del sesso dopo il parto preoccupi più una coppia che faceva faville tre sere alla settimana e che di colpo si trova a secco, che non una che lo faceva una volta la settimana o una volta al mese.

Mantenete le vostre priorità. Decidete *insieme* cosa sia importante per voi in questo momento, e aggiornate la situazione qualche mese dopo. Se *entrambi* decidete che fare l'amore è importante, dedicatevi spazio e tempo. Programmate di passare la sera fuori una volta la settimana; fate venire una baby-sitter e uscite di casa. Ricordo sempre agli uomini dei miei gruppi che l'ideale romantico di una donna spesso non ha nulla a che vedere con il sesso. «Magari voi volete rotolarvi nel fienile» dico loro, «ma lei desidera conversare a lume di candela e cooperare. Se laverete i piatti senza che ve lo chieda, lo troverà molto sexy!» E, come dice sempre la mia Nan: «Si ottiene più con lo zucchero che con l'aceto». Compratele dei fiori, trattate con cura le sue emozioni. Ma se la vostra donna non è fisicamente ed emotivamente pronta, fate un passo indietro. Le pressioni non sono eccitanti.

Un consiglio. *Mamme, quando voi e papà vi prendete una serata libera, non parlate del bambino. Avete fisicamente lasciato il vostro adorato fagottino a casa, dove è giusto che sia. A meno che non vogliate creare in vostro marito un risentimento inconscio, lasciatelo a casa anche emotivamente.*

Diminuite le vostre aspettative. Il sesso è intimità, ma non tutta l'intimità è data dal sesso. Se non siete pronte per fare l'amore, trovate altri modi per essere intimi. Ad esempio, andate a un concerto insieme tenendovi per mano. Oppure pensate a una «seduta amorosa» in cui non fate altro che baciarvi per un'ora. Il mio consiglio agli uomini è che devono essere pazienti: le donne hanno bisogno di tempo; inoltre, che non dovrebbero prendere la riluttanza di una donna sul personale. Infatti, immaginate come dev'essere portare in sé e poi far nascere un piccolo essere. Quanto presto *loro* vorrebbero fare sesso in queste condizioni?

Il sesso dopo il parto

Come si sentono le donne	Come si sentono gli uomini
Esauste: «Il sesso è solo un altro compito da svolgere».	*Frustrati:* «Quanto dobbiamo aspettare?».
Nervose: «Sembra che tutti pretendano qualcosa da me».	*Rifiutati:* «Perché lei non mi vuole?».
In colpa: Tolgono qualcosa al bambino o al marito.	*Gelosi:* «Si occupa più del bambino che di me».
Vergognose: «Se il bambino è nella stanza accanto mi sembra di fare qualcosa di nascosto».	*Risentiti:* «Il bambino le ruba tutto il tempo».
Disinteressate: «È l'ultima cosa che ho in mente».	*Arrabbiati:* «Quando tornerà normale?».
Consapevoli: Si sentono grasse e «magiche» per il proprio seno.	*Confusi:* «Va bene se le chiedo di fare sesso?».
In guardia: «Se lui mi bacia sulla guancia, mi dice "ti amo" o mi mette un braccio intorno alla vita, mi sembra che abbia delle aspettative: è come se fosse l'anticamera del fare l'amore».	*Ingenui:* «Ha detto che se il dottore avesse dato il permesso avremmo potuto fare sesso, ma da allora sono passate settimane».

Tornare al lavoro... senza sentirsi in colpa

Sia che lascino una carriera di potere, un simpatico lavoro di ufficio, un posto da volontaria o perfino l'hobby preferito per avere un bambino, le donne prima o poi – a volte un mese dopo il parto, altre dopo molti anni – devono affrontare il momento in cui la domanda: «Che ne è di me?» comincia a frullare nella mente. Certo, alcune avevano già le idee chiare durante la gravidanza su quando sarebbero tornate al lavoro o avrebbero ripreso un particolare progetto che avevano intrapreso. Altre, invece, vanno a all'avventura. In ogni caso, devono vedersela con le stesse due domande: «Come potrò farlo senza sentirmi in colpa?» e «Chi si occuperà del bambino?». Almeno per me, la prima domanda è più semplice, perciò cominciamo subito da qui.

Il senso di colpa è la maledizione di tutte le madri. Come diceva mio nonno: «La vita non è una recita. Non ci sono tasche nei sudari». In altre parole, non puoi portartela dietro, quindi sentirsi in colpa significa sprecare il tempo prezioso che ci è concesso sulla terra. Non so perché, quando o dove gli americani abbiano iniziato a provare il senso di colpa, ma negli Stati Uniti è davvero un'epidemia. Alcune donne dei miei gruppi si sentono terribilmente inadeguate perché fanno «solo le mamme» o «solo le casalinghe»; ma le mamme che lavorano – quelle che hanno carriere eccezionali come quelle che svolgono lavori umili per pagare le bollette a fine mese – si sentono esattamente allo stesso modo, per motivi diversi. «Mia madre pensa che io sia terribile perché lavoro» potrebbe dire una di loro. «Dice che così mi perdo gli anni migliori del mio bambino.»

Le donne che decidono di lavorare fuori casa considerano molti fattori prima di fare questa scelta, tra cui anche il fatto che amano il proprio bambino. Ma è anche una questione economica, di soddisfazione emotiva e di autostima. Alcune mamme confessano che diventerebbero pazze se non avessero qualcosa di *esclusivamente loro*, che vengano pagate o meno. Io le incoraggio sempre ad amare i figli e a occuparsene, ma questo non vuol dire che non possano anche coltivare i *loro* sogni. Lavorare non significa automaticamente essere cattive madri: significa essere sufficientemente consapevoli da dire: «Sarà così».

Chiaramente ci sono donne che non hanno scelta per motivi economici; altre che lavorano per la propria realizzazione. Che percepiscano o meno uno stipendio, il punto è che fanno qualcosa che nutre il proprio sé adulto. E non devono chiedere scusa a nessuno per questo, non più di qualsiasi altra madre che è contenta di occuparsi della casa. Mi ricordo che una volta ho chiesto a mia madre: «Hai mai voluto *fare* qualcosa?». Mi guardò contrariata e rispose: «*Fare* qualcosa? Sono una manager della casa. Mi sono presa cura di tutto il maledetto ménage familiare e di dieci figli. Cosa intendi per *fare* qualcosa?». Non ho mai dimenticato questa lezione.

Il vero problema è che, anche se alcuni padri sono pratici e disponibili in casa, molte mamme continuano a addossarsi la parte maggiore della cura dei figli, ancor più se sono single e non hanno il lusso di un partner che viene a casa la sera. Non c'è nulla di sbagliato nel desiderare almeno di poter rispondere al telefono, pranzare con un'amica, sentire di essere non solo una madre. Ma poiché siamo bombardati dalla pubblicità, sopraffatti dalla responsabilità e soprattutto confusi, cadiamo facilmente nella trappola del senso di colpa. Mi capita continuamente di sentire madri nervose, che passano da un estremo all'altro: immersione totale o laissez faire. «Adoro questo bambino» mi dicono, «e voglio essere la migliore delle madri. Ma è proprio necessario rinunciare alla *mia* vita?»

Un consiglio. *Ripetete questo mantra ogni volta che vi sentite in colpa:* «*Avere tempo per me non vuol dire fare del male al mio bambino*».

Se non approfittate dell'occasione per fare qualsiasi cosa nutra la *vostra* anima, la vita si riduce *solamente al bambino*. E ammettetelo: c'è un limite a quello che potete fare con un bambino e alle conversazioni che potete avere con il vostro nuovo fagottino adorato. E invece di sentirvi colpevoli, è meglio usare l'energia per trovare soluzioni che migliorino la vostra situazione, qualunque essa sia. Se desiderate o avete bisogno di lavorare dodici ore al giorno, inventate un sistema per rendere più significativo il tempo che passate a casa. Ad esempio, evitate di prendere in mano il telefono quando siete con i vostri figli. Staccate il ricevitore o inserite la segreteria telefonica. Non lavorate nei week-end. E quando siete a casa, cercate di esserci anche con la testa invece di pensare all'ufficio. Anche i bambini sentono quando non siete davvero presenti.

Ora, per quanto riguarda l'altra grande domanda – chi si occuperà del bambino? –, la risposta è: aiuto non pagato o aiuto pagato. Nel prossimo paragrafo esaminerò entrambe le possibilità.

Vicini, amici e parenti: come creare una cerchia di aiuti

Provengo da una tradizione che prevede quaranta giorni di «ospedalizzazione», il che significa che per la maggior parte delle sei settimane successive alla nascita di Sara si supponeva che io non dovessi fare altro che occuparmi di lei. Mia nonna, mia madre e un folto gruppo di vicini e parenti di sesso femminile provvedevano alla casa e mi preparavano i pasti. Non mi sono mai sentita spinta a essere efficiente. Quando nacque Sophie, la stessa cerchia di aiuti tenne occupata la piccola Sara, che aveva due anni, in modo che io potessi fare conoscenza con la nuova arrivata.

Tutto ciò è abbastanza tipico in Inghilterra, dove avere un bambino è un evento che riguarda l'intera comunità: tutti danno una mano, dalla nonna alle zie alla vicina di casa. In più godiamo del beneficio aggiuntivo di un sistema sanitario che fornisce assistenza specializzata a domicilio. Ma è quella rete di donne, parenti e amiche, il più grande aiuto per una madre. Dopo tutto, chi è più qualificato di loro? Ci sono passate tutte.

La cerchia di aiuti è diffusissima in molte culture; ci sono rituali che aiutano le donne durante la gravidanza e il parto, così come tradizioni che onorano la loro fragilità durante il passaggio verso l'essere genitori. Le neomamme sono sostenute fisicamente ed emotivamente, qualcuno cucina per loro e le nutre, assolvendo i normali compiti della routine casalinga in modo che esse siano libere di osservare il loro bambino e di riprendersi dal parto. A volte, come nei paesi arabi, è la madre del marito a incaricarsi di nutrire la neomamma e a occuparsi di lei.

Purtroppo negli Stati Uniti non sono molte le donne che vivono in comunità dove questa usanza sia tipica. Qui le madri non ricevono molta assistenza da parte dei vicini, e i parenti spesso vivono dall'altra parte del paese. Se si è fortunate, però, qualche membro della famiglia viene almeno in visita, e pochi buoni amici si offrono di dare una mano cucinando qualcosa. Oppure può succedere che una neomamma appartenga a un gruppo religioso o a una organizzazione comunitaria, i cui membri sono disponibili ad aiutarla. In ogni caso, è importante che cerchiate almeno di creare la vostra cerchia di aiuti, anche una sola persona piuttosto, che vi sostenga e vi incoraggi a prendere le cose con calma.

Considerate la vostra relazione con i diversi membri della famiglia: siete vicine a vostra madre? Se è così, non c'è nessuno che vi conosca meglio. Ama il suo nipotino, quindi ha a cuore la sua sicurezza, e in più ha esperienza. È meraviglioso quando lavoro in una casa dove i nonni collaborano. Io fornisco a tutti una lista delle cose da fare, dal passare l'aspirapolvere all'attaccare i francobolli sulle buste dei bigliettini di ringraziamento: tutte cose a cui una mamma non dovrebbe neppure pensare in questa fase.

Comunque, questo quadro idilliaco cambia drammaticamente quando una donna non ha rapporti familiari armoniosi. I genitori spesso interferiscono o giudicano il comportamento della generazione più giovane. Soprattutto sul tema dell'allattamento al seno, le nonne possono essere tanto inesperte quanto i neogenitori. Il loro atteggiamento critico si esprime sottilmente, in commenti del tipo: «Perché lo tieni tanto in braccio?», o «*Io* non lo facevo in quel modo». Che senso ha chiedere aiuto in queste circostanze? Avete già abbastanza stress per conto vostro. Non sto dicendo che dovreste bandire vostra madre di casa, ma è meglio non dipendere da lei e conoscerne i limiti.

Mantenete una cerchia di aiuti

Ecco come si possono ottenere molti degli aiuti «non pagati».

* Non aspettatevi che gli altri vi leggano nel pensiero: *chiedete aiuto*.

* Specialmente nelle prime sei settimane, chiedete a qualcuno di fare la spesa, cucinare, portarvi il cibo pronto, pulire e fare il bucato. In questo modo avrete tempo per stare con il vostro bambino e imparare a conoscerlo.

* Siate realistiche. Chiedete alle persone ciò che possono davvero darvi: non spedite un papà distratto al supermercato senza una lista; non chiedete a vostra madre di fare la baby-sitter quando sapete che deve giocare a tennis.

* Scrivete gli orari e le attività del bambino in modo che anche gli altri capiscano come si svolge la sua giornata e possano agire di conseguenza.

* Chiedete scusa quando vi arrabbiate!

Le neomamme spesso mi chiedono come ovviare ai consigli indesiderati, soprattutto quando i rapporti sono quanto meno tesi. Il mio suggerimento è di prendere tali consigli in prospettiva. Questo è un momento delicato, in cui state cercando il vostro equilibrio, perciò se qualcuno suggerisce una tecnica o una pratica diversa da quella che state usando, anche se l'intenzione è di aiutarvi voi potreste sentirlo come una *critica*. Prima di concludere che siete sotto assedio, considerate la fonte. È possibile che quella persona stia davvero cercando di essere d'aiuto e potrebbe avere dei consigli preziosi da condividere. Permettetevi di sentire tutti i tipi di suggerimenti: quelli di vostra madre, di vostra sorella, di vostra zia, di vostra nonna e della vostra pediatra, così come di tutte le altre donne. Accettateli tutti e poi decidete che cosa va bene per voi. Ma ricordate: essere genitori non è un argomento di dibattito. *Non dovete arrabbiarvi o difendervi.* Dopo tutto, il modo in cui voi educate la vostra famiglia sarà completamente diverso da quello in cui io educo la mia. Ecco cosa rende ogni famiglia unica.

Un consiglio. *Rispondete ai consigli indesiderati dicendo: «Wow, è davvero interessante: sembra che per la tua famiglia abbia funzionato bene», anche se la vostra testa sta pensando: «Tanto farò a modo mio».*

Assumete una bambinaia... non una bambinona

Affrontando questo tema non vorrei sembrare la classica inglese sciovinista, ma in confronto al mio paese il business delle bambinaie qui in America è pieno di pecche. Da noi fare la bambinaia – o l'istitutrice, come la chiamiamo spesso – è una professione riconosciuta e regolata da leggi severe. Una persona che desidera svolgere questa attività deve studiare per tre anni presso specifici istituti riconosciuti. Quando mi sono trasferita in America sono rimasta sorpresa nello scoprire che qui ci vuole una licenza per fare le unghie ma non per badare ai bambini. Perciò il processo di selezione resta affidato ai genitori o alle agenzie, e dato che mi capita spesso di lavorare con neogenitori nelle prime settimane di vita del bambino, mi ritrovo coinvolta nella scelta della bambinaia. Vi assicuro che è una faccenda quantomeno complicata e molto stressante.

Un consiglio. *Concedetevi almeno due mesi, meglio ancora tre, per cercare una bambinaia. Se, ad esempio, avete in mente di tornare a lavorare quando il bambino avrà sei o otto settimane, dovete cominciare durante la gravidanza.*

Trovare la persona giusta è un processo lungo e difficile, ma vostro figlio è il bene più prezioso – e insostituibile – che avete: assumere qualcuno che badi a lui dovrebbe quindi costituire una priorità assoluta. Cercate di mettere tutto il vostro intuito e la vostra energia in questa ricerca. Ecco alcuni punti che è necessario considerare.

Di che cosa avete bisogno? Ovviamente, il primo passo è quello di considerare la vostra situazione: state cercando qualcuno che viva in casa con voi a tempo pieno o solo mezza giornata? E in quest'ultimo caso, avrà un orario di lavoro stabilito o verrà solo in caso di necessità? Pensate anche ai vostri limiti: se qualcuno vivrà in casa vostra, ci saranno zone off-limits? Questa persona mangerà per conto suo o al tavolo di famiglia? Vi aspettate che «sparisca» quando il bambino dorme? Le fornirete una stanza propria? Una sua televisione? Libertà illimitata per quanto riguarda telefono e dispensa? I lavori di casa rientreranno nelle sue mansioni? Se sì, in che misura? Molte bambinaie di grande esperienza si limitano a lavare e stirare i vestiti del bambino, e alcune rifiutano anche questo compito. Quali abilità dovrà possedere per quanto riguarda lettura e scrittura? Come minimo dovrà essere in grado di leggere le istruzioni che le darete, di prendere i messaggi e di riempire un «diario della tata» quotidiano (vedi p. 282). O, invece, volete che sappia anche usare il computer? Volete o avete bisogno che sappia guidare? Deve possedere un'auto propria, o potrà usare la vostra? Vi piacerebbe una che ha esperienza di pronto soccorso e di rianimazione? O che sia dotata di buon senso dal punto di vista del cibo? Più dettagli di questo tipo riuscirete a mettere a fuoco, e prima comincerete la ricerca, meglio sarete preparate nel condurre i colloqui.

Un consiglio. *Scrivete un elenco di tutto quello che vorreste far fare alla vostra bambinaia. In questo modo, riuscirete a essere chiari sui vostri desideri, e quando chiameranno le candidate potrete fornire loro tutti i dettagli: non solo sui compiti relativi alla cura del bambino e della casa, ma anche sullo stipendio, sui giorni liberi, sulle eventuali limitazioni, sulle ferie e sugli straordinari.*

Le agenzie possono essere utili o meno. Ci sono molte agenzie che godono di una buona reputazione, ma di solito negli Stati Uniti applicano percentuali pari al 25 per cento dello stipendio della bambinaia.* Quelle migliori selezionano attentamente le candidate, consentendovi di risparmiare il tempo necessario a eliminare quelle inadatte. Comunque, quelle poco affidabili fanno più danno che altro: può succedere che non controllino le referenze con scrupolo e che mentano perfino sulle qualifiche e sulla storia delle persone che presentano. Il modo migliore per trovare una buona agenzia è il «passaparola»: chiedete ad amici circa la loro esperienza in questo campo. Se nessuno ha fatto ricorso a un'agenzia, cercate in qualche rivista di puericultura o sulle Pagine Gialle. Chiedete al personale quante bambinaie riescono a piazzare all'anno: per un'agenzia di buone dimensioni la cifra si aggirerà tra le mille e le millecinquecento. Informatevi anche sulla percentuale richiesta e scoprite cosa comprende: tra le altre cose, quanto sono estesi i controlli sulla provenienza delle aspiranti tate? Che succede se le cose con la prescelta non funzionano? Ci sono delle garanzie? Se l'agenzia non è in grado di procurarvi una persona che vi soddisfi, non dovreste pagare nessun compenso.

---

* In Italia è meglio rivolgersi alle agenzie di collocamento qualificate e concordare con loro sia i compensi sia i contratti da applicare in conformità alle normative previdenziali vigenti nel nostro paese. [N.d.T.]

Quando scatta l'allarme-tata

---

* *Ha cambiato molti posti di lavoro.* Forse ha lavorato solo per brevi periodi, o ha difficoltà nei rapporti con i datori di lavoro. Al contrario, se si tratta di una che ha avuto solo uno o due impieghi a lungo termine, di solito questo è indice di competenza e dedizione.

* *Non ha avuto nessun posto di lavoro recente.* Questo potrebbe significare che è malata o inabile al lavoro.

* *Parla male delle altre mamme.* Una tata che mi è capitato di intervistare ha continuato a parlare di quanto la sua ultima datrice di lavoro fosse una cattiva mamma perché lavorava fino a tardi tutte le sere. Perché non ne avesse discusso direttamente con *lei*, non ne ho idea.

* *Ha dei figli piccoli.* I loro germi verranno a lavorare con lei, oppure potrebbe avere delle emergenze con loro lasciandovi nelle peste.

* *Ha bisogno di un permesso di soggiorno.* Questo potrebbe non essere un problema insormontabile se siete disposti a collaborare. Ma se non terrete a mente la cosa, la vostra adorata bambinaia potrebbe rischiare l'espulsione.

* *Avete una cattiva sensazione viscerale.* Fidatevi di voi stessi: non assumete nessuno che non vi faccia una buona impressione.

Fate molta attenzione durante il colloquio d'assunzione. Scoprite che cosa la bambinaia sta cercando in questo lavoro. Corrisponde alla vostra descrizione? Se non è così, discutete delle differenze. Che tipo di tirocinio ha svolto? Chiedetele di parlarvi dei suoi impieghi precedenti e dei motivi per cui li ha lasciati (vedi il box sopra). Quali sono le sue opinioni sull'affetto, sulla disciplina, sulle eventuali visite? Cercate di capire se è una persona capace di assumersi delle responsabilità o se invece ha bisogno della vostra guida. Entrambe le cose vanno bene, dipende da cosa state cercando *voi*. Di sicuro non sareste felici se vi trovaste per casa un dittatore quando cercavate un aiuto. A parte la cura del bambino, questa persona possiede i requisiti che volete, come ad esempio la patente, e le caratteristiche personali che contribuiscono a creare un buon rapporto professionale? Informatevi sul suo stato di salute. Soprattutto se avete animali in casa, le allergie potrebbero essere un problema.

È la persona giusta per voi? La chimica è una cosa importante: ecco perché una bambinaia che la vostra migliore amica ha adorato potrebbe lasciarvi indifferente. Perciò chiedetevi: «Ho in mente un tipo di persona particolare?», senza però dimenticare che nessuno è perfetto, tranne forse la mitica Mary Poppins. Tra i fattori da considerare potrebbero esserci l'età e l'agilità fisica; se vivete in una casa con molte scale o in un appartamento al quarto piano senza ascensore, potreste aver bisogno di qualcuno piuttosto giovane e attivo, che andrebbe bene anche in caso abbiate tra i piedi un trottolino che cammina. O al contrario, per un'infinità di altre ragioni potreste desiderare una persona più anziana e posata. State cercando qualcuno che proviene da un particolare background dal punto di vista etnico, simile o diverso dal vostro? Ricordate che le bambinaie portano con sé le proprie tradizioni culturali, il modo di considerare il cibo, la disciplina, di esprimere l'affetto, che potrebbe essere diverso dal vostro.

Eseguite i vostri controlli di persona. Chiedete a ogni candidata di esibire almeno quattro referenze di ex datori di lavoro, e informatevi da quanto tempo ha la patente di guida e se ha subìto sospensioni: così saprete qualcosa sul suo grado di responsabilità. Verificate tutte le referenze per telefono, ma *incontrate* di persona almeno due degli ex datori di lavoro. Lo stesso vale per le descrizioni troppo brillanti.

Fate una visita a domicilio. Una volta che avete ristretto le ricerche, fate in modo di incontrare la persona sul *suo* terreno. Se possibile, cercate di conoscere anche i suoi figli anche se non è sempre un'indicazione del suo comportamento con quelli degli altri – soprattutto se i suoi sono più grandi –, almeno avrete un'idea del suo calore e del suo standard di pulizia e di cura.

Ricordate le vostre responsabilità. Questa è una società formata da due persone: non state assumendo una schiava. La descrizione del lavoro vale in entrambi i sensi, perciò non aumentate il carico di responsabilità in seguito. Se questo non comprendeva i lavori di casa, ad esempio, non è il caso di aspettarseli una volta che la tata è stata assunta. Fornitele tutto il necessario per svolgere al meglio il suo lavoro: istruzioni, denaro contante, numeri telefonici utili e di emergenza. Ricordate anche che questa persona ha sue esigenze personali, come giorni liberi e tempo da passare con la famiglia o gli amici. Se viene da fuori, aiutatela a coltivare una sua vita sociale offrendole informazioni sulle chiese della zona, sui centri cittadini vicini o sui locali pubblici e sulle palestre. Non è nel vostro interesse che si senta sola quando lavora. Se la vita non è fatta di soli bambini per voi, è altrettanto indesiderabile che la vostra tata sia privata del contatto con altri adulti.

Valutate regolarmente la sua prestazione e correggete subito gli eventuali errori. Il modo migliore per favorire un buon rapporto con chiunque è quello di avere un dialogo sincero. Con le tate questo è di fondamentale importanza. Chiedete alla vostra di tenere quello che io chiamo un «diario della tata», in modo da sapere cosa è successo in vostra assenza. Ciò vi consentirà anche di capire meglio perché il vostro bambino si è comportato stranamente di notte o ha qualche reazione allergica. Siate candide e dirette ogni volta che le date un consiglio o le chiedete di fare qualcosa diversamente. Tenete queste conversazioni in privato, e usate le parole con sensibilità. Invece di dire: «Non è così che le ho detto di fare», potreste comunicare lo stesso messaggio esprimendolo in maniera più positiva: «Ecco come vorrei che cambiasse il pannolino al bambino».

Il diario della tata

Chiedete alla vostra tata di tenere un semplice diario quotidiano di quel che succede quando voi non ci siete. Eccone un esempio che potete adattare alle vostre esigenze. Mettetelo su computer, in modo da poterlo modificare man mano che il bambino cresce e cambia. Dovrebbe essere dettagliato ma breve, per essere compilato in poco tempo.

Pasti

Biberon alle _____ _____ _____
Nuovi cibi introdotti oggi: _____
Reazioni del bambino: ❑ aria nella pancia ❑ singhiozzo
                      ❑ vomito   ❑ diarrea
Dettagli: _____

Attività

In casa: ❑ ginnastica per _____ minuti ❑ box
Altro: _____
Fuori ❑ passeggiata ❑ lezione ❑ piscina
Altro: _____

Progressi

❑ sorride   ❑ solleva la testa   ❑ si rotola
❑ sta seduto   ❑ si alza   ❑ fa il primo passo
Altro: _____

Appuntamenti

Dottore _____
Compagni di gioco _____

Eventi particolari

Incidenti _____
Umore capriccioso _____
Altre cose insolite _____

Siate consapevoli delle vostre reazioni emotive. I timori ine-spressi relativi al fatto che qualcun altro si prende cura del vostro bambino possono influire sull'opinione riguardo al comportamento della vostra tata. La gelosia, ad esempio, è una reazione normale e molto comune. Perfino quando mia madre si prendeva cura di Sara io ero un po' invidiosa del loro rapporto. Allo stesso modo, mi capita di sentire da molte mamme che lavorano che, per quanto entusiaste di aver trovato una persona così fantastica e fidata, sono dispiaciute all'idea che sia lei ad assistere al primo sorriso o ai primi passi del loro bambino. Il mio consiglio è di par-lare di questi sentimenti con il partner o con una buona amica, sapendo che non c'è nulla di cui vergognarsi: quasi tutte ci sono passate. Ricordatevi, però, che la mamma sie-te voi, e non c'è sostituta che tenga.

8

Grandi aspettative:
circostanze particolari ed eventi imprevisti

> «Le grandi emergenze e le crisi dimostrano quanto le nostre risorse vitali siano maggiori di quel che pensiamo.»
>
> *William James*

Quando le cose si complicano
malgrado le migliori intenzioni

Quando programmiamo di avere una famiglia, tutti *vorremmo* poter contare su un concepimento facile, una gravidanza serena, un parto senza problemi e un bambino sano. Ma non sempre è questo che Madre Natura ha in serbo per noi.

Ad esempio, potreste avere un problema di sterilità ed essere costretti a ricorrere all'adozione o a una tecnica di riproduzione assistita (ART), un termine che comprende una serie di alternative in grado di favorire o bypassare il concepimento tradizionale. Tra queste negli Stati Uniti vi è anche quella dell'«utero in affitto», per cui un'altra donna porta concretamente a termine la gravidanza per conto vostro. Ovviamente l'adozione è più diffusa rispetto a quest'ultima pratica, ma nel periodo in cui insegnavo negli Stati Uniti ho avuto il privilegio di conoscere otto coppie di genitori che avevano fatto ricorso a delle «portatrici», come vengono anche chiamate.

Una volta rimaste incinte, potreste trovarvi ad affrontare delle circostanze impreviste: può darsi che vi dicano che aspettate due gemelli, una vera benedizione, certo, ma anche una prospettiva abbastanza impegnativa. Oppure possono insorgere altri problemi nel corso della gravidanza che vi costringono a stare a letto. Se avete più di trentacinque anni, specialmente se avete preso ormoni per aumentare la fertilità, è probabile che dobbiate essere più prudenti rispetto a una futura mamma più giovane. Anche una condizione preesistente, come ad esempio il diabete, può far rientrare la vostra gravidanza nella categoria ad alto rischio.

Infine, il vostro parto potrebbe subire delle complicazioni: il bambino (o i bambini) potrebbe essere prematuro, oppure un avvenimento al momento della nascita potrebbe richiedere una degenza più lunga in ospedale. È particolarmente dura non poter abbracciare subito il proprio neonato: Kayla, ad esempio, dovette lasciare l'ospedale a mani vuote perché Sasha era nata con tre settimane di anticipo. Piccola e fragile, la bimba aveva del liquido nei polmoni e venne messa nell'unità di terapia intensiva neonatale per sei giorni dopo il parto. Kayla, che è un'atleta appassionata, ricorda: «Era come se tutto fosse pronto per la gara e qualcuno entrasse dicendo: "Non preoccuparti, è tutto rimandato"».

Ammetto che il mercato è pieno di volumi interamente dedicati al tema della sterilità, dell'adozione, dei parti multipli o problematici. Ma in questo caso quello che mi preme di più è che riusciate ad applicare i concetti che ho esposto nel libro *a prescindere* dal modo in cui il vostro bambino è stato concepito o partorito, e a dispetto di qualsiasi problema si sia presentato.

I problemi che incontrate... se ci sono stati

Anche se le situazioni a cui ho accennato più sopra possono essere molto diverse tra loro – le affronterò separatamente nelle pagine che seguono –, esiste un filo rosso che affiora ogni volta che si verificano una circostanza straordinaria o un evento speciale. La vostra reazione può influenzare le decisioni che prenderete e il modo in cui vedete e ascoltate il vostro bambino, e bloccare la vostra capacità di impostare una routine che semplifichi la vita a tutta la famiglia. Di qualunque tipo siano la vostra situazione e il problema che incontrate, ecco quali sono i sentimenti universali in questi casi. Sapere che cosa vi aspetta può aiutarvi a evitare le insidie maggiori.

È probabile che siate più stanche, più tese emotivamente e quindi più ansiose in generale. Se avete avuto una gravidanza difficile o un parto ad alto rischio, sarete molto esaurite quando arriverà il bambino, tanto più se il parto è stato gemellare o trigemellare. Se poi, inaspettatamente, qualcosa è andato storto durante il parto, le ondate di shock che hanno investito il vostro corpo si faranno sentire nei giorni e nelle settimane successivi. Perciò, per quanto *qualsiasi* donna sia esausta dopo il parto, queste circostanze impreviste possono lasciarvi ancora più debilitate. La tensione continua può influenzare non solo la vostra capacità di essere una buona madre, ma anche la relazione con il partner.

Non esiste una pillola magica che risolva la situazione; le emozioni forti sono tipiche di tutte le crisi (vedi il box a p. 297). L'unico antidoto è riposarvi per il tempo necessario a riprendervi e accettare tutti gli aiuti che vi offrono. Cercate di essere consapevoli di quanto vi succede, sapendo che passerà.

È probabile che abbiate più paura di perdere il bambino, anche dopo che è nato. Se avete cercato di rimanere incinte magari per sei o sette anni, se la gravidanza o il parto sono stati problematici, la vostra soglia di ansia – già alta in partenza – può aumentare con l'arrivo del bambino. Perfino in caso di adozione, è facile che prendiate per potenziali disastri anche semplici anomalie o contrattempi. Può darsi che ascoltiate ossessivamente l'interfono, precipitandovi a ogni minimo rumore, oppure che pensiate di poter «fare qualcosa di sbagliato». Kayla ammette che lei e Paul avevano paura di «uccidere il bambino»: all'inizio Sasha si attaccava al seno senza problemi, mentre dopo tre settimane cominciò a staccarsene in modo capriccioso; in realtà era diventata più veloce nel succhiare, e quindi riusciva a svuotare prima la mammella. Ma Kayla aveva subito classificato questo comportamento come «un problema».

Quando è il caso di preoccuparsi

Se il vostro bambino presenta uno di questi sintomi, chiamate subito il pediatra.

* Bocca secca, mancanza di lacrime o urina scura (potrebbe essere segno di disidratazione).

* Pus o sangue nelle feci, oppure un persistente colore verde.

* Diarrea per più di otto ore, oppure accompagnata da vomito.

* Febbre alta.

* Forti dolori addominali.

Ancora una volta, il rimedio è la consapevolezza, il sapere che siete un po' al limite e rischiate di non vedere le cose con chiarezza. Invece di saltare alle conclusioni, fate un esame di realtà: chiamate il pediatra, le infermiere del reparto di terapia intensiva neonatale o qualche amica che ha bambini un po' più grandi dei vostri per capire cosa è «normale». Anche un po' di umorismo non guasta, comunque. Ricorda Kayla: «Quando dicevo qualcosa a Paul in modo isterico, tipo: "Non puoi cambiarle il pannolino *in quel modo*", oppure quando gli urlavo: "Devo allattarla *adesso*", anche se Sasha non aveva fame e non stava piangendo, lui ribatteva: "Stai diventando come quella vecchia stazione radio, tesoro". Intendeva quella che si chiamava

"La mamma capricciosa". Di solito a quel punto riuscivo a sentirmi e mi calmavo». Kayla cominciò a godersi la maternità quando Sasha aveva tre mesi, come succede spesso a molte mamme ansiose.

È possibile che vi chiediate: «Avrò fatto la cosa giusta?». Molto di quello che avete fatto per avere un figlio è stata una fatica, anche se desiderata. Se avete provato per anni a restare incinte, siete passate per la lunga trafila dell'adozione o avete avuto incidenti di percorso, quando finalmente vi ritrovate genitori potrebbe venirvi spontaneo chiedervi se tutti quegli sforzi valevano davvero la pena, o se invece avete fatto un passo più lungo della gamba (come nel caso di un parto gemellare o trigemellare, tutti prodotti delle cure contro la sterilità).

La sofferenza di una madre adottiva è più comune di quanto le altre mamme spesso vogliano ammettere. Certi sentimenti possono causare imbarazzo e addirittura vergogna, e quindi sono difficili da comunicare; come risultato, molte madri non si rendono conto di quanto siano diffusi. Dentro di sé, ovviamente, nessuna di loro vuole «dare indietro» il proprio bambino, ma le emozioni possono essere davvero schiaccianti; poiché questo muro di silenzio tiene le donne isolate, è difficile credere che, in seguito, la negatività e la paura passino.

È possibile superare questi sentimenti, specialmente pensando che non dureranno per sempre. Cercate qualcuno che possa aiutarvi, uno psicologo, un gruppo, altri genitori che abbiano fatto la stessa esperienza. Che si tratti di un'adozione, dell'arrivo di più bambini, di un parto difficile o di un neonato i cui bisogni vi sembrano eccessivi, ci sono persone in grado di aiutarvi.

È probabile che siate più dipendenti da conferme esterne che dal vostro giudizio. Se siete state in un centro per la sterilità, avrete sviluppato dei rapporti con molti membri dello staff medico; se invece avete partorito un bambino prematuro, può darsi che vi siate appoggiate alle infermiere del reparto di terapia intensiva neonatale. Una volta a casa, però, è possibile che, come molte donne, siate divenute schiave dell'orologio e della bilancia, cronometrando la durata di ogni pasto, chiedendovi: «Gli starò dando abbastanza latte?» e misurando in grammi i suoi progressi. Eravate abituate a chiamare continuamente medici e infermiere per avere consigli, e ora vi sentite sole e sperse.

Non sto dicendo che misure precise e un aiuto professionale non servono, al contrario: all'inizio è importante assicurarvi che il vostro bambino sia sulla buona strada. Ma i genitori tendono a contare su questo appoggio anche molto tempo dopo che il piccolo non ha più problemi. Quando vi accorgete che sta crescendo bene, pesatelo una volta la settimana anziché tutti i giorni. Non esitate a chiamare in caso di bisogno, ma prima di alzare il ricevitore fermatevi un istante e cercate di capire che cosa *per voi* sia giusto o sbagliato. In questo modo userete gli esperti come conferme invece che come ancora di salvataggio, e avrete più fiducia nelle vostre capacità di giudizio.

Potreste avere difficoltà a vedere il vostro bambino come la persona unica che è. A volte i genitori diventano involontariamente delle vittime, finendo per fare la parte di «quelli che hanno un bambino malato». Timori e preoccupazioni oscurano la loro visuale, ed essi non riescono a vedere al di là delle proprie emozioni o dell'arrivo prematuro del piccolo o del parto difficile. Se vi scoprite a parlare di vostro figlio come del «bambino», potrebbe essere segno che non lo state vedendo come un essere umano. Ricordate che, anche se ha fatto fatica a venire al mondo, è comunque un individuo in tutto e per tutto; potrebbe riuscirvi difficile, perché se ne sta lì fasciato in un'incubatrice nel reparto di terapia intensiva, con i tubi che fuoriescono dal suo minuscolo corpicino. Eppure, dovete cominciare il dialogo: parlate col vostro bambino, notate le sue reazioni e cercate di capire chi sia. Una volta a casa, e specialmente dopo che avrà raggiunto la data del suo termine originario (che di solito costituisce la base su cui viene determinata la vera «età» di un neonato prematuro), continuate in questa lenta e attenta osservazione.

Un fenomeno simile può accadere con i gemelli, che vengono chiamati «i bambini». In realtà, alcuni studi rilevano che i genitori di gemelli tendono a guardare tra, e non *ai*, bambini. Fate in modo di considerare questi preziosi fagottini come individui separati; guardateli dritto negli occhi. Vi assicuro che ognuno avrà la sua personalità e i suoi bisogni.

Potreste opporvi a una routine organizzata. È evidente che un neonato prematuro o sottopeso dev'essere nutrito più spesso e deve dormire più a lungo di un bambino normale. Il nostro desiderio è che un bambino malato guarisca, e quindi gli somministriamo delle cure. Tuttavia viene un momento, di solito quando il piccolo ha raggiunto i 2,5 chili, in cui non solo fargli seguire il metodo E.A.S.Y. è possibile, ma addirittura consigliabile. Il problema, ancora una volta, è che potreste continuare a vederlo con occhi anoressici: mesi dopo la nascita, non realizzate che ormai ha raggiunto i suoi coetanei.

Anche nel caso di un'adozione può succedere che i genitori si oppongano all'idea di seguire regole precise, perché restii a proporre al piccolo troppi cambiamenti. Preferiscono assecondare il comportamento del bambino, cosa che porta inevitabilmente al caos. Come ho già avuto modo di dire in questo libro, è soltanto *un bambino*, per l'amor del cielo. Perché dovrebbe essere lui a decidere? In alcuni casi estremi di iperprotezione, il piccolo viene così riverito e tenuto al riparo da diventare il «reuccio» di casa. Con questo non sto suggerendo ai genitori di non occuparsi dei propri figli, al contrario; ma detesto vedere che la bilancia pende solo da una parte, tanto che è il bambino a dettare le regole.

Queste trappole per i genitori sono presenti in tutte le case, ma mamme e papà sono più inclini a cadervi quando i primi giorni del bambino sono stati caratterizzati da circostanze straordinarie. Ora affrontiamo anche qualcuno di questi aspetti nello specifico.

«Parti speciali»: l'adozione

Un «parto speciale» è quello che si ha quando mamma e papà vanno a prendere il neonato all'ospedale, presso un ente pubblico del proprio paese o all'estero, nello studio di un avvocato o all'aeroporto. Spesso questo momento arriva alla fine di una lunga strada faticosa, fatta di formulari, visite a casa, interminabili conversazioni telefoniche, visite alla futura madre naturale, e anche di delusione quando un incontro non va come dovrebbe o viene cancellato all'ultimo minuto.

Quando una donna è incinta, ha davanti a sé nove mesi per prepararsi. Anche se è sempre possibile che abbia dei ripensamenti lungo il cammino, il periodo della gestazione le concede tutto il tempo necessario per abituarla all'idea. Non invece in questi casi, in cui la notizia del «parto speciale» può essere piuttosto improvvisa e l'esperienza di avere un neonato tra le braccia è spesso scioccante: «Mi ricordo che vidi le due donne camminare verso il *gate*» disse una madre adottiva, «e ognuna aveva un bambino in braccio; io pensai: "Oh mio Dio, uno di loro è il *mio*"». Ad aumentare lo stress c'è anche il fatto che le coppie adottive di solito devono affrontare il viaggio col nuovo bambino, cosicché si trovano di fronte a un doppio aggiustamento: l'impatto di quei primi momenti e l'eccezionale esperienza del ritorno a casa col piccolo.

Di sicuro una madre adottiva non deve superare lo shock fisico della gravidanza e del parto, e quindi può almeno mantenere la sua vita normale, alleviando la tensione facendo jogging o qualsiasi altra attività abituale. Charlotte, una broker immobiliare che voleva adottare due gemelli, poté andarsene liberamente in giro fino al momento in cui i due bambini non entrarono in casa sua. Allo stesso tempo, però, il carico emotivo può essere piuttosto pesante perché poi il compito di curare i bimbi ricade sempre sulla nuova mamma.

Ricordo di aver ricevuto la telefonata di Tammy una domenica: aveva fatto domanda per adottare un bambino e voleva informarsi sulla mia disponibilità. Con suo – e mio – grande shock, il giovedì successivo, quattro giorni dopo, mi richiamò: «Tracy, mi hanno detto che avrò il bambino domani!». Certo che così non si ha proprio il tempo per abituarsi all'idea! Tammy dovette fare un volo di migliaia di chilometri per andare a prendere il piccolo in ospedale, dove era stato sottoposto a una serie di analisi mediche che si eseguono sui bambini adottivi per assicurarsi che non abbiano problemi di salute. Non aveva mai incontrato la madre naturale e non aveva nulla da cui cominciare, se non una dichiarazione che il bambino era sano e l'amore che subito fuoriuscì dal suo cuore per il piccolo essere indifeso che aveva tra le braccia.

Quando incontrate il vostro «bambino speciale»

Quando portate a casa il vostro fagottino, ecco alcune cose da tenere a mente.

Mantenete vivo il dialogo. Ovviamente, una delle prime cose che una madre adottiva deve fare è *parlare* con il nuovo bambino. Perciò presentatevi: raccontategli quanto vi sentite fortunati ad averlo. Se avete adottato un bambino di un'altra cultura, potrebbe volerci più tempo per abituarlo alla vostra voce: il timbro, l'intonazione e il tipo di voce *suoneranno* diversi da quella cui era abituato. Ecco perché di solito consiglio, quando è possibile, di scegliere una persona della sua stessa nazionalità che si prenda cura del nuovo arrivato.

Aspettatevi qualche giorno difficile. Entrare in una casa nuova può essere qualcosa che disorienta molto un bambino reduce dal trauma della nascita, in più bombardato da una serie di voci sconosciute e costretto ad affrontare un lungo viaggio. Per questo motivo molti bambini adottati hanno un carattere particolarmente difficile quando arrivano a casa. Questo era anche il caso di Hunter, il «bambino speciale» di Tammy. Per alleviare i suoi timori e farlo sentire a suo agio nel nuovo ambiente, Tammy stette praticamente sveglia con lui per le prime quarantott'ore, schiacciando un pisolino solo quando lo faceva anche lui. Gli parlava continuamente, e al terzo giorno il piccolo era un po' meno irritabile. Qualcuno potrebbe attribuire il suo malumore al lungo viaggio in aereo, ma io penso che gli mancasse la voce della madre naturale.

Non scoraggiatevi perché non potete allattare al seno. Questo è un punto dolente per molte madri adottive, che vorrebbero vivere questa esperienza per se stesse o dare al bambino i benefici nutritivi del latte materno. Quest'ultimo problema si può risolvere se la madre naturale è disponibile a tirarsi il latte per il primo mese circa. Conosco molte famiglie per le quali il latte materno è stato surgelato e recapitato dall'altra parte del paese. Se invece una madre adottiva vuole provare *la sensazione* che si ha allattando, può almeno simulare questa esperienza usando un sistema supplementare per nutrire il bambino (vedi p. 155).

Prendetevi qualche giorno per osservare il bambino prima di partire con il metodo E.A.S.Y. È importante che il bambino segua un programma strutturato il prima possibile, ma nel caso di un'adozione occorre passare qualche giorno semplicemente osservando. Certo, dipende anche da *quando* arriva il vostro piccolino. Con l'adozione di solito c'è un intervallo di tempo, che può andare da qualche giorno a qualche mese (di più, ovviamente, se adottate un bambino più grandicello, ma qui parliamo di prima infanzia). Bambini di due, tre o quattro mesi vengono spesso messi a regime in orfanotrofio o nella casa in cui ci si occupa di loro, ma per via dello stress aggiuntivo subìto dovete concedergli il tempo necessario per abituarsi. La cosa più importante da ricordare è quella di ascoltare: sarà il vostro bambino a dirvi di che cosa ha bisogno.

Anche con un neonato appena arrivato dall'ospedale occorre compiere questo attento lavoro di osservazione, per capire come è fatto e quali sono le sue necessità. Il figlio di Tammy, Hunter, cominciò a sentirsi a casa dopo quattro o cinque giorni, e fu subito chiaro che si trattava di un bambino «da manuale»: mangiava bene, i suoi umori erano piuttosto prevedibili e dormiva quasi due ore filate, quindi non fu difficile per Tammy abituarlo al metodo E.A.S.Y.

In ogni caso, l'esperienza con un bambino adottato è sempre diversa: dovete considerare tutto quello che *vostro figlio* ha passato. Se vi sembra particolarmente disorientato, gli farete del bene non solo continuando a parlargli, ma anche mantenendo un contatto stretto. Tenetelo in braccio: nei primi quattro giorni potete ricreare l'ambiente prenatale, mettendolo in un marsupio e tenendolo concretamente vicino al vostro cuore. Ma non fatelo per più di quattro giorni, e una volta che sarà più calmo e reattivo alla vostra voce cominciate ad applicare il metodo E.A.S.Y., altrimenti rischiate di compiere involontariamente gli errori che descriverò nel prossimo capitolo.

Se invece il bambino è un po' più grandicello ed è stato abituato a seguire non il metodo E.A.S.Y., bensì un altro tipo di routine – per cui magari si addormenta dopo ogni pasto –, con dolcezza è possibile fargli cambiare abitudini, ma anche in questo caso dovete concedergli qualche giorno. Per prima cosa, prendetevi tempo per vedere quanto mangia: la maggior parte dei bambini adottati prende il latte artificiale dal biberon, e poiché sappiamo che di solito questo latte viene digerito al ritmo di 30 grammi all'ora, potete assicurarvi che mangi abbastanza a ogni pasto in modo da superare senza problemi l'intervallo di tre ore. Se si addormenta al biberon perché così è stato abituato a fare, svegliatelo (vedi il consiglio a p. 128): giocate un pochino con lui per non farlo dormire dopo i pasti. Nel giro di pochi giorni seguirà il metodo E.A.S.Y. senza problemi.

Ricordate che non siete da meno di una madre naturale. Le donne che hanno fatto ricorso all'adozione all'inizio sentono di non meritare davvero il bambino che hanno avuto o di non sapere come comportarsi con lui, ma dopo i primi tre mesi una mamma adottiva non è diversa da una che ha partorito il proprio figlio. Non bisogna scusarsi per aver adottato un bambino: dopo tutto, essere genitori è un'azione, non una parola, e se siete stati con lui tutto il tempo, assistendolo di notte quando era malato e ricoprendo in tutti i sensi il ruolo di genitori, non avete bisogno di un legame biologico per meritare il titolo di mamma o di papà.

Nella mente di molti genitori adottivi si nasconde la domanda: «Questo bambino vorrà conoscere la madre naturale una volta cresciuto?». È qualcosa a cui bisogna pensare per tempo, ma senza preoccuparsene. Dovete rispettare il diritto di vostro figlio a fare luce sul proprio passato: sono le sue radici, ed è una sua decisione. Infatti, più avrete paura della sua curiosità, più avrà voglia di indagare.

Siate aperti. Cercate di fare in modo che il tema dell'adozione rientri regolarmente nel dialogo che avete col vostro bambino, in modo da non dovervi domandare quale sia il «momento giusto» per raccontargli delle sue origini.

Col termine «aperti» non intendo che dobbiate necessariamente mantenere un contatto con la madre naturale: questa è una decisione complessa e molto personale, che deve essere presa da una coppia dopo aver ben considerato la propria situazione particolare. Qualunque sia la vostra conclusione, è importante essere onesti con vostro figlio al riguardo.

Non sorprendetevi se rimanete incinte dopo un'adozione. No, non è una storia da vecchie comari, anche se nessuno sa con certezza perché donne apparentemente sterili improvvisamente riescano a concepire un bambino dopo averne adottato uno. Regina, a cui era stato detto che non avrebbe mai potuto avere figli propri, adottò un neonato. Pochi giorni dopo, detto e fatto: rimase incinta. Forse non si sentiva più pressata, o forse no. In ogni caso, ora ha due bambini che hanno nove mesi di differenza. Regina è molto grata a suo figlio adottivo, ed è così sicura che lui l'abbia «aiutata» a restare incinta che lo chiama il suo «bambino miracoloso».

Arrivi prematuri, inizi difficili

Se parliamo di miracoli, niente è così stupefacente – con gli occhi di poi, ovviamente – come vedere un neonato prematuro o nato con problemi medici, che potrebbe non superare la prima notte di vita, fiorire e trasformarsi in un bambino in piena salute. Lo so per esperienza, perché la mia figlia minore è nata con sette settimane di anticipo. Dovette rimanere in ospedale per cinque settimane. In Inghilterra in questi casi i genitori possono stare con i propri figli, perciò rimasi con lei per le prime tre settimane, mentre per le restanti due facevo avanti e indietro: la sera a casa da Sara, e durante il giorno da Sophie.

Proprio perché conosco l'altalena delle emozioni che ti travolgono in questi momenti, sono realmente vicina con tutto il cuore ai genitori di neonati prematuri ricoverati nei reparti di terapia intensiva. Un giorno siete ottimisti, quello dopo vi sentite paralizzati dalla paura perché i polmoni del bambino hanno smesso di funzionare. Conosco bene l'ossessione che spinge a controllare anche il minimo aumento di peso, la preoccupazione di infezioni, il timore di un ritardo e di altri problemi che possono insorgere. Il vostro bambino è lì, chiuso in un reparto d'ospedale, e voi vi sentite del tutto impotenti. State recuperando le forze, gli ormoni impazzano senza controllo nel vostro organismo, eppure dovete anche affrontare la possibilità che vostro figlio muoia. Vi attaccate a ogni parola dei dottori, ma il più delle volte vi dimenticate quello che dicono; cercate di convincervi che anche le cattive notizie in fondo ne contengono di buone. Ma ogni ora che passa vi chiedete: «Ce la farà?».

La nascita ad alto rischio: un vortice di emozioni

Le fasi che è necessario attraversare per accettare l'idea della morte – identificate per la prima volta da Elisabeth Kübler-Ross – vengono usate per spiegare il normale processo di adattamento a qualsiasi situazione di crisi.

Shock. Siete così inebetiti da non riuscire a pensare con chiarezza o assimilare i dettagli. La cosa migliore è avere un amico o un membro della famiglia accanto che vi ricordi le informazioni e faccia le domande.

Rifiuto. Non volete credere a quanto sta succedendo, sono i dottori che si sbagliano. Solo la vista del vostro bambino nel reparto di terapia intensiva vi costringe ad affrontare la realtà.

Lutto. Piangete il bambino perfetto e il parto ideale. Provate tristezza per voi stesse, e siete ancora più tristi perché non potete portare il piccolo a casa. Vi fa male dentro; ogni momento è una tortura. Piangete spesso, e le lacrime vi aiutano ad andare avanti.

Rabbia. Vi chiedete: «Perché a noi?». Potreste anche sentirvi in colpa, pensando che potevate fare qualcosa per prevenire il problema. Potreste dirigere la vostra rabbia sul partner o sulla vostra famiglia, finché non arrivate alla fase successiva.

Accettazione. Realizzate che la vita deve andare avanti. Capite che ci sono cose che potete controllare e altre no.

Un consiglio. Ricordate questa lezione fondamentale: l'importante non è quello che vi succede nella vita, ma come lo affrontate.

Purtroppo per alcuni non è così: circa il 60 per cento delle complicazioni serie o delle morti infantili è dovuto alle conseguenze di parti prematuri. È chiaro che dipende da *quanto prematuri* sono (vedi il box seguente). Inoltre, i neonati che sopravvivono possono sviluppare ulteriori problemi o aver bisogno di interventi chirurgici, cosa che non fa che aumentare l'ansia dei genitori. Ma una buona parte di questi bambini non si limita a sopravvivere, bensì cresce sana e forte e nel giro di pochi mesi è praticamente uguale ai suoi coetanei. Eppure, quando i genitori tornano a casa con un neonato prematuro, hanno i nervi talmente tesi che è difficile credere che la vita sarà mai più la stessa. Ecco qualche consiglio che può aiutarvi a superare questa fase (e aiutare anche il vostro bambino).

Aspettate la data presunta del parto per trattare vostro figlio come un bambino normale. I medici vi consentiranno di portare il bambino a casa quando avrà raggiunto i due chili e mezzo, ma se ciò avviene prima della data originariamente stimata per il parto dovete continuare a trattarlo con molte precauzioni: il vostro compito è quello di farlo mangiare e dormire il più possibile e di non stimolarlo. Inoltre, questo è l'unico caso in cui consiglio l'allattamento a richiesta.

Ricordate: teoricamente il bambino dovrebbe ancora essere *all'interno* dell'utero, quindi fate tutto ciò che potete per ricreare quelle condizioni. Avvolgetelo in posizione fetale; mantenete la temperatura della sua stanza intorno ai 22 °C; forse avrete notato che nel reparto di terapia intensiva neonatale a volte coprono gli occhi dei bambini in modo da bloccare la stimolazione visiva: a casa, quindi, è meglio oscurare la sua stanza. Non esponete il bambino al bianco e al nero, perché il suo cervello non è ancora pienamente formato e non deve essere bombardato dagli stimoli. Se con qualsiasi neonato occorre fare attenzione ai batteri, con un prematuro dovete essere ancora più rigorosi in tema di pulizia: la polmonite è un rischio molto concreto; ricordatevi di sterilizzare tutti i biberon.

Alcuni genitori di notte fanno a turno nel dormire con il bambino sdraiato sul petto: questa tecnica «a canguro» si è rivelata molto benefica nell'aiutare lo sviluppo dei polmoni e del cuore dei neonati prematuri. Uno studio condotto a Londra ha mostrato che, in confronto con quelli messi in incubatrice, i neonati che godevano del contatto pelle a pelle con la madre aumentavano prima di peso e avevano meno problemi fisici.

Percentuali di sopravvivenza dei prematuri

Le settimane si calcolano in base all'ultimo ciclo mestruale. Le stime vengono fatte sui neonati ricoverati nel reparto di terapia intensiva neonatale, e potrebbero variare in casi individuali.

23 settimane	10-35 per cento
24 "	40-70 per cento
25 "	50-80 per cento
26 "	80-90 per cento
27 "	più del 90 per cento
30 "	più del 95 per cento
34 "	più del 98 per cento

Le possibilità di sopravvivenza di un neonato prematuro aumentano del 3-4 per cento *al giorno* tra le 23 e le 24 settimane e del 2-3 per cento al giorno tra le 24 e le 26 settimane. Dopo 26 settimane, poiché le probabilità di sopravvivenza sono già alte, l'aumento quotidiano non è più così significativo.

Allattatelo con il biberon, oppure con il biberon e al seno. Finché un neonato non raggiunge il peso di due chili e mezzo, il suo regime alimentare viene deciso da un neonatologo. Una volta arrivato a casa, però, quest'ancora di salvezza scompare. Una delle vostre maggiori preoccupazioni è, comprensibilmente, l'aumento di peso corporeo: spetta a voi decidere il modo in cui nutrire il vostro bambino, in accordo col pediatra; ma il motivo per cui preferisco usare il biberon è che si può vedere quanto mangia. Inoltre, alcuni bambini prematuri hanno difficoltà a succhiare dal seno, perché non hanno ancora sviluppato il riflesso di suzione, che compare intorno alla trentaduesima, trentaquattresima settimana dal concepimento; se vostro figlio è nato prima di quest'epoca, non saprà in che modo alimentarsi.

Quando il bambino non può tornare a casa

Se il vostro bambino è arrivato in anticipo o ha sviluppato qualche problema in ospedale, potreste dover tornare a casa prima di lui. Ecco qualche strategia per sentirvi più coinvolte e, spero, meno inutili.

* Tiratevi il latte nel giro di sei-ventiquattr'ore e portatelo nel reparto di terapia intensiva neonatale. Che pensiate di allattare al seno o no, il vostro latte farà bene al bambino. In ogni caso, se il latte non è ancora comparso il piccolo crescerà benissimo anche con quello artificiale.

* Fategli visita tutti i giorni e cercate di avere un contatto fisico, ma non vivete in ospedale. Anche voi avete bisogno di riposo, specialmente quando il piccolo tornerà a casa.

* Non meravigliatevi di sentirvi depresse. È normale. Piangete e parlate dei vostri timori.

* Prendete le cose un giorno alla volta. Non serve preoccuparsi di un futuro che non potete controllare: concentratevi su quello che potete fare *oggi*.

* Parlate ad altre mamme come voi: vostro figlio avrà dei problemi, ma non è l'unico che ha bisogno di aiuto.

Cercate di dominare l'ansia e di trovare una valvola di sfogo
Tutto ciò che desiderate è stringere il vostro bambino per recuperare il tempo perduto; quando dorme siete spaven-

tate che possa non risvegliarsi. Questi sentimenti e altri innumerevoli istinti di protezione sono comprensibili, visto quello che avete passato. Ma l'ansia *non* lo aiuterà. Al contrario: alcuni studi hanno dimostrato che i neonati sentono istintivamente lo stress emotivo della madre e possono venirne influenzati negativamente. È assolutamente vitale che troviate aiuto da parte di una persona adulta, qualcuno a cui comunicare i timori più profondi e che vi incoraggi a piangere tra le sue braccia. Può essere il vostro partner: dopo tutto chi può capire meglio i vostri timori? D'altra parte, però, siete entrambi nella stessa barca e quindi potrebbe essere utile che ognuno dei due abbia altri punti di riferimento.

L'esercizio fisico può servire a smaltire la tensione, o magari siete il tipo che si calma con la meditazione. Qualunque cosa va bene purché funzioni e riusciate a portarla avanti.

Una volta che il bambino è fuori pericolo, smettetela di vederlo come prematuro o malato. Se vostro figlio è nato prematuro, oppure a termine ma con qualche problema, l'ostacolo maggiore che dovete superare è la vostra incapacità di superare il senso di «presentimento» che ha accompagnato quell'esperienza. È possibile infatti che continuiate ad avere l'attitudine mentale del genitore di un bambino debole o malato. Quando qualcuno mi chiama perché il piccolo ha problemi di sonno o di appetito, la prima cosa che chiedo è: «È nato prematuro?». Quella successiva è: «Ha avuto qualche problema alla nascita?». Di solito, la risposta a una o a entrambe le domande è affermativa. Concentrati sull'aumento di peso, i genitori tendono a dargli troppo da mangiare, e continuano a pesarlo anche molto dopo che il bambino ha raggiunto i livelli normali. Ho visto bambini di otto mesi che dormono ancora in braccio ai genitori o si svegliano in piena notte per la poppata. L'antidoto in questo caso è il metodo E.A.S.Y. Far seguire a vostro figlio una routine organizzata sarà positivo per lui, oltre che un segno di grande amore per voi stessi. (Nel prossimo capitolo racconterò la storia di qualcuno di questi genitori e spiegherò come li ho aiutati a risolvere il problema.)

Quando i «fagottini» sono... due

Fortunatamente al giorno d'oggi, grazie alle meraviglie della tecnologia a ultrasuoni, le donne che portano in grembo più di un bambino raramente sono colte di sorpresa. Se siete incinte di due o tre gemelli, ci sono buone possibilità che siate costrette a letto almeno l'ultimo mese di gravidanza, se non l'ultimo trimestre. In più, i gemelli hanno un 85 per cento di probabilità di nascere in anticipo. Per questi motivi il mio consiglio ai genitori è quello di iniziare a preparare la stanzetta dal terzo mese. Recentemente ho seguito una mamma costretta a stare a letto per le restanti quindici settimane di gravidanza, oltre che ad appoggiarsi agli altri per preparare il necessario per l'arrivo dei bambini.

Poiché questo tipo di gravidanze sono difficili e il parto finisce spesso con un taglio cesareo, le madri di gemelli non solo hanno un carico doppio o triplo dopo la nascita, ma devono anche recuperare di più le forze (non parliamo poi se i bambini sono quattro!). Comunque, posso assicurarvi che l'ultima cosa che una donna vuole sentirsi dire in questi casi è: «Oh, non sai cosa ti aspetta!». A parte il fatto che di solito questi commenti vengono da persone che hanno avuto *un* bambino alla volta, è una puntualizzazione piuttosto scontata e inutile. Io preferisco dire: «Ti aspetta una gioia doppia, e ognuno dei tuoi figli ha già pronto un compagno di giochi».

Quando i gemelli nascono prematuri o pesano meno di due chili e mezzo, prendete le stesse precauzioni che ho suggerito in caso di parto prematuro. La differenza più grossa, ovviamente, è che avete due bambini a cui badare invece di uno solo. Non sempre i gemelli vengono dimessi dall'ospedale insieme, perché uno può pesare meno o essere considerevolmente più debole dell'altro. Comunque sia, di solito li sistemo nella stessa culla. Piano piano, dopo circa otto, dieci settimane, o quando cominciano a esplorare e afferrare le cose – inclusi fratelli e sorelle – inizio il processo di separazione, allontanandoli sempre più nel giro di due settimane. Alla fine, li metto ognuno nel suo lettino.

Una volta superate le possibili complicazioni, è meglio stabilire dei turni per ogni bambino. Certo, è possibile allattare due bambini insieme, ma poi è più difficile concentrarsi su di loro come *individui*. Quindi, alla fine fate più fatica anche voi, e se anche foste in grado di nutrirli in contemporanea, vi sono cose come fargli fare il ruttino o cambiargli il pannolino che devono essere fatte separatamente.

Il problema più urgente per le madri di due o tre gemelli è che il lavoro sembra non avere mai fine e rende complicato stare con i bambini separatamente. Non c'è da sorprendersi, quindi, che questo tipo di mamme siano immediatamente disponibili all'idea di una routine organizzata che semplifichi un po' le cose.

Barbara, ad esempio, fu estasiata quando suggerii di far seguire a Joseph e Haley il metodo E.A.S.Y. Joseph dovette rimanere in ospedale tre settimane in più perché pesava poco alla nascita. Per quanto Barbara ne fosse addolorata, questo le concesse l'opportunità di impostare al meglio Haley. All'ospedale lo avevano abituato a mangiare ogni tre ore, quindi fu relativamente semplice. Quando venne a casa anche Joseph, cominciavamo le sue poppate quaranta minuti dopo quelle del fratello, regolando tutte le attività successive di conseguenza. Il programma della giornata seguente è quello adottato per questi due gemelli secondo il metodo E.A.S.Y..

Programma adottato per la gestione di due neonati gemelli

	Haley	Joseph
Eat (pappa)	6-6,30: poppata (crescendo i pasti durano meno; potete svegliare Joseph prima e ritagliarvi del tempo per voi)	6,.40-7,10: poppata
	9-9,30	9,40-10,10
	12-12,30	12,40-13,10
	15-15,30	15,40-16,10
	18-18,30	18,40-19,10
	Finché non dormirà tutta la notte, le poppate serali saranno alle 21 e alle 23	Poppate serali alle 21,30 e alle 23,30
Activity (gioco)	6,30-7,30 Cambio pannolino (10 min.) e gioco indipendente mentre Barbara allatta Joseph	7,10-8,10 Cambio pannolino (10 min.) e gioco indipendente mentre Barbara mette a letto Haley
	9,30-10,30	10,10-11,10
	12,30-13,30	13,10-14,10
	15,30-16,30	16,10-17,10
	Dopo la poppata delle 18, Haley gioca mentre Joseph «cena»	Bagno per tutti e due alle 19,10, dopo la poppata di Joseph
Sleep (nanna)	7,30-8.45 riposino	8,10-9,25 riposino
	10,30-11,45 idem	11,10-12,25 idem
	13,30-14,45 idem	14,10-15,25 idem
	16,30-17,45 idem	17,10-18,25 idem
	A letto dopo il bagnetto	A letto dopo il bagnetto
You (tempo per voi)	Non ancora, mamma!	Dopo aver messo a letto Joseph, mamma riposa per almeno 35 minuti o finché Haley non si sveglia per il prossimo pasto

Anche se Barbara ha scelto di non ricorrere al latte artificiale in aggiunta al proprio, spesso consiglio alle mamme di farlo. È molto faticoso continuare a tirarsi il latte e a nutrire due bambini dopo aver subìto un taglio cesareo. Certo, è ancora più difficile quando i gemelli arrivano dopo un primo figlio: come nel caso di Candace, i cui bambini (un maschio e una femmina) sono nati quando la figlia maggiore, Tara, aveva appena compiuto tre anni. Stranamente i gemelli poterono lasciare l'ospedale prima della mamma, che li aveva partoriti per via vaginale perdendo molto sangue. Il dottore le prescrisse tre giorni in più di degenza, per permettere alle piastrine pericolosamente basse di aumentare un po'. La madre di Candace e io ci prendevamo cura dei neonati, che seguirono subito il metodo E.A.S.Y.

Quando Candace tornò a casa, era pronta a gettarsi nella mischia: «Per fortuna avevo partorito a termine e partivo in buona forma fisica». Pensò anche di non «essersi stressata troppo» perché non era al primo parto. Fin dall'inizio fu consapevole della personalità di Cristopher e Samantha, e quindi in grado di interagire con loro come con piccoli esseri umani. «Cristopher era così tranquillo, perfino all'ospedale dovevano pizzicarlo per farlo piangere. Lei invece era nata col fuoco addosso. Ancora oggi quando le cambio il pannolino sembra che la stia torturando.»

Candace non ebbe la montata lattea per dieci giorni, e dopo sei settimane la quantità che produceva non era comunque sufficiente; così i gemelli continuarono ad avere una felice combinazione di latte materno e artificiale. È comprensibile – vista anche la presenza in casa della piccola Tara, di tre anni – che Candace non ne potesse più. «Tutti i mercoledì stavo con Tara, ma gli altri giorni in cui ero a casa a tempo pieno era un continuo allattare, tirarsi il latte, cambiare pannolini e mettere a letto i bambini; una pausa di mezz'ora e tutto ricominciava da capo.»

L'aspetto forse più rassicurante dei gemelli è che, una volta superato il periodo iniziale di adattamento, sono spesso *più facili* da gestire perché giocano insieme. In ogni caso, Candace toccò con mano quello che la maggior parte delle madri di gemelli finisce per accettare: ci sono volte in cui bisogna lasciarli piangere. «Prima pensavo: "Oh no, come farò?". Ma in realtà puoi occuparti di uno solo alla volta, e poi nessun bambino è mai morto per aver pianto un po'.»

Perfettamente d'accordo, dico io. Infatti, come nota conclusiva di questo capitolo, vorrei riproporvi questo pensiero: *non importa quello che vi capita nella vita, ma come lo affrontate*. Ricordate anche che molte situazioni impreviste e traumi legati alla nascita col passare dei mesi diventano ricordi distanti. Quando si affrontano problemi legati alla maternità e alla paternità, così come a circostanze insolite, la chiave è vedere le cose in prospettiva. Nel prossimo capitolo analizzeremo quello che succede quando i genitori *non* riescono a mantenere uno sguardo equilibrato e consapevole.

9
La «magia dei tre giorni»:
l'ABC dei genitori per rimediare
agli errori involontari

> «Quando vorremmo modificare qualche aspetto del bambino, sarebbe meglio prima vedere se non sia qualcosa che possiamo piuttosto cambiare in noi stessi.»
>
> *Carl Jung*

«Non abbiamo più una vita nostra»

Quando i genitori col bambino non si comportano fin dall'inizio nello stesso modo in cui intendono proseguire, possono incappare in quella che definisco un'«educazione involontaria». Prendete Melanie e Stan: il figlio, Spencer, che era nato prematuro di tre settimane, veniva nutrito a richiesta. Benché si fosse ripreso velocemente dal trauma della nascita, Melanie continuò ad affliggersi per la sua salute anche nelle settimane che seguirono: portava addirittura Spencer a dormire con lei, con la scusa che era più semplice allattarlo più volte nel corso della notte. Durante il giorno, ogni volta che piangeva i genitori funzionavano come una squadra, tenendolo in braccio e cullandolo per farlo dormire, facendogli fare un giro in macchina o camminando. In seguito presero l'abitudine di calmarlo con la tecnica «a canguro», facendolo addormentare *sopra* uno di loro. Melanie divenne un ciuccio umano: ogni volta che Spencer sembrava agitato, gli offriva il seno. Ovvio che a quel punto smetteva di piangere, perché aveva la bocca piena.

Otto mesi dopo, questi genitori ben intenzionati realizzarono che il piccolo si era impossessato della loro vita·

non poteva dormire senza che mamma o papà lo tenessero in braccio camminando su e giù per la stanza, e a quell'epoca pesava circa 13 chili, non più 3! Quando cenavano erano continuamente interrotti. Melanie e Stan non avevano mai trovato il momento «giusto» per spostare Spencer dal lettone alla culla, perciò una notte Melanie dormiva nel lettone con Spencer, mentre Stan finiva nella camera degli ospiti per avere almeno una notte di riposo; quella successiva sarebbe toccato a lui dormire col bambino. Comprensibilmente questa coppia non aveva neppure ripreso la propria vita sessuale.

È evidente che nessuno dei due *voleva* che la vita familiare avesse questo andamento, ed è per questo che ho coniato l'espressione «educazione involontaria». Ma la cosa peggiore è che a volte litigavano l'uno con l'altra, rinfacciandosi a vicenda questo o quello, oppure finivano per avercela con Spencer che, dopo tutto, stava solo facendo quello a cui era stato abituato. Quando andai a casa loro, la tensione si tagliava con un coltello. Nessuno era felice, meno di tutti Spencer che non aveva mai chiesto di essere lui a decidere!

La storia di Melanie e Stan è tipica dei genitori che non cominciano nel modo in cui intendono procedere, e che poi mi chiamano dalle cinque alle dieci volte a settimana lamentandosi: «Non vuole che lo metta giù», oppure: «Mangia solo per dieci minuti alla volta», come se il bambino stesse deliberatamente opponendosi al loro volere. In realtà quello che succede è che, involontariamente, *i genitori* hanno rafforzato un comportamento negativo.

Lo scopo di questo capitolo non è quello di farvi sentire in colpa, ma di insegnarvi come riportare indietro l'orologio e rimediare alle conseguenze indesiderate dell'«educazione involontaria». E credetemi, se il vostro bambino ha un comportamento che sconvolge la vita familiare, vi rovina il sonno o vi impedisce di avere una normale vita quotidiana, c'è sempre *qualcosa* che potete fare. Comunque, bisogna partire da queste tre premesse fondamentali:

1. Il bambino non fa nulla di proposito o per farvi dispetto. Spesso i genitori non si rendono conto dell'impatto che hanno sui figli e del fatto che, nel bene e nel male, sono loro a formare le aspettative dei bambini.

2. Voi siete in grado di disabituare il bambino. Analizzando il *vostro* comportamento – cioè quello che *voi* fate per incoraggiare vostro figlio – potete trovare il modo di cambiare qualsiasi cattiva abitudine gli abbiate involontariamente trasmesso.

3. Per cambiare le abitudini ci vuole tempo. Se il vostro bambino ha meno di tre mesi, di solito bastano tre giorni o anche meno; ma se è più grande e la cosa si è ripetuta, dovrete procedere un passo alla volta. Ci vorrà più tempo – di solito ogni *passo* dura tre giorni – e una buona dose di pazienza da parte vostra per far scomparire lentamente il comportamento che state cercando di modificare, che sia una difficoltà a addormentarsi o un problema relativo ai pasti. Ma dovete essere *coerenti*: se vi arrenderete troppo presto o se siete incostanti, provando una tattica diversa ogni giorno, finirete con l'incoraggiare proprio l'abitudine che vorreste eliminare.

L'ABC per cambiare le cattive abitudini

Spesso i genitori che si trovano nella situazione di Stan e Melanie si sentono disperati, perché non sanno da dove cominciare. Per questo ho messo a punto una strategia che permette loro di analizzare la propria parte nel problema e, così facendo, li aiuta a scoprire come modificare una situazione difficile.

«*A*» sta per *antefatto*: quello che veniva prima. Cosa stavate facendo in quel momento? Cosa avete fatto – o non fatto – per il vostro bambino? Che cos'altro stava succedendo intorno a lui?

«B» sta per *bambino*: il suo comportamento durante l'accaduto. Stava piangendo? Sembrava arrabbiato? Spaventato? Affamato? Stava facendo qualcosa che gli è abituale?

«C» sta per *conseguenze*: il tipo di schema che si è creato come risultato di A e B. I genitori «involontari», inconsapevoli di quanto possano contribuire a rinforzare uno schema, continuano a fare quello che hanno sempre fatto: ad esempio, tenere in braccio il piccolo per farlo dormire o piazzargli una tetta in bocca. Queste azioni possono risolvere la situazione sul momento, ma alla lunga non fanno che rinforzare l'abitudine negativa. La chiave per modificare le conseguenze, quindi, è *fare qualcosa di diverso*, introdurre cioè un nuovo comportamento in modo da consentire al vecchio di sparire lentamente.

Lasciate che vi faccia un esempio concreto. Prendiamo ancora una volta Melanie e Stan che, devo ammettere, sono stati un caso molto difficile perché Spencer aveva già otto mesi ed era ormai abituato ad avere l'attenzione dei genitori anche nel pieno della notte. Per riavere indietro la propria vita, Melanie e Stan dovettero compiere molti passi in modo da annullare l'effetto della loro «educazione involontaria». Usando il metodo dell'ABC, tuttavia, per prima cosa li aiutai ad analizzare la situazione.

L'*antefatto* in questo caso era un timore costante che nasceva – comprensibilmente – dalla preoccupazione iniziale di Melanie e Stan per il loro piccolo nato prematuro. Desiderando dare calore a Spencer, uno dei due lo cullava sempre e lo teneva sul proprio petto. Inoltre, per calmarlo la madre gli dava sempre il seno. Anche il *comportamento* di Spencer era coerente, però: era spesso capriccioso ed esigente. Questo schema finì per incancrenirsi, perché ogni volta che Spencer piangeva i genitori si precipitavano da lui, comportandosi sempre allo stesso modo. La *con-*

seguenza era che il bambino, a otto mesi, non sapeva calmarsi da solo né addormentarsi senza l'aiuto di qualcun altro. Non era così che Melanie e Stan avevano pensato di educare il proprio figlio, ma per modificare questa situazione – risultato di un'«educazione involontaria» – dovevano cambiare il proprio modo di reagire.

Procedete come i bambini... un passo per volta

Il mio compito è stato quello di aiutare Melanie e Stan a ricostruire una serie di antefatti che avevano contribuito a causare il comportamento di Spencer, e poi a scomporre la soluzione in più fasi. In altre parole, abbiamo compiuto un lavoro a ritroso per disfare quello che era stato fatto. Permettetemi di guidarvi in questo processo.

Osservate e ideate una strategia. Per prima cosa, mi limitai a osservare. Guardavo come si comportava Spencer la sera dopo il bagnetto, quando Melanie cercava di metterlo nella sua culla, appena cambiato e col pigiamino: si attaccava alla madre con aria terrorizzata non appena si avvicinava alla culla con lui in braccio. Spiegai a Melanie che stava cercando di dirle: «Che stai facendo? Non è il posto dove dormo di solito. Io *là* dentro non ci vado».

«Perché credi sia così spaventato?» domandai. «Cosa è successo prima?» L'antefatto del panico di Spencer fu presto chiaro: Melanie e Stan cercavano disperatamente di disabituarlo a dormire sul loro petto; dopo aver letto tutti i libri sul tema del sonno e aver parlato con amici che avevano lo stesso problema, avevano deciso di «*ferberizzarlo*», non una ma tre volte: «Abbiamo cercato di lasciarlo piangere, ma ogni volta piangeva così forte e così a lungo che mio marito e io ci siamo ritrovati a piangere con lui». La terza volta, quando Spencer pianse così intensamente da vomitare, i genitori saggiamente abbandonarono questa strategia.

La prima cosa da fare – o meglio da *disfare* – era chiara: far sentire il bambino al sicuro nella sua culla. Poiché comprensibilmente era tanto terrorizzato all'idea di dormire da solo, spiegai a Melanie che avremmo dovuto essere molto pazienti e cauti nel non fare nulla che potesse ricordargli il suo trauma. Solo dopo aver chiarito questo aspetto fummo pronti ad affrontare il suo comportamento notturno e il suo bisogno di mangiare ogni due ore.

Affrontate ogni fase lentamente: non potete accelerare il processo. Nel caso di Spencer ci vollero quindici giorni buoni per fargli superare il terrore che lo prendeva ogni volta che si avvicinava alla culla. Fu necessario suddividere l'operazione in fasi più piccole, cominciando con il momento del pisolino. Per prima cosa chiesi a Melanie di andare nella stanza del bambino, tirare le tende e mettere un po' di musica rilassante. Avrebbe dovuto semplicemente sedere sulla sedia a dondolo, tenendolo in braccio. Quel pomeriggio Spencer continuò a guardare verso la porta, anche se non erano affatto vicini alla culla.

«Non funzionerà mai» disse Melanie preoccupata.

Le risposi: «Sì, funzionerà, ma abbiamo davanti una lunga strada. Dobbiamo procedere a piccoli passi, come i bambini».

Per tre giorni rimasi accanto a Melanie, mentre ripetevamo la stessa sequenza: entrare nella stanza, tirare le tende e mettere della musica dolce. All'inizio si limitava a stare sulla sedia a dondolo, cantando dolcemente a Spencer; la ninnananna lo aiutava a distrarsi dai suoi timori, ma lui continuava a tenere gli occhi rivolti alla porta. Poi Melanie cominciò ad alzarsi in piedi con il piccolo in braccio, facendo attenzione a non spaventarlo avvicinandosi troppo alla culla. Nei tre giorni che seguirono riuscì ad andarci sempre più vicino, finché fu in grado di starci accanto senza che Spencer si dimenasse. Dopo una settimana lo mise nella culla, chinandosi in modo da essere a contatto col suo corpo: era come se lo tenesse in braccio, ma ora stava sdraiato.

Questa fu una vera svolta. Dopo altri tre giorni, Melanie poteva entrare nella stanza con Spencer, fare un po' di buio, mettere la musica, sedersi sulla sedia a dondolo e metterlo nella culla: però continuava a stare china su di lui, rassicurandolo con la sua presenza. Dapprima il bambino restava molto vicino al fianco della culla, ma dopo pochi giorni cominciò a rilassarsi, permettendosi perfino di distrarsi un po' e di allontanarsi da noi per prendere il suo coniglio di peluche. Ma quando sentiva di essere andato troppo in là, tornava rapidamente alla sua postazione di guardia sul fianco della culla, sempre vigile.

Continuammo a ripetere questo rituale, facendogli fare un passino ogni giorno. Invece di tenerlo in braccio, Melanie ora rimaneva in piedi accanto al lettino, e più avanti poté farlo da seduta. Dopo quindici giorni Spencer vi andava spontaneamente e si faceva mettere giù. Ma quando era sul punto di addormentarsi subito si risvegliava e si metteva seduto: tutte le volte noi lo rimettevamo giù. Allora si tranquillizzava di nuovo ma piangeva ancora un pochino, anche quando iniziava a percorrere le tre fasi del sonno (vedi il box a p. 219). Raccomandai a Melanie di non precipitarsi subito da lui, per non interrompere questo processo che altrimenti avrebbe dovuto ricominciare da capo. Alla fine Spencer imparò a fare da solo il viaggio verso il mondo dei sogni.

Affrontate un problema alla volta. Badate bene, eravamo riuscite ad aiutare Spencer a superare le sue paure, ma *solo durante il giorno*: non avevamo neppure provato a cambiare le sue abitudini notturne, che prevedevano di dormire nel lettone con mamma e papà e di svegliarsi più volte per mangiare. Quando vi trovate di fronte a un problema così radicato come questo ci vuole molto tempo e pazienza. Come diciamo un po' ovunque: «Una rondine non fa primavera». Ma quando vidi che Spencer non vedeva più il suo lettino come una camera di tortura, capii che si sentiva abbastanza sicuro per affrontare il passo successivo.

«Penso che sia ora di interrompere i pasti notturni» dissi a Melanie. Di solito il bambino, che aveva già iniziato ad assumere cibi solidi, cenava alle sette e mezzo, andava nel lettone dei genitori e dormiva in modo discontinuo fino all'una di notte, quando iniziava a svegliarsi ogni due ore per attaccarsi al seno. L'*antefatto* in questo caso era che sua madre, ogni volta che lo sentiva agitarsi in piena notte, lo allattava pensando che avesse fame, anche se prendeva solo 30 grammi alla volta. Il comportamento del bambino, ovvero il suo continuo svegliarsi, veniva rafforzato dalla ingenua disponibilità di Melanie a dargli il seno. Come *conseguenza* Spencer si aspettava di mangiare ogni due ore, cosa più adatta a un prematuro che non a un bambino di otto mesi.

Ancora una volta, fu necessario procedere per fasi. Le prime tre notti la regola prevedeva che non ci fosse nessuna poppata fino alle quattro, poi fino alle sei, quando poteva mangiare dal biberon (per fortuna questo bambino era già abituato a prendere sia il seno che il biberon, per cui accettò senza problemi questo cambiamento). I suoi genitori furono tenaci e coerenti nel seguire questo piano, dandogli il ciuccio quando si svegliava la prima volta invece del seno di Melanie e dandogli il biberon alla poppata delle sei; per la quarta notte questi progressi erano assodati.

Dopo una settimana dissi a Melanie e a Stan che era giunto il momento che mi fermassi a dormire, in modo da concedere loro un po' di riposo e, soprattutto, insegnare a Spencer come riaddormentarsi nel suo lettino senza bisogno della presenza di mamma, papà o del biberon. Durante il giorno prendeva dei cibi solidi e parecchio latte, quindi non aveva *bisogno* di mangiare anche di notte. E per circa dieci giorni si era lasciato addormentare più volte senza problemi. A questo punto era ragionevole comincia-

re a farlo dormire da solo... e possibilmente per tutta la
notte.

*Aspettatevi qualche regressione, poiché le vecchie abitudini
sono dure a morire; dovete seguire il piano con costanza.* La prima notte in cui abbiamo messo Spencer nel lettino dopo il
bagnetto, abbiamo ripetuto lo stesso rituale eseguito durante il giorno. Andava tutto a meraviglia... o almeno così
pensavamo. Quando era ora di dormire sembrava stanco,
ma non appena lo mettevamo sul materasso spalancava
gli occhi e cominciava ad agitarsi. Si alzava in piedi ap-
poggiandosi alle sponde del lettino, e noi lo rimettevamo
giù, rimanendo sedute lì accanto. Lui ricominciava a piangere e si rialzava. Noi lo rimettevamo giù di nuovo. Finalmente dopo trentuno volte, rimase giù e si addormentò.

Quella prima notte si svegliò all'una in punto piangendo. Quando entrai nella sua stanza, era già in piedi. Lo rimisi giù con dolcezza, senza dire una parola né guardarlo
per evitare di stimolarlo. Dopo qualche minuto si agitò di
nuovo e si rialzò, e la cosa andò avanti così: lui si tirava su
e io lo rimettevo giù. Dopo aver fatto questo balletto per
quarantatré volte, si addormentò esausto. Alle quattro
piangeva di nuovo. Spencer seguiva il suo schema con la
precisione di un orologio svizzero. E di nuovo io lo rimettevo giù. Questa volta il mio piccolo pupazzetto nella scatola venne fuori solo ventuno volte.

(Sì, ragazzi, *conto* veramente in questi casi. Spesso sono
chiamata a risolvere problemi relativi al sonno, e quando
una mamma mi domanda: «Quanto ci vorrà?», desidero
darle almeno una stima precisa. Con qualche bambino sono arrivata fino alle centinaia.)

Il mattino seguente raccontai a Stan e Melanie quello che
era successo, e papà sembrava scettico: «Non funzionerà
mai, Tracy. Non ci farà questo regalo». Gli feci l'occhiolino e
annuii, promettendo che sarei tornata per altre due notti.
«Che ci crediate o no» dissi, «il peggio è passato.»

Come scoprimmo poi, la seconda notte ci vollero solo

sei volte di «su e giù» per far dormire Spencer. Alle due, quando cominciò ad agitarsi, entrai in punta di piedi nella sua stanza e quando stava per alzarsi dal materasso lo rimisi giù con delicatezza, ripetendo l'operazione per cinque volte: in seguito, dormì fino alle sette meno un quarto, cosa che non aveva mai fatto. La notte successiva Spencer si lamentò verso le quattro ma non si svegliò, e dormì fino alle sette. Da allora, ha sempre dormito per dodici ore filate tutte le notti. Melanie e Stan avevano di nuovo la loro vita.

«Lui non vuole che lo metta giù»

Affrontiamo un altro problema molto comune usando il nostro metodo dell'ABC: quello dei bambini che vogliono stare sempre in braccio. Questo era il caso di Sarah e Ryan con il piccolo Teddy, di tre settimane, che avete già conosciuto nel capitolo 2 (pp. 67-68). «Teddy non vuole essere messo giù» si lamentava Sarah. L'*antefatto* era che Ryan, il quale all'epoca della nascita del bambino viaggiava molto per lavoro, era così felice di stare con suo figlio quando tornava a casa che lo portava continuamente in braccio. Sarah inoltre aveva una *nanny* guatemalteca, proveniente da una cultura in cui i bambini vengono tenuti moltissimo in braccio. Il comportamento del *bambino* era del tutto prevedibile, e come lui ne ho visti a centinaia: se me lo mettevo su una spalla era felice come una pasqua, ma nell'attimo in cui iniziavo a farlo scendere – badate bene che a quel punto non era più distante di 20-25 centimetri dal mio petto – scoppiava a piangere. Se mi fermavo e lo sollevavo di nuovo, smetteva. Sarah, abituata a dargliela sempre vinta pensando fosse il bambino che «non le permetteva» di metterlo giù, non faceva che rinforzare questo comportamento. La *conseguenza* di tutto ciò – l'avrete indovinato – era che Teddy voleva stare sempre in braccio.

Non c'è nulla di male nel tenere in braccio vostro figlio

o nel fargli le coccole, e comunque un bambino piccolo non andrebbe mai lasciato piangere ma sempre consolato. Il problema, a cui accennavo prima, è che i genitori spesso non sanno dove finisce il conforto e dove cominciano le cattive abitudini, e continuano a tenerlo in braccio anche *molto tempo dopo aver soddisfatto i suoi bisogni*. A questo punto il bambino conclude (ovviamente nella sua testa infantile): «Oh, ecco come funzionano le cose: mamma o papà mi portano in braccio tutto il tempo». Ma che succede quando diventa un po' più pesante o quando i genitori devono svolgere dei compiti che sono difficilmente compatibili col fatto di avere un bambino in braccio? Lui dirà: «Hey, aspettate un attimo. Dovreste tenermi in braccio. Non me ne starò qui tutto solo».

Che fare a questo punto? Trasformare la *conseguenza* cambiando il *vostro* comportamento. Invece di tenerlo perennemente in braccio, prendetelo quando comincia a piangere, ma rimettetelo giù non appena si calma. Se piange di nuovo, riprendetelo, ma quando si sarà tranquillizzato rimettetelo giù. E così via. Può darsi che dobbiate ripetere questa operazione per venti o trenta volte, o forse di più. Concretamente, gli state dicendo: «Va tutto bene. Io sono qui. Va bene che tu stia per conto tuo». Vi prometto che non sarà così per sempre, *a meno che* non ricominciate a consolarlo più del necessario.

Il segreto della «magia dei tre giorni»

Anche se a volte i genitori pensano che quello che faccio è pura magia, in realtà è semplicemente buon senso. Come avete visto nel caso di Melanie e Stan, dovete mettere in conto qualche settimana di transizione. Quanto al piccolo Teddy, invece, siamo riusciti a far sparire il suo desiderio di stare sempre in braccio perché l'antefatto – papà e la *nanny* che lo tenevano per la maggior parte del tempo – era cominciato solo poche settimane prima.

Per capire quale tipo di magia mi serve uso sempre il mio sistema dell'ABC. Spesso alla fine il tutto si riduce a un paio di tecniche, che si basano sul fare in modo che il vecchio comportamento pian piano venga sostituito dal nuovo. In tre giorni, è possibile «disfare» qualsiasi cosa abbiate fatto in precedenza – far sparire la vecchia abitudine – in favore di qualcosa che favorisca l'indipendenza e l'autonomia di risorse del vostro bambino. Più questo cresce, ovviamente, più sarà difficile scoraggiare le vecchie modalità: la maggior parte delle chiamate che ricevo vengono da parte di genitori che hanno bambini di cinque o più mesi.

Nella «Guida per individuare e risolvere i problemi» che potete trovare alla fine di questo capitolo, ho elencato i comportamenti negativi che più spesso mi chiedono di trasformare. Comunque, tutti hanno elementi in comune.

L'ABC *del cambiamento*

Ricordate: qualunque cattiva abitudine vogliate cambiare, è una *conseguenza* (C) di una vostra azione – l'*antefatto* (A) – che ha inavvertitamente causato il comportamento del *bambino* (B) che ora volete correggere. Se continuerete a fare la stessa cosa, vi limiterete a rafforzare la conseguenza. Solo cambiando azioni – cioè quello che *voi* fate – sarà possibile interrompere questo circolo vizioso.

Sonno difficile. Che un bambino non dorma tutta la notte (dopo i tre mesi) o che fatichi a addormentarsi da solo, il problema è sempre quello di abituarlo al proprio lettino prima, e di insegnargli come addormentarsi senza il vostro aiuto poi. Nei casi peggiori, di solito quando l'«educazione involontaria» è proseguita per parecchi mesi, il bambino ha paura del suo lettino, spesso perché è stato abituato a essere cullato e preso in braccio. La conseguenza è che non ha mai imparato come addormentarsi da solo.

Una volta ho seguito una bambina, Sandra, che era assolutamente convinta che il suo «letto» fosse il petto di un essere umano. Quando la tenevo in braccio, era come se ci fosse una calamita fra di noi. Ogni volta che cercavo di metterla giù Sandra piangeva. Era il suo modo di dirmi: «Non è così che *io* mi addormento di solito». All'inizio era impossibile farla sdraiare anche con me accanto. Il mio compito quindi era quello di insegnarle un altro modo di dormire, e glielo dissi: «Ti aiuterò a imparare come addormentarti da sola». Be', al primo momento era scettica e non particolarmente interessata all'argomento. Ho dovuto tirarla su e metterla giù per centoventisei volte la prima notte, trenta la seconda e quattro la terza. Non l'ho mai lasciata piangere, ma non sono neppure tornata alla tecnica di addormentamento «a canguro» che i genitori avevano usato con lei, e che non avrebbe fatto che perpetuare le sue difficoltà a prendere sonno.

Poppate difficili. Se il problema riguarda le poppate, di solito l'antefatto è una qualche forma di fraintendimento dei bisogni del bambino da parte dei genitori. Gail, ad esempio, si lamentava che Lily ci mettesse un'ora per pasto. Ancora prima di andarla a trovare, avevo il sospetto che la piccola, di un mese, in realtà non mangiasse per tutti i sessanta minuti, ma che usasse il seno della madre come ciuccio. Per Gail infatti allattare era così rilassante – è probabile che avesse alti livelli di ossitocina – che spesso si addormentava. Si appisolava a metà della poppata per svegliarsi di soprassalto dopo dieci minuti, mentre Lily continuava a succhiare imperterrita. Anche se ho consigliato a molte mamme di buttare via la sveglia quando allattavano, in questo caso ho dovuto fare il contrario, suggerendo a Gail di metterla dopo quarantacinque minuti. Cosa più importante, le raccomandai di *osservare attentamente* la bambina mentre era attaccata al seno: stava davvero mangiando? Facendo più attenzione, Gail si rese conto che Lily stava semplicemente calmandosi da sola per l'ultima parte della poppata, perciò quando suonava la sveglia sostituivamo il capezzolo di mamma con un ciuccio. In tre giorni eliminammo anche la sveglia, perché Gail era diventata molto più attenta ai bisogni di sua figlia. Crescendo, Lily abbandonò il ciuccio in favore del dito.

In questi casi il comportamento del vostro bambino potrebbe manifestarsi con il continuare a succhiare anche molto dopo aver assorbito il nutrimento necessario, come faceva Lily; oppure con l'allontanarsi dal seno come per dirvi: «Mamma, ora mangio più velocemente e ci metto meno tempo a svuotare le mammelle». Se voi non siete in grado di comprendere il suo linguaggio, cercherete di costringerlo a riattaccarsi al seno, e lui continuerà a succhiare perché è quello che fanno tutti i bambini. Oppure si sveglierà in piena notte per mangiare anche quando non ne avrà più bisogno. In tutte queste situazioni il piccolo impara a usare il seno materno per calmarsi e rilassarsi, una conseguenza che non fa bene né a lui né a voi.

A prescindere dal comportamento, comunque, il primo consiglio che do è quello di impostare una routine programmata per il bambino. Con il metodo E.A.S.Y. le cose sono più chiare perché i genitori sanno quando il bambino dovrebbe avere fame e quindi possono risalire più facilmente ad altre cause del pianto o del nervosismo. Ma allo stesso tempo li incoraggio a osservare quel che succede, a valutare se il bambino abbia davvero bisogno di mangiare e, se no, a eliminare gradualmente le poppate in più insegnandogli altri modi per calmarsi da solo. A volte comincio con l'abbreviare i tempi delle poppate in eccesso, permettendogli di passare meno tempo al seno o di prendere minori quantità di latte. In altri casi ricorro all'acqua o uso un ciuccio per effettuare il passaggio completo. Alla fine, il bambino dimenticherà la vecchia abitudine, ed è questo che fa sembrare la cosa un po' «magica».

«Il mio bambino ha le coliche»

Ecco il punto in cui la mia «magia dei tre giorni» viene davvero messa alla prova. Il vostro piccolino si lamenta e si porta le gambe al petto: sarà costipato? Avrà dell'aria nella pancia? A tratti sembra così provato da farvi temere che gli si spezzi il cuore. Il pediatra e altre mamme che sono passate attraverso la stessa esperienza dicono che si tratta di coliche, e tutti sembrano mettervi in guardia con tono minaccioso: «Non c'è niente da fare per queste cose». In parte ciò è anche vero: le coliche non hanno una vera e propria cura. Allo stesso tempo, però, *coliche* è diventato un termine molto abusato, una parola onnicomprensiva per descrivere qualsiasi tipo di situazione difficoltosa; in molti di questi casi *si può* fare qualcosa.

Vi posso garantire che se vostro figlio soffre di coliche sarà un vero incubo, per lui e per voi. Si calcola che un neonato su venti ne sia vittima in qualche forma, e di questi per il 10 per cento sono considerati casi molto gravi. Quando ciò si verifica, la muscolatura che circonda il tratto gastrointestinale o genitourinario del povero malcapitato si contrae spasmodicamente. Di solito i sintomi cominciano con un certo nervosismo e proseguono con prolungati pianti, che possono durare anche ore. Gli attacchi si verificano più o meno alla stessa ora tutti i giorni. A volte i pediatri si servono della «regola del tre» per diagnosticare le coliche: tre ore di pianto al giorno per tre giorni alla settimana per tre settimane o anche più.

Nadia, un classico caso di bambina che soffriva di questo disturbo, sorrideva per la maggior parte del giorno e piangeva dalle sei alle dieci di sera, a volte tutti i giorni, a volte più irregolarmente. L'unica cosa che sembrava portarle un certo sollievo era che si stesse seduti con lei in un armadio buio, che eliminava qualsiasi forma di stimolazione visiva.

La sua povera mamma, Alexis, era tesa quasi quanto lei e ancora più avida di sonno della media dei neogenitori:

aveva bisogno di aiuto almeno quanto sua figlia. Soltanto tenere a bada le sue emozioni era un lavoro a tempo pieno; di sicuro il consiglio migliore che possa dare ai genitori di un bambino che soffre di coliche è «Concedetevi una pausa».

Concedetevi una pausa

In una stanza piena di mamme, è facile riconoscere quella il cui bambino soffre di coliche, anche se il piccolo non sta piangendo in quel momento: è quella che vi sembra più esausta. Questa donna pensa di avere colpa se il suo piccolino è un tipo «difficile». Sono sciocchezze: se il problema sono davvero le coliche, si tratta di una cosa seria, certo, ma non siete state voi a causarle. Per affrontare la situazione, siete *voi* ad avere bisogno di aiuto quasi quanto vostro figlio.

Invece di darvi la colpa a vicenda – cosa che purtroppo alcune coppie fanno – voi e il partner dovete sollevarvi l'un l'altro. Molti bambini piangono in momenti precisi della giornata, diciamo dalle tre alle sei ogni giorno. Quindi fate dei turni: un giorno ci sarà la mamma e quello successivo il papà.

Se siete una madre single, cercate di chiamare un nonno, un fratello o un'amica che si fermino da voi nelle ore peggiori; e quando l'aiuto arriva, non statevene lì seduti ad ascoltare il bambino che piange: uscite di casa, fate una passeggiata o un giro in macchina, qualsiasi cosa vi tiri fuori dal solito ambiente.

E soprattutto, ricordate che anche se vi *sembra* che siano eterne, le coliche *passeranno*.

Spesso le coliche compaiono improvvisamente durante la terza o quarta settimana di vita del vostro bambino e sembrano scomparire altrettanto misteriosamente intorno ai tre mesi. (In realtà non c'è alcun mistero: nella maggior parte dei casi l'apparato digerente matura e gli spasmi spariscono. Inoltre, a quel punto i bambini hanno un maggior controllo sulle proprie membra e usano il pollice per calmarsi da soli.) Secondo la mia esperienza, comunque, parecchi dei disturbi etichettati come «coliche» sono un prodotto dell'«educazione involontaria» dei genitori: una mamma (o un papà) disperata, nell'intento di calmare un neonato urlante, cade nella tentazione di tenerlo in braccio per farlo dormire o di dargli il seno o il biberon per confortarlo. Questo sembra «guarire» il piccolo – almeno per un po' –, che nel frattempo comincia ad aspettarsi tale trattamento ogni volta che è agitato. Quando raggiunge qualche settimana di vita, la conseguenza sarà che null'altro lo tranquillizzerà, e tutti penseranno che si tratti di coliche.

Molti genitori che si lamentano per le coliche dei propri figli hanno una storia simile a quella di Chloe e Seth, di cui ho parlato nel capitolo 2 : al telefono Chloe mi disse che la piccola Isabella aveva avuto questo problema. «Piange quasi sempre» erano state le sue parole. Seth mi accolse alla porta con in braccio una bambina rossa in viso e dall'aspetto di un cherubino, che si sistemò subito tra le mie braccia rimanendomi seduta in grembo per i successivi quindici minuti in cui i genitori mi aggiornavano sulla situazione.

Come forse ricorderete, Chloe e Seth, una giovane coppia molto carina, rientravano senza dubbio nella categoria dei genitori «istintivi»: anche solo discutere della possibilità di programmare la giornata di Isabella – che a quell'epoca aveva cinque mesi e dava loro del filo da torcere – li faceva inorridire. Volevano che tutto si svolgesse nel modo più libero e naturale possibile; ma guardiamo da vicino le conseguenze di questa vita improntata al laissez faire sulla dolcissima Isabella.

«Ora va un po' meglio» disse Chloe. «Forse sta finalmente superando la fase delle coliche.» Continuò spiegandomi che Isabella aveva dormito nel lettone dei genitori da quando era nata e che si svegliava regolarmente in piena notte, urlando. Durante il giorno accadeva più o meno lo stesso: la bambina urlava perfino mentre mangiava, cioè ogni ora o due. Chiesi loro cosa facessero per calmarla.

«A volte le mettiamo una tuta da sci per non farla muovere troppo, oppure la sistemiamo nel dondolino e le facciamo ascoltare l'album dei Doors; ma se la situazione è davvero critica le facciamo fare un giro in macchina, sperando che il movimento la calmi. Se neppure questo funziona, mi metto sul sedile posteriore e la attacco al seno.»

«Ogni tanto riusciamo a tenerla buona cambiando gioco» aggiunse Seth.

Questa coppia deliziosa e affettuosa non aveva idea che molto di quello che faceva agiva in realtà *contro* lo scopo che cercava di ottenere. Con l'aiuto della tecnica dell'ABC, scoprii che questa situazione era stata preparata e rafforzata per cinque mesi. Poiché Isabella non seguiva neppure lontanamente una qualsiasi forma di programma quotidiano, i genitori fraintendevano continuamente i suoi bisogni, interpretando ogni pianto come un «ho fame». L'*antefatto* erano l'eccessiva alimentazione e i troppi stimoli, e il comportamento della *bambina* – il suo ruolo nel mantenere questo schema – era il pianto. Come *conseguenza* Isabella era sempre troppo stanca e non sapeva come calmarsi da sola. Non riuscendo a leggere le sue vere necessità e pensando di dover sempre escogitare nuovi modi per «tenerla buona», i genitori avevano involontariamente contribuito a rafforzare le sue difficoltà, aggravando la situazione.

Quasi mi avesse letto nel pensiero, la bambina cominciò a fare piccoli urletti simili a dei colpi di tosse, che palesemente – almeno per me – erano il suo modo per dire: «Mamma, ne ho abbastanza».

«Vedi?» disse Chloe.

«Mmm mmm» concordò Seth.

«Adesso fatevi coraggio, mamma e papà» dissi imitando la voce di una bambina e traducendo il linguaggio di Isabella, «sono solo stanca.»

Poi spiegai loro: «Il segreto sta nel metterla a letto *adesso*, prima che si innervosisca troppo».

Chloe e Seth mi condussero di sopra nella loro stanza, piena di sole, con un grande letto matrimoniale e molti quadri alle pareti.

Fu subito evidente un problema, al quale però ponemmo facilmente rimedio: la stanza era troppo luminosa e offriva troppi stimoli visivi, quindi la bambina faticava a tranquillizzarsi da sola. «Avete per caso una culla?» chiesi. «Proviamo a metterla a dormire lì dentro.»

Se fa male il pancino...

Una corretta alimentazione è il modo migliore per evitare i dolori di pancia, ma verrà il giorno in cui anche il vostro bambino probabilmente ne soffrirà. Ecco le tecniche sperimentate che si sono rivelate più efficaci.

* Il modo migliore per far digerire qualsiasi bambino, specialmente quando ha dell'aria nella pancia, è di sfregargli il fianco sinistro con un movimento dal basso verso l'alto (nella zona dello stomaco), usando la punta della mano. Se dopo cinque minuti non ha fatto un ruttino, mettetelo giù. In caso cominci ad ansimare, contorcersi, roteare gli occhi con un'espressione simile a un sorriso, vuol dire che ha dell'aria nella pancia. Prendete di nuovo il bambino, assicurandovi che abbia le braccia sulle vostre spalle e le gambe dritte, e tentate di nuovo.

* Mentre il piccolo si trova a pancia in su, portategli le gambe verso l'alto eseguendo un delicato movimento tipo «bicicletta».

* Mettetelo sul vostro avambraccio col viso rivolto in basso, e usate il palmo della mano per esercitare una leggera pressione sulla pancia.

* Formate una fascia larga 10, 12 cm usando una coperta arrotolata e avvolgetela stretta intorno alla vita del bambino, ma non tanto da impedire la circolazione (se assume un colorito bluastro significa che è troppo stretta).

* Per aiutare il vostro bambino a espellere l'aria, tenetelo stretto a voi e dategli qualche pacca sul sedere: in questo modo saprà dove spingere.

* Massaggiategli il pancino con un movimento simile a una C al contrario (non un cerchio), in modo da seguire il colon: da sinistra a destra, poi verso il basso, e poi da destra a sinistra.

Mostrai a Chloe e a Seth come avvolgere Isabella in una morbida e calda coperta (vedi p. 227), lasciando libero un braccio perché, come spiegai loro, a cinque mesi un bambino ha acquisito il controllo delle braccia e potrebbe riuscire a prendersi il dito. Poi mi spostai dalla stanza da letto in un corridoio meno illuminato e, sempre tenendo fra le braccia la piccola ben fasciata nella coperta, cominciai a darle leggeri colpetti ritmici sulla schiena. Con voce dolce la rassicurai: «Va tutto bene, piccolina, sei solo stanca». Nel giro di qualche secondo si era calmata.

Lo stupore dei suoi genitori si tramutò in scetticismo quando misi Isabella nella sua piccola culla, continuando a darle piccoli colpetti ritmici. Rimase quieta per qualche minuto e poi si mise a piangere. Allora la sollevai di nuovo, la calmai e la rimisi giù non appena fu di nuovo calma. Ripetei l'operazione per altre due volte e, con grande meraviglia di Seth e Chloe, Isabella si addormentò.

«Non mi aspetto che dorma molto a lungo» dissi loro, «perché è abituata a fare piccoli sonnellini. Ora il vostro compito è riuscire a prolungarli.» Spiegai che quando dormono i bambini attraversano più o meno lo stesso ciclo di quarantacinque minuti di noi adulti (vedi p. 232); ma poiché loro erano sempre accorsi al minimo rumore, la piccola non aveva ancora sviluppato la capacità di riaddormentarsi da sola. Stava a loro insegnarglielo. Se si fosse svegliata dopo solo dieci, quindici minuti, avrebbero dovuto rimetterla delicatamente a dormire come avevo fatto io, invece di pensare che il riposino fosse già finito. In seguito avrebbe imparato a riaddormentarsi da sé, e i periodi di sonno si sarebbero allungati.

«E le coliche?» chiese Seth palesemente preoccupato.

«Ho il sospetto che non si tratti affatto di coliche» risposi, «ma anche se così fosse, *ci sono* cose che potete migliorare a suo favore.»

Cercai di far loro capire che se davvero Isabella soffriva di coliche, quello stile di vita del tutto privo di regole non avrebbe fatto che aumentare il problema fisico. Tuttavia pensavo che il suo disagio fosse provocato da un'«educazione involontaria» da parte dei genitori. Come conseguenza del fatto di essere allattata ogni volta che piangeva, la piccola aveva imparato a usare il seno della madre come un ciuccio; e visto che le poppate erano così frequenti, si limitava a «spiluccare», succhiando solo la parte di latte materno più ricca di lattosio che può provocare aria nella pancia. «Fa spuntini anche di notte» feci notare, «il che significa che il suo piccolo apparato digerente non riposa mai.»

Ma la cosa più importante, spiegai, era che la bambina non faceva mai un buon sonno ristoratore – di giorno o di notte –, ed era costantemente stanca. Che cosa fa un bambino in questi casi per chiudere fuori il mondo? Piange, e quando lo fa inghiotte aria, che può causare gas nella pancia o peggiorare la digestione. Alla fine, come reazione a tutto questo, i due genitori ben intenzionati ricorrevano ad altri stimoli: i giri in macchina, il dondolino, lo stereo (e i Doors, nientemeno). Invece di aiutare Isabella a imparare come calmarsi da sola, le avevano involontariamente sottratto questa possibilità.

Li lasciai con un suggerimento: far seguire a Isabella il metodo E.A.S.Y. Avrebbero dovuto essere coerenti; continuare a fasciarla (intorno ai sei mesi sarebbe stato possibile liberarle anche l'altro braccio, perché a quell'epoca non si sarebbe graffiata o pizzicata il volto tanto facilmente); darle una serie di poppate ravvicinate alle sei, alle otto e alle dieci, in modo da fornirle le calorie necessarie per la notte. Se si fosse svegliata comunque, non darle altro che un passatempo; confortarla quando piangeva ma anche rassicurarla.

Consigliai di affrontare questi cambiamenti uno alla volta, cominciando dai pisolini diurni in modo che la piccola non fosse più così stanca e nervosa. A volte è sufficiente questo per provocare effetti benefici anche sul sonno notturno. In ogni caso, li avvisai che avrebbero dovuto affrontare parecchie settimane di pianti mentre compivano questa transizione: data la loro situazione attuale che cosa avevano da perdere? Avevano già passato mesi di angoscia vedendo la bambina così in difficoltà, e almeno ora intravedevano un filo di speranza.

E se mi fossi sbagliata? Se Isabella avesse davvero sofferto di coliche? La verità è che non avrebbe avuto importanza. Anche se i pediatri a volte prescrivono un blando antiacido per lenire il dolore, non c'è nulla in grado di curare effettivamente questo disturbo. So di certo, però, che una dieta corretta e un sonno «ragionevole» di solito alleviano il disagio del bambino.

Inoltre l'iperalimentazione e la mancanza di sonno possono provocare nel bambino un comportamento che assomiglia a quello che si ha in caso di coliche. Ha importanza che siano coliche «vere»? Vostro figlio soffre comunque. Pensate a che cosa provano gli adulti in questi casi: come vi sentireste se doveste stare alzati tutta la notte? Nervosi, sono sicura. E che cosa succede a un adulto intollerante al lattosio che beve del latte? I bambini sono esseri umani e in caso di disturbi gastrointestinali hanno i nostri stessi sintomi. L'aria nella pancia può essere un incubo per un adulto ed è anche peggio per un bambino, che non può massaggiarsi lo stomaco o usare le parole per comunicare il suo dolore. Usando il metodo E.A.S.Y., mamma e papà possono capire di cosa ha bisogno in quel momento.

Nel caso di Seth e Chloe, spiegai che dando a Isabella dei pasti completi invece che una serie di spuntini avrebbero capito meglio i suoi bisogni. Ogni volta che avesse pianto, avrebbero potuto seguire la logica: «Oh, non può avere fame, ha mangiato mezz'ora fa. Probabilmente ha dell'aria nella pancia». E sintonizzandosi davvero sulle espressioni del viso e sul linguaggio corporeo di Isabella, sarebbero stati in grado di riconoscere la differenza tra un pianto da stress («Mmm... guarda come fa smorfie e si porta le gambine al petto») e uno da stanchezza («Ha sbadigliato due volte»). Assicurai loro che, seguendo un programma preciso, il sonno della bambina sarebbe migliorato e non sarebbe più stata perennemente nervosa. Dopo tutto, non solo avrebbe avuto il riposo che chiedeva, ma anche i genitori avrebbero capito la situazione *prima* che diventasse incontrollabile.

«Il nostro bambino non vuole rinunciare al seno»

Questa è una lamentela che sento spesso fare dai padri, specialmente nel caso di mogli che hanno continuato l'allattamento al seno anche dopo l'anno di vita del bambino. Quando una mamma non si rende conto di essere *lei* il motivo per cui il figlio continua testardamente ad attaccarsi al seno, la situazione familiare può diventare davvero difficile. La mia sensazione è che quando le madri prolungano eccessivamente l'allattamento al seno è quasi sempre per *se stesse* e non per il bambino: le donne spesso amano questo ruolo, la vicinanza e la segreta consapevolezza di essere le uniche in grado di calmare il proprio bambino. A parte il senso di pace e di realizzazione personale che si può avere allattando, è anche possibile che si apprezzi l'idea che questo piccolo essere sia tanto dipendente da noi.

Adrianna, ad esempio, allattava ancora Nathaniel che aveva ormai due anni e mezzo. Il marito, Richard, era fuori di sé. «Cosa posso fare, Tracy? Ogni volta che Nathaniel è agitato lei gli dà il seno. Non ne vuole neppure parlare con me perché sostiene che quelli della Lega del latte le hanno detto che è "naturale" e che fa bene confortare un bambino in questo modo.»

Allora chiesi a Adrianna che cosa provava. «Voglio confortare Nathaniel. Ha bisogno di me» mi disse. Ma poiché sapeva che il marito stava diventando sempre meno tollerante, ammise che aveva iniziato a tenergli nascosta la cosa. «Gli ho detto che l'avevo svezzato, ma di recente siamo andati a una grigliata domenicale da amici e

Nathaniel ha cominciato a tirarmi la maglietta dicendo:
"Tata, tata" (la sua parola per seno). Richard mi ha lancia-
to una tale occhiata, sapeva che gli avevo mentito. Era fu-
rioso.»

Non è compito mio far cambiare opinione a una donna
sull'allattamento: come ho già avuto modo di dire, è una
faccenda molto individuale e privata. Ma consigliai a
Adrianna di essere almeno onesta con suo marito, poiché
la mia prima preoccupazione è per *tutta* la famiglia. «Non
sta a me dirti se dovresti svezzare Nathaniel o no, ma
guarda quali conseguenze questo sta avendo su tutti voi»
dissi. «Devi pensare a un bambino *e* a un marito, ma sembra che il primo stia avendo la meglio.» Poi aggiunsi: «Oltre tutto, se alle spalle di Richard stai facendo capire a
Nathaniel che *può* attaccarsi ancora al seno, rischi di farlo
diventare sleale».

Veniamo all'«educazione involontaria». A questo proposito suggerii a Adrianna di considerare la situazione,
cercando di capire quali fossero le sue motivazioni sull'allattamento e guardando un po' anche al futuro: voleva
davvero rischiare mentendo a Richard e dando il cattivo
esempio a Nathaniel? Certo che no. Semplicemente non ci
aveva pensato in questi termini. «Non sono sicura che sia
Nathaniel ad *aver bisogno* di essere allattato al seno» le dissi onestamente. «Penso che sia tu a sentire la necessità di
farlo ancora, e dovresti capire il perché.»

Bisogna darle atto che ebbe il coraggio di guardare a
fondo dentro se stessa: realizzò che stava usando Nathaniel come scusa per non prendere decisioni sul suo lavoro.
Aveva continuato a ripetere a tutti quanto fosse «impaziente» di tornare in ufficio, ma in realtà custodiva in sé
una fantasia molto diversa: prendersi ancora qualche anno per stare con suo figlio e magari avere un altro bambino. Alla fine ne parlò a Richard. «È stato incredibilmente
comprensivo» mi raccontò in seguito. «Ha detto che non
abbiamo bisogno del mio stipendio e che, tra l'altro, è fiero del tipo di madre che sono per Nathaniel. Ma anche lui

desidera partecipare all'educazione del bambino.» Questa volta Adrianna era seria quando promise a Richard di svezzare Nathaniel.

Per prima cosa iniziò a svezzarlo durante il giorno, dicendogli semplicemente: «Niente più "tata", solo prima di andare a dormire». Ogni volta che lui cercava di sollevarle la maglietta – cosa che capitava spesso nei primi giorni – lei ripeteva: «È finita», e gli dava il latte in un bicchierino. Dopo una settimana smise di allattarlo anche di notte. Nathaniel cercò di convincerla dicendo: «Ancora cinque minuti», ma lei continuò a ripetergli: «Niente più "tata"». Ci vollero altre due settimane di questo tormento prima che lui rinunciasse del tutto, ma quando lo fece la cosa era definitiva. Un mese dopo Adrianna mi disse: «Sono davvero sorpresa. È come se non si ricordasse neppure di aver succhiato dal seno. Non posso crederci». Ma la cosa più importante era che aveva di nuovo la sua *famiglia*: «È come se Richard e io fossimo in luna di miele per la seconda volta» disse.

Adrianna aveva imparato una lezione preziosa sull'introspezione e sull'equilibrio: per essere genitori ci vogliono entrambe le cose. Molti dei cosiddetti «problemi» che mi trovo ad affrontare sorgono perché mamme e papà non realizzano quanto essi stessi proiettino sui propri figli. È importante chiedersi sempre: «Lo sto facendo per il bambino o per *me*?».

Vedo genitori che tengono in braccio i figli quando questi non ne hanno più bisogno, allattarli anche quando non hanno più necessità di assumere latte materno. Quanto a Adrianna, stava usando il suo piccolino per nascondersi da se stessa, e senza rendersene conto stava fuggendo anche da suo marito. Una volta avuto il coraggio di guardare in faccia la realtà, e di essere onesta con se stessa e con il marito, realizzando di avere la forza di cambiare una situazione da negativa in positiva, divenne automaticamente una madre migliore, una moglie migliore e una persona più forte.

Come individuare e risolvere i problemi più comuni

Conseguenza	Probabile antefatto	Cosa dovete fare
«Il mio bambino vuole stare sempre in braccio.»	Voi (o una tata) amavate tenerlo in braccio... all'inizio. Ora si è abituato, mentre voi siete pronti a ricominciare la vostra vita.	Quando ha bisogno di essere consolato, prendetelo e calmatelo, ma mettetelo giù nel momento in cui smette di piangere. Ditegli: «Sono qui, non vado da nessuna parte». Non tenetelo in braccio più di quanto abbia bisogno.
«Il mio bambino ci mette quasi un'ora per mangiare.»	Può darsi che vi stia usando come «ciuccio vivente». O siete al telefono quando lo allattate e non fate attenzione al *modo* in cui mangia.	Dapprima il modo di succhiare è vorace e rapido, e potrete sentire il rumore mentre inghiotte. Quando il latte diventa più ricco di grassi il movimento diventa più lungo e forte. Ma se vuole solo tranquillizzarsi vedrete muoversi la mascella inferiore senza sentire pressione. Cercate di notare queste differenze in modo da sapere come lui mangia in quel momento. Non fategli fare poppate più lunghe di 45 minuti.

Conseguenza	Probabile antefatto	Cosa dovete fare
«Il mio bambino ha fame ogni ora, ora e mezzo.»	Può darsi che fraintendete i suoi bisogni, interpretando ogni pianto come fame.	Invece di dargli il biberon o di attaccarlo al seno, fateglii cambiare ambiente (potrebbe essere annoiata) o dategli il ciuccio per soddisfare il suo desiderio di succhiare.
«Il mio bambino ha bisogno di mangiare prima di dormire.»	Potreste averlo condizionato dandogli il seno o il biberon prima di andare a letto.	Fategli seguire il metodo E.A.S.Y. in modo che non associ più il sonno con il seno o il biberon. Vedi anche le pp. 229-233 per i consigli su come aiutarlo a addormentarsi da solo.
«Il mio bambino ha cinque mesi e non dorme ancora tutta la notte.»	Potrebbe aver scambiato il giorno per la notte. Ripensate alla vostra gravidanza: se scalciava molto di notte ed era tranquillo di giorno, è nato con questo bioritmo. Oppure forse gli avete consentito lunghi riposini diurni nelle prime settimane di vita, e ora è diventata un'abitudine.	È importante riportarlo al giusto ritmo svegliandolo ogni tre ore durante il giorno (vedi p. 229). La prima volta sarà un po' apatico, il secondo e il terzo giorno avrete già cambiato il suo orologio biologico.

Conseguenza	Probabile antefatto	Cosa dovete fare
«Il mio bambino non si addormenta se non lo culliamo.»	Può darsi che non vi siate accorti dei segnali che annunciano il sonno (vedi p. 221) e che poi sia troppo stanco. Forse lo cullavate per calmarlo, e non ha imparato a addormentarsi da solo.	Fate attenzione al primo o al secondo sbadiglio (vedi p. 220). Se la cosa si è ripetuta più volte, significa che ormai associa il dondolìo al sonno. Dovete inserire un comportamento nuovo: o lo tenete in braccio stando fermi o vi sedete sulla sedia a dondolo ma senza muovervi. Usate la voce e qualche leggero colpetto per calmarlo.
«Il mio bambino piange tutto il giorno.»	Se è davvero *tutto* il giorno le cause possono essere un eccesso di alimentazione, la stanchezza e/o i troppi stimoli.	È raro che i bimbi piangano così tanto, quindi è meglio consultare il pediatra. Se si tratta di coliche, di certo non è colpa vostra: dovete solo lasciarle passare. Se non sono coliche, provate a cambiare il vostro approccio. Vedi pp. 321-329 per una storia che potrebbe esservi familiare. Può anche aiutarvi il metodo E.A.S.Y. e un «sonno ragionevole» (vedi pp. 215-219).

Conseguenza	Probabile antefatto	Cosa dovete fare
«Il mio bambino si sveglia sempre nervoso.»	A parte il carattere, vi sono bambini nervosi quando non hanno dormito abbastanza. Se svegliate il vostro mentre sta soltanto cambiando fase di sonno (vedi p. 232), potrebbe non essere abbastanza riposato.	Non precipitatevi nella sua stanza al minimo rumore. Aspettate un po' per permettergli di riaddormentarsi da solo. Aumentate la durata dei riposini durante il giorno. Che ci crediate o no, questo lo farà dormire meglio la notte perché non sarà eccessivamente stanco.

N.B. Questa tabella non vuole essere un elenco esaustivo di tutti i problemi che potreste incontrare, ma delle difficoltà a lungo termine che sono più spesso chiamata a interpretare e correggere. Se il vostro bambino ne ha più di una, ricordatevi di affrontarne *una alla volta*. Come punto di riferimento, chiedete a voi stessi: «Che cosa voglio cambiare?» e «Che cosa voglio introdurre?». Se vostro figlio ha problemi col cibo *e* col sonno, le due cose sono spesso correlate ma è impossibile affrontarle se è spaventato dalla sua stessa culla. Quando cercate di capire da dove cominciare, usate il vostro buon senso: spesso la soluzione è più ovvia di quanto pensiate.

Epilogo

Alcune considerazioni conclusive

«Procedi con attenzione e molto tatto
e ricorda che la vita è
una grande prova di equilibrio.
Non scordarti di essere abile e lesto.
E *non* confondere mai il piede destro
col sinistro.
Avrai successo?
Sì! Senza dubbio!
(98 e 3/4 per cento garantito).»

Dr. Seuss, *Oh, the Places you'll go!*

Desidero terminare questo libro con una raccomandazione molto importante: divertitevi. Tutti i consigli di questo mondo sono inutili se non provate piacere nell'essere genitori. Certo, so che può essere dura, specialmente nei primi mesi e specialmente quando siete esausti. Ma dovete sempre ricordare quale dono speciale sia avere dei figli.

Non dimenticate poi che allevare un figlio è un compito che dura tutta la vita, ed è una cosa che dovete prendere più seriamente di qualsiasi altra missione abbiate mai portato a termine. Siete responsabili della guida e della formazione di *un altro essere umano*, e non c'è nulla di più importante di questo.

Quando le cose si fanno particolarmente dure (e vi garantisco che a volte succederà, anche se avete un bambino «angelico»), cercate di restare lucidi. La prima infanzia è un'età meravigliosa: spaventosa, preziosa e troppo breve. Se a tratti dubitate che un giorno vi guarderete indietro con nostalgia di quest'epoca così dolce e semplice, parlatene con genitori che hanno figli più grandi e che potranno confermarvelo: prendersi cura di un bambino non è che un piccolo «beep» sul radar della vostra vita; forte e chiaro ma tristemente irripetibile.

Il mio augurio è che possiate godervi ogni momento, anche quelli difficili, e il mio scopo è di darvi non solo semplici informazioni ma qualcosa di ben più importante: la fiducia in voi stessi e nella vostra capacità di risolvere i problemi.

Sì, cari lettori, potete farcela. Mamme o papà, nonne o nonni – chiunque prenda in mano questo libro –, questi segreti ormai non sono più solo miei. Fatene buon uso, e godetevi l'arte di calmare il vostro bambino comunicando con lui ed entrando in contatto profondamente.

Ringraziamenti

Desidero ringraziare Melinda Blau per il modo in cui ha interpretato il mio lavoro, arricchendo questo meraviglioso progetto con la sua esperienza personale e facendo in modo che questo libro risultasse sincero e credibile. Fin dalla nostra prima conversazione ho capito che condivideva totalmente il mio approccio nei confronti dei bambini; le sono davvero grata per la sua amicizia e per il duro compito che ha svolto.

Sara e Sophie, figlie mie meravigliose, grazie: se ho scoperto di avere un dono con i bambini e ho imparato a entrare in relazione con loro a un livello intuitivo e più profondo, lo devo soprattutto a voi.

Ho un debito di gratitudine anche con la mia famiglia, in particolare con mia madre e la mia nonna Nan, per la pazienza, il supporto e l'incoraggiamento costanti, oltre che per i loro insegnamenti.

Non ho parole per esprimere l'affetto che provo verso le famiglie che, nel corso degli anni, mi hanno dato l'opportunità di condividere gioie e momenti preziosi. Un ringraziamento speciale a Lizzy Selders: non dimenticherò mai la sua amicizia e l'appoggio che mi ha sempre dato.

Infine, sono grata alle persone che mi hanno aiutato a orientarmi nel mondo a me sconosciuto dell'editoria: Eileen Cope della Lowenstein Associates, che ha preso in mano la situazione svolgendo anche un lavoro eccellente nel comprendere a fondo questo progetto; Gina Centrello, presidente della Ballantine Books, per aver creduto in me, e il nostro editor, Maureen O'Neal, per il suo incoraggiamento continuo.

Tracy Hogg
Encino, California

Guardare Tracy Hogg mentre esercita il suo grande talento è davvero fantastico. Ho intervistato molti esperti in questo campo e sono mamma io stessa, ma il suo intuito e le sue strategie non finiscono mai di sorprendermi: la ringrazio per la pazienza che ha dimostrato nel rispondere alle mie infinite domande e per avermi fatto entrare nel suo mondo. Desidero ringraziare anche Thomas Cook per aver letteralmente tirato avanti la bottega mentre Tracy e io eravamo alle prese con le fatiche della scrittura, e Sara e Sophie per avermi prestato la loro mamma.

Sono molto grata ai clienti di Tracy che mi hanno accolto nelle loro case, permettendomi di conoscere i bambini e dunque aiutandomi a capire ciò che Tracy aveva fatto per loro. La mia stima va anche a Bonnie Strickland, consumata consulente e creatrice di contatti, per avermi presentato Rachel Clifton; a quest'ultima per avermi aperto le porte di un intero settore della ricerca infantile e ad altri professionisti ai quali sono debitrice.

Grazie anche a Eileen Cope, della Lowenstein Literary Agency, per aver saputo ascoltare attentamente e giudicare con saggezza e per essermi rimasta accanto; a Barbara Lowenstein per i molti anni in cui la sua esperienza mi ha fatto da guida. Un ringraziamento di cuore a Gina Centrello, Maureen O'Neal e tutta la famiglia della Ballantine, che si è buttata in questo progetto con un entusiasmo senza precedenti.

Infine, desidero esprimere la mia gratitudine a due saggi mentori, la mia «amica di penna» ormai ottuagenaria Henrietta Levner e zia Ruth, che è più di un'amica o di una parente; entrambe credono davvero nella scrittura e mi hanno sempre incoraggiato. E voglio ringraziare anche Jennifer e Peter, che stavano preparando il loro matrimonio mentre io scrivevo questo libro, per avermi voluto bene anche quando dicevo: «Mi spiace, ora non posso parlare». Per quanto riguarda tutti gli altri che sono nel mio cuore – Mark, Cay, Jeremy e Lorena – sappiate che vi sono infinitamente grata per la nostra «famiglia a parte». Se non lo sapevate, ve lo dico ora.

Melinda Blau
Northampton, Mass.

Indice analitico